一笑

古龍自署

盛期之風貌

臥龍生作品　帶動武俠風潮

《飛燕驚龍》開一代武俠新風

《飛燕驚龍》(1958)爲臥龍生成名作，共48回，約120萬言。此書承《風塵俠隱》之餘烈，首倡「武林九大門派」及「江湖大一統」之說，更早於香港武俠巨匠金庸撰《笑傲江湖》(1967)所稱「千秋萬世，一統」達九年以上。流風所及，臺、港武俠作家無不效尤；而所謂「武林盟主」、「江湖霸業」等新提法，竟成爲社會大眾耳熟能詳的流行術語了。

《飛燕》一書可讀性高，格局甚大。主要是寫江湖群雄爲覬覦傳說中的武林奇書《歸元秘笈》而引起一連串的明爭暗鬥；再以一部假秘笈和萬年火龜爲餌，交插敘述武林九大門派（代表正派）彼此之間的爾虞我詐，以及天龍幫（代表反方）網羅天下奇人異士而與九大門派的對立衝突。其中崑崙派弟子楊夢寰偕師妹沈霞琳行道江湖，卻如夢似幻地成爲巾幗奇人朱若蘭、趙小蝶之絕世武功技驚天龍幫，而海天一叟李滄瀾復接連敗於沈霞琳、楊夢寰之手；致令其爭霸江湖之雄心盡泯，始化解了一場武林浩劫云。

在故事佈局上，本書以「懷璧其罪」（與真、假《歸元秘笈》有關）的楊夢寰屢遭險難，卻每獲武林紅妝垂青爲書膽（明），又以金環二郎陶玉之嫉才害能，專與楊夢寰作對（暗）爲反派人物總代表。由是一明一暗交織成章，一波未平，一波又起，極盡波譎雲詭之能事。最後天龍幫冰消瓦解，陶玉帶著偷搶來的《歸元秘笈》跳下萬丈懸崖，生死不明，卻予人留下無窮想像空間。三年後，作者再續寫《風雨燕歸來》以交代陶玉重出江湖，爲惡世間，則力不從心，當屬狗尾續貂之作。

在人物塑造方面，臥龍生寫男主角楊夢寰中看不中用，固然乏善可陳，徹底失敗；但寫其他三名女主角如「天使的化身」沈霞琳聖潔無瑕，至情至性，處處惹人憐愛；「正義的女神」朱若蘭氣質高華，冷若冰霜，凜然不可犯；「無影女」李瑤紅則刁蠻任性，甘爲情死等等，均各擅勝場。乃至寫次要人物如「賓中之主」海天一叟李滄瀾之雄才大略，豪邁氣派；玉簫仙子之放蕩不羈，爲愛痴狂；以及八臂神翁聞公泰之老奸巨猾，天龍幫軍師王寒湘之冷傲自負等，亦多有可觀。

摘自 葉洪生、林保淳著
《台灣武俠小說發展史》

與

武俠小說

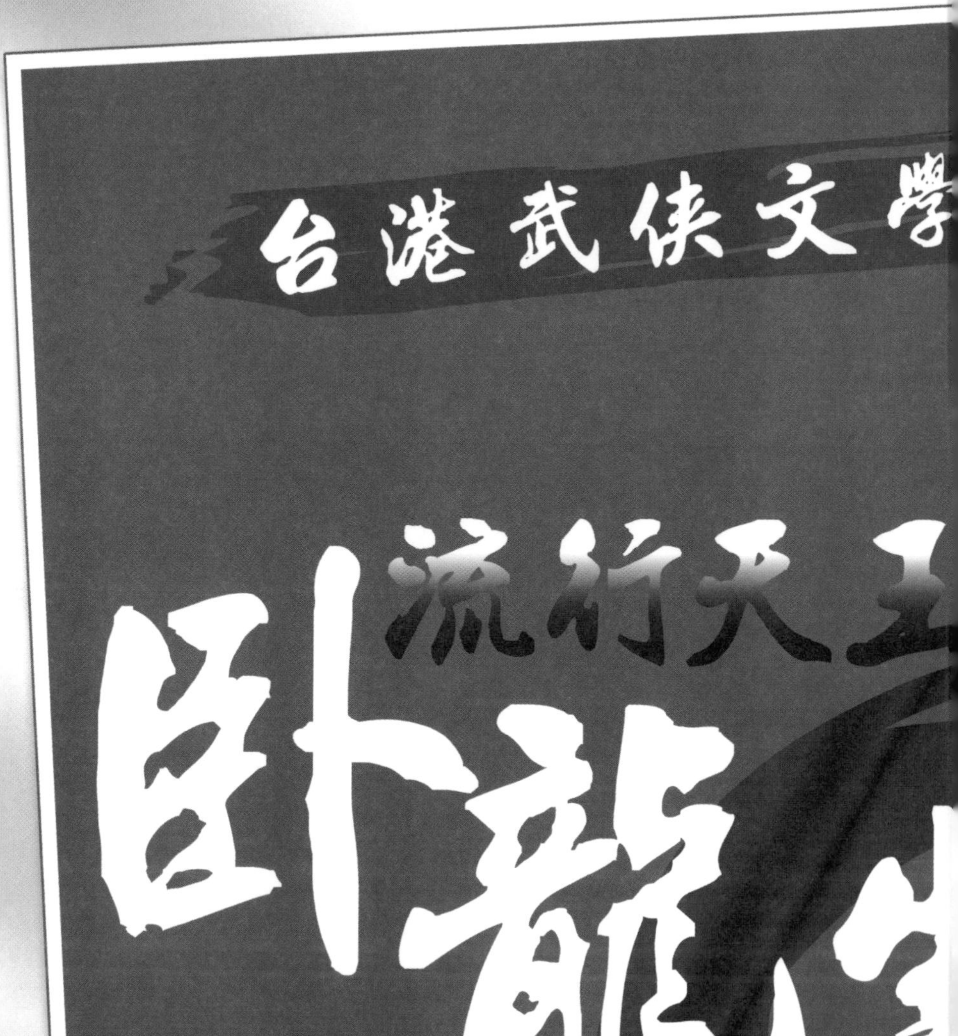

台港武俠文學
流行天王
臥龍

臥龍生是台灣最著名的武俠小説作家之一，自然也是海外新派武俠小説家中的重要一員。

在台灣武俠小説界，臥龍生曾獨領風騷被稱為「台灣武俠泰斗」。後來司馬翎、諸葛青雲脱穎而出，才與臥龍生並稱台灣俠壇的「三劍客」。那時候古龍還默默無聞。後來古龍名氣漸大，躋身高手之林，與「三劍客」合稱「台灣武俠小説四大家」，但臥龍生仍是深受讀者歡迎的武俠小説作家。

陳墨

岳小釵（四）

大結局

臥龍生

武俠經典珍藏版 28

臥龍生精品集㉘

岳小釵(四)

目錄

四六　失志復仇……005
四七　力搏梟雄……028
四八　生死紅顏……059
四九　金劍之主……086
五十　雙雄對決……116
五一　英雄氣短……143
五二　倩女癡情……172

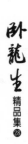

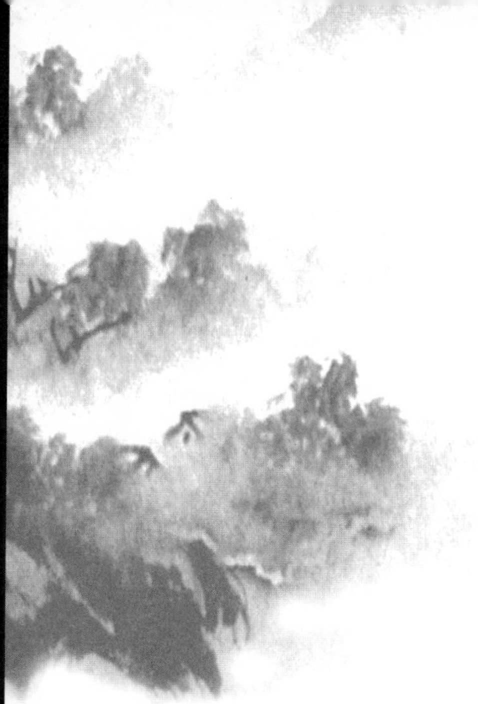

五三　情深似海　200
五四　異事迭現　232
五五　紅樓秘會　257
五六　圖窮匕現　274
五七　煙消雲散　293
五八　生死之鬥　318
五九　浩蕩江湖　338
六十　劫後武林　351

四六　失志復仇

宇文寒濤緊傍百里冰身側而坐，伸出手去，輕輕在百里冰肩上拍了一掌。

百里冰吃了一驚，急急起身避開。

她這驚慌失措的舉動，使得宇文寒濤也不禁為之一怔。

但不過一瞬間，又恢復了鎮靜之色，淡淡一笑，道：「如若在下猜得不錯，閣下並非真的啞巴！」

百里冰心中暗道：要糟，棋差一著，滿盤皆輸，我自認高明的事，卻要變成拖累了。

只聽宇文寒濤接道：「閣下有一個很好的同伴，已經離開此地，你們交談過很多話，而且閣下也和別人談過話。」

百里冰心中暗忖道：他舉證歷歷如繪，顯然早已經派人在暗中監視著我，今天想賴，只怕也是賴不過了。

宇文寒濤看那百里冰仍然不肯接腔，又道：「閣下就是那沈木風的奸細，但在蕭大俠開弔之日，我們也不會傷害你。」

孫不邪突然接道：「宇文兄，你能確知他不是啞巴嗎？」

宇文寒濤道：「確定不是。」

孫不邪道：「好！老叫化讓他說話。」

右手一伸，突然向百里冰左手腕上抓去。

百里冰一閃避開，伸手亂搖。

無爲道長看他閃避孫不邪擒拿的身法，已知是位高人，霍然離位，擋在門口。

孫不邪大踏兩步，直向百里冰迫了過去，冷冷說道：「只要閣下會講話，我老叫化就不信你不肯開口。」

口中說話，右手一抬，又是一掌劈了過去。

這一掌勢道強猛，挾帶著一股強猛異常的掌風。

百里冰右手一揚，推出一掌，人卻又向旁側閃去。

雙方發出的內力相觸，孫不邪冷哼一聲，道：「閣下的掌力不弱。」

陡然欺身而上，雙掌連環劈出。

掌掌快速，有如雷奔電閃一般，迫得百里冰不得不出手接架。

只覺孫不邪的掌力，一招強過一招，三掌過後，百里冰已經被震得雙臂發麻，胸中血氣浮動。

孫不邪眼看對方竟然能夠連接自己三掌，大感意外，暗暗讚道：瞧不出這個糟老頭子的武功竟也不弱。

原來，百里冰扮裝成一個瘦小的老人。

孫不邪掌勢加強，雙掌一齊劈出。

百里冰避開右掌，卻無法避開左面掌勢，只好硬著頭皮又接一掌。

這一掌力道奇猛，震得百里冰嚶了一聲，一跤跌坐在地上。

孫不邪收掌而退，皺皺眉頭，道：「怎麼？是個婦道人家。」

宇文寒濤大行兩步，逼近百里冰，道：「閣下究是何許人，女扮男裝而來？」

百里冰緩緩站起身子，右手按在唇上，低聲說道：「小聲些。」

聰明絕倫的宇文寒濤，也被百里冰這等舉動，搞得微微一怔，道：「此地十分安全，姑娘若有什麼話，請說不妨。」

百里冰心知此刻，若再不說實話，實難應付過去，自己決難是這三大高手之敵，如是被他們生擒了去，揭下臉上面具化裝，也要露出本相，不如早些說出來的好。

心中念轉，緩緩說道：「我是百里冰。」

宇文寒濤、無為道長，齊齊失聲驚叫，道：「什麼？你是百里姑娘……」

百里冰急道：「小聲些。」

無為道長放低了聲音，道：「姑娘沒有被那沈木風燒死嗎？那蕭大俠呢？」

百里冰道：「沈木風連我都燒不死，如何會燒死我蕭大哥呢？」

宇文寒濤道：「所以那化名藤大丹的，就是蕭大俠？」

百里冰道：「大哥一向讚你心細如髮，看來果然不錯了。」

孫不邪道：「你當真是百里姑娘嗎？」

百里冰無可奈何，只好抹下臉上化裝，露出本來的面目，道：「自是真的啦！」

宇文寒濤低聲說道：「姑娘先請坐下吧！咱們慢慢地談。」

伸手拉過一張木椅，低聲說道：「姑娘請坐。」

百里冰緩緩坐了下去，雙手一招，道：「你們都坐過來。」

孫不邪、宇文寒濤、無爲道長都依言圍攏了過來。

百里冰道：「我大哥再三的告誡我，不許我洩露他還活著的消息！」

孫不邪道：「爲什麼？難道他要大家都爲他悲傷得肝腸痛斷嗎？」

百里冰道：「他當然自有用心了……」

語聲微微一頓，環顧了四周一眼，接道：「我大哥再三告誡我，暫時不要告訴你們他還活著的事，如今我被你們逼了出來，他如是知道了，心中定然不高興。」

宇文寒濤道：「姑娘和蕭大俠逃出火場一事，定然是有著驚險萬狀，奇蹟一般的經過，但那已成過去，咱們日後再說不遲，目下最爲重要的是，蕭大俠此刻到了何處，沈木風已率高手到此，蕭大俠人單勢孤，咱們得派人去接應他。」

百里冰搖搖頭，道：「不行，你們派人去接應他，豈不是露了風聲，再說，他現在在哪裏，我也一樣不知道，只知他辦事去了！」

宇文寒濤道：「姑娘可知他幾時回來嗎？」

百里冰道：「明日午時之前，他定然趕上岳姑娘和沈木風那場決鬥……」放低了聲音，接道：「我大哥活著的事，除了你們三位之外，暫時不能讓別人知道，尤其不能讓玉簫郎君知道。」

孫不邪道：「中州二賈，這兩人自聽得蕭翎噩耗之後，終日以淚洗面，茶水不進，太苦了，蕭翎既然未死，爲何還讓他們苦下去？」

百里冰道：「要是告訴了他們，日後大哥怪我，那要怎麼辦呢？」

孫不邪道：「老叫化子替你擔待。」

宇文寒濤道：「其實，沈木風已經來過，縱然讓中州二賈知曉此事，也不會有大礙了。」

百里冰道：「大哥一向讚你智計百出，才慧絕世，只有你才能和沈木風一較智力，你看看能不能告訴他們。」

宇文寒濤微微一笑，道：「蕭大俠太捧我，其實他的氣度、風骨，才使人處處心折，而才華尤在區區之上……」

語聲一頓，接道：「中州二賈，數日中未進飲食，體能大爲減退，此時，正值用人之際，這兩大高手，如是因體能消退，無法派上用場，那就太可惜了。」

百里冰道：「依你之意，那是應該告訴他們了？」

宇文寒濤道：「在下只說出輕重利害，是否要告訴他們，那要姑娘決定了！」

百里冰沉吟了一陣，道：「好！那你就告訴他們吧！不過，不能說我在此。」

宇文寒濤道：「如是姑娘不肯和他們相見，在下說了，他們也不會相信。」

百里冰道：「那要如何？」

宇文寒濤道：「最好姑娘和他們見上一面。」

百里冰道：「如是別無良策，那也只好如此了！」

無爲道長道：「貧道去請他們來。」起身向室外行去。

宇文寒濤長長吁一口氣，道：「蕭大俠對明日午時，沈木風和岳姑娘決鬥之約，如何吩咐？」

百里冰道：「他沒有，他只說明日午時之前，他會趕回此地。」

宇文寒濤沉吟了一陣，道：「蕭大俠既然還活在世上，咱們這對敵之策，不得不稍作修正了……」

仰起臉來，長長吁一口氣，道：「如若在下料斷的不錯，沈木風明日午時，必將率領極多的高手而來，在下原來想以其人之道，還制其人之身，玉碎靈堂，既可爲蕭大俠報仇，亦可爲武林除一大害，但因蕭大俠未死，這計畫必得從新改變一下才成。」

孫不邪奇道：「你那玉碎靈堂的計畫，怎麼老叫化一點也不知道？」

宇文寒濤歉然一笑，道：「這計畫不但孫老前輩不知，就是無爲道長，也不知曉，爲了確保秘密，除了在下之外，只有中州二賈知曉……」

孫不邪嗯了一聲，接道：「現在你既然說了出來，總該說給老叫化聽聽吧！」

宇文寒濤道：「老前輩不要誤會，在下讓中州二賈知曉此事，實因有著借重他們之處，不得不說明內情了……」

語聲一頓，接道：「中州二賈聚斂之豐，當今武林中無出其右，算上那沈木風，也未必能強過中州二賈，不過，世人只知他們聚斂金銀珠寶，卻不知他們無所不收……

「在下那玉碎靈堂之策，也是得知兩人收藏了一種『破山神雷』之後，才動此念，老前輩大概還記得，百年前一位破山老人的往事，那人終身喜愛火藥，創造出破山神雷，曾在一場搏鬥中施放出手，使當場二十七名武林高手，全部傷亡殆盡……

「因爲神雷威力強大，使破山老人四名弟子，也死於當場，那老人雖然獨逃劫難，但也身受重傷，半年後傷重而歿，遺留下兩顆破山神雷，卻爲中州二賈收藏了起來。」

孫不邪點點頭，道：「老叫化也知道這件慘事。」

宇文寒濤道：「中州二賈得到那僅有的兩個破山神雷之後，因它過於惡毒，把它藏於鐵盒，埋之地下，蕭翎死訊傳出，兩人報仇心切，突然想到了兩個神雷，竟然把它取了出來，帶在身上，商八把此事告訴在下之後，在下才安排了玉碎靈堂之計，準備和那沈木風，同歸於盡在蕭大俠靈堂之上。」

孫不邪道：「老叫化明白了，中州雙賈準備施用破山神雷，和沈木風並赴黃泉。」

談話之間，無爲道長帶著中州二賈，行入室中。

中州二賈進入室中，四道目光一齊投注在百里冰的身上。

兩人雖然認清了那確是百里冰，似是心中還是不敢相信一般，揉揉眼睛，又望了百里冰一眼，愁苦、哀傷的臉上，才泛出一絲笑容。

百里冰看到兩人雙目紅腫，滿布血絲，商八那便便大腹，也似是小了甚多，原本滿臉紅光的臉色，也變得一片蒼白。

杜九一張臉，更是難看，有如枯木一般，青中透黃。

百里冰目睹兩人形象，想到他們內心之中的煎熬，亦不禁爲之黯然，緩緩站起了身子，行到兩人身前，柔聲說道：「苦了你們啦。」

商八微微一笑，道：「現在好了，不知幾時可見到大哥之面？」

百里冰道：「明日午時之前，你們就可見到他了……」

突然一皺眉頭，接道：「不過，我不能告訴你們他改裝的形貌，你們也不能和他招呼。」

杜九一向冰冷的面孔上，也現出難得一見的笑意，說道：「咱們只要知曉大哥還活在世上，那就夠了。」

原來，無爲道長已把部分內情，先行告訴了中州二賈。

宇文寒濤舉手一招，道：「商兄、杜兄，兩位請過來坐。」

商八、杜九心中痛苦盡消，依言行了過去，道：「宇文兄有何指教？」

宇文寒濤道：「適才在下和孫老前輩談起咱們玉碎靈堂之策，如今蕭大俠還活在世上，這法子自然也不能用了！」

商八道：「我們那蕭大哥一向推崇宇文兄的才華，如何處理，還要宇文兄作主了！」

孫不邪接道：「不論玉碎靈堂之策，是否還用，老叫化子還是想聽聽準備對付沈木風的法子！」

宇文寒濤笑道：「其實也不是什麼奇妙之法，只是咱們陪沈木風同死，方法是由在下和商兄各帶一顆破山神雷，和沈木風動手相搏，再動手引發神雷，雙方一齊粉身碎骨。」

孫不邪歎息一聲，道：「你們該早把這法子告訴老叫化，由老叫化懷神雷和他們動手，老叫化已經形將就木，不凶死，也再難活得幾年，能和沈木風同歸於盡，死得光光彩彩，也好博得後世美名，你們兩位都還在壯年之期，怎能輕易言死？」

宇文寒濤笑道：「在下想過，如以武功而言，老前輩和沈木風動手，那是最好不過，只是老前輩和無爲道兄，都不能死。」

無爲道長對這玉碎靈堂之計，原本毫無所聞，是以一直用心傾聽，未多接言。

孫不邪卻接口說道：「爲什麼？」

宇文寒濤道：「因爲沈木風被炸死之後，百花山莊並未星散，半局殘棋，還要孫老前輩這等德高望重，武功絕世的高人，出面收拾，因此如若老前輩和無爲道兄，在這場搏鬥之中死去，這些大事，又叫何人完成呢？」

孫不邪略一沉吟，道：「現在蕭大俠未死，全局轉變，咱們又應該如何呢？」

宇文寒濤道：「這就是在下要和諸位研商的事了。」

孫不邪道：「老叫化之意，不如把破山神雷交由在下攜帶，明日午時，由老叫化出面，單獨約那沈木風，找一片空曠之地，一決生死，如是老叫化非他之敵，就施放神雷，我和他同歸於盡。」

宇文寒濤搖搖頭，道：「這法子不成！不要說此刻用人之際，老前輩不宜輕易言死，單是那沈木風的狡猾多疑，也不會答應老前輩的挑戰。」

孫不邪道：「宇文兄，不用為老叫化的生死擔憂，我這番重出江湖，就沒有打算再重歸林泉，樂度餘年，至於沈木風，不肯接受老叫化的挑戰一事，倒叫老叫化想不明白。」

宇文寒濤輕輕歎息一聲，道：「難怪老前輩有此一問，世人對那沈木風的了解，實在是太少了，所以，他才能縱橫自如，造成今日之局，他為人多疑、陰沉，任何一個細微小節，都不放過，老前輩想約他到一處空曠所在挑戰，那就是一個極大的破綻。」

孫不邪接道：「宇文兄未免把那沈木風形容得太過神化了，老叫化不信他有如此過人之見。」

宇文寒濤沉吟了一陣，道：「老前輩不信在下之言，不妨一試。」

孫不邪道：「好，你把那破山神雷給我，並且告訴我施放之法。」

宇文寒濤道：「可以，不過，老前輩要答允在下，如是那沈木風不答應和老前輩挑戰，老前輩從此之後，就要聽憑在下的調遣，不得再問內情。」
無爲道長本想勸阻，但見宇文寒濤一臉嚴肅之色，似是要借此機會，以制服孫不邪，也就不再多言了。
孫不邪沉吟了一陣，道：「好吧！老叫化自信可使那沈木風就範……」
百里冰接道：「爲什麼？」
孫不邪微微一笑，道：「據老叫化的經驗，武林中人，大都極愛情面，沈木風在數百英雄之前，如是不答應老叫化的挑戰，那是對老叫化示弱了，料想他不敢不允。」
宇文寒濤緩緩說道：「看來，只有一試之後，老前輩才肯信在下之言了。」
孫不邪道：「如是事情果是如你宇文寒濤之料，從今之後，不論你宇文寒濤如何派遣我老叫化，水裏水中去，火裏火中行，老叫化絕不再多問一句，可以嗎？」
宇文寒濤道：「好！咱們就此一言爲定……」
語聲一頓，接道：「蕭大俠明日依然出現靈堂，但他顯然不願現露身分，咱們自然也不用設法逼他現身了。」
無爲道長道：「咱們是否也要有所佈置呢？」
宇文寒濤道：「是的，既是孫老前輩決心要以破山神雷，和那沈木風同歸於盡，咱們只有別作佈置了……」
語聲微微一頓，環顧了四周一眼，道：「道長率咱們編成的第一隊高手，應付沈木風隨來之人，商兄、杜兄，代替孫老前輩率領第二隊高手，專以堵截沈木風本人，必要時，可以破山神雷對付他們，餘下的事，由在下臨場應變，再行調派。」

無為道長、商八、杜九齊齊應了一聲。

宇文寒濤緩緩由懷中摸出破山神雷，雙手捧給孫不邪道：「老前輩，破山神雷在此，老前輩您收下吧！」

百里冰凝目望去，只見那破山神雷，只不過有鴨蛋大小，遍體血紅，如非事先知曉，絕想不到此物有著那等驚人的威力。

孫不邪雙手接過，應了一聲，道：「老叫化實難相信，它有著破山碎石的威力。」

宇文寒濤神色肅然地說道：「如是老前輩自覺無法和沈木風同歸於盡，希望不要輕用。」

孫不邪點點頭，道：「如是不能和沈木風同歸於盡，老叫化也還想多活幾年，宇文兄儘管放心。」

宇文寒濤道：「那很好，此物只要受重擊，即可爆炸，老前輩如能讓沈木風一掌擊中，而使它爆炸，那是上策，否則只要施用內力，把它摔在地上即可，不過，據晚輩所知，這破山神雷威勢雖大，但必死的距離是在一丈之內，超過一丈，對方就有生存的機會了。」

孫不邪道：「老叫化記下了。」

宇文寒濤道：「明日午時，沈木風來此之時，岳小釵和玉簫郎君，必然會先行出手……」

百里冰接道：「蕭大哥說，那岳姑娘不是沈木風的敵手，要我阻止此事，不能讓岳姑娘傷在沈木風的手中。」

宇文寒濤點頭應道：「這個在下會做安排，不用姑娘費心，明日姑娘也在場中，希望你能夠鎮靜一些，不要出聲呼叫，使我們亂了章法。」

百里冰道：「好！我答應你。」

宇文寒濤站起身子，道：「蕭大俠不似早夭之相，聞得噩訊時，在下有些半信半疑，但就當時形勢而論，一個人陷於四方大火之中，實是萬無生還之理，但命不該死，五行有救，果然發生奇蹟，此刻，諸位心中已安，希望能夠好好坐息一陣，培養體能，明天也許還有一場惡鬥……」

轉目一顧百里冰，接道：「在下已爲姑娘備妥了住宿之地，緊鄰岳姑娘，中間只有一層白綾阻隔，姑娘只管安心調息，也可以暗中聽聽，但不能多說一句話，需知那岳姑娘耳目靈敏，一句話就可能暴露了你的身分。」

百里冰點點頭，道：「我腹中饑餓，想進些食用之物。」

宇文寒濤道：「姑娘請到房中休息，自會有人爲姑娘送上食用之物，姑娘可以重新易容，早些去吧！」

百里冰重新塗上易容藥物，隨在宇文寒濤身後，繞了數條甬道，來到一處小室之前。

宇文寒濤掀起垂簾，百里冰低首行入室中，宇文寒濤緩緩放下垂簾而去。

兩人未再交談一語。

百里冰目光轉動，只見室中放有一張木板搭成的小床，床上白單白被，大約這是靈堂之後，設備最好的房間之一，準備迎待貴賓之用。

片刻之後，一個白衣少女，送上了飯菜。

飯菜很簡單，但很可口，百里冰食過飯菜之後，和衣登榻，拉被蓋身，準備小睡片刻，再行運氣調息。

就在她凝神閉上雙目時，突聞一個低沉的聲音，傳入了耳際，道：「岳姑娘。」

百里冰聽出那正是玉簫郎君的聲音，不禁精神一振，暗道：那宇文寒濤把我安排於此，那是有心讓我聽到玉簫郎君和岳姑娘的談話了。

當下凝神聽去。

但聞岳小釵的聲音傳了過來，道：「是張兄嗎？」

玉簫郎君應道：「正是在下，明午時分和沈木風一場決戰，也許咱們都難保得性命，今日今宵，該是咱們活在世間，最後的一日一夜了……」

長長歎息一聲，接道：「在下想和岳姑娘談幾句話，不知是否可以？」

岳小釵道：「張兄請進來吧！」

百里冰心中暗道：岳姊姊帶著兩個女婢，不知是否也在房中。

但聞玉簫郎君道：「姑娘那兩位女婢呢？」

岳小釵道：「她們住在隔壁。」

玉簫郎君啊了一聲，道：「那兩位婢女，對你敬愛異常，明日午時一戰，你如傷在沈木風的手中，她們只怕要以身相殉。」

岳小釵歎道：「她們隨我多年，以身殉主，還有可說，但是張兄你……」

玉簫郎君接道：「今日在靈堂之前，我已表明心跡，難道你還要我再說一遍嗎？」

岳小釵歎息一聲，道：「我虧欠張兄的太多了，今生已然無法報答！」

玉簫郎君道：「還說什麼報答，明日咱們的生機很小。」

岳小釵道：「你既然知道，爲什麼定要參與此事呢？」

玉簫郎君道：「這就叫情難自禁。」

岳小釵道：「但我對你無情啊！」

玉簫郎君道：「在下卻情有獨鍾，甘願爲卿效死。」

岳小釵道：「你知道張家只有你一根苗，你如戰死此地，張家香火，要誰繼承？」

玉簫郎君道：「你如戰死，我也勢難獨生，張家還不是要絕後代。」

岳小釵道：「我有什麼好，張兄竟如此癡心。」

玉簫郎君道：「在下如能說得出姑娘的好處，那也不會如此癡情了。」

岳小釵歎息一聲，道：「張兄，你看我身側兩個婢女如何？」

玉簫郎君道：「聰慧嬌美，善體人意。」

岳小釵道：「她們年輕輕的，殉死當真是可惜得很。」

玉簫郎君道：「你可以想法子遣她們去辦一樁事，避開明午一戰。」

岳小釵道：「她們已知曉此事，只怕不會離開了，除非……」

玉簫郎君道：「除非什麼？」

岳小釵低聲說道：「除非張兄肯帶她們走。」

玉簫郎君道：「我帶她們離開這裏？」

岳小釵道：「是的，可以救她們兩條命。」

玉簫郎君歎一口氣，道：「我明白了，你想要移花接木，讓我帶她們走，唉！看來，你對我還不了解……」

岳小釵接道：「張兄對我的情意，小妹已經永銘肺腑之中，只怪相逢恨晚，小妹只好有負雅意了，蕭翎雖然和我尚無名分，但是慈母遺命，我這做女兒的，豈能違背她的心意，因此，我早把蕭翎當做我的丈夫，張兄的一番情意，岳小釵只好求報來生了。」

玉簫郎君接道：「蕭翎用情不專，既有了你岳姑娘，又招惹了百里姑娘，他既無義，岳姑娘又何苦對他用情。」

百里冰聽得暗暗忖道：好啊！我和大哥妾意郎情，關你什麼事了。

但聞岳小釵歎息一聲，說道：「蕭翎根本不知道我母親遺書許婚，他也從未把我當做妻子和情人看待。」

玉簫郎君道：「他把你看做了什麼人？」

岳小釵道：「看做姊姊，長者。」

玉簫郎君道：「如若那簫翎真把你當做姊姊，那和咱們相識之情，則並無衝突，我將盡我所能，助他……」

突然想到蕭翎已經死去，長歎一聲，說道：「可惜他已經死去了。」

百里冰暗道：我大哥得道多助，怎麼會死得了呢？

岳小釵道：「是的，我也不能獨生。」

玉簫郎君道：「你該替他報仇。」

岳小釵道：「不錯，我正要替他報仇。」

玉簫郎君道：「在下有一個奇想，不知姑娘意下如何？」

岳小釵道：「什麼事？」

玉簫郎君道：「你對沈木風這場搏鬥，勝敗之算如何？」

岳小釵道：「毫無勝算。」

玉簫郎君道：「如若咱們兩人聯手，是否有勝沈木風的希望？」

岳小釵道：「希望不大。」

玉簫郎君道：「如若咱們都能有一個希望，那取勝或者可能？」

岳小釵道：「什麼希望？」

玉簫郎君道：「在下說過了，這是一個奇想，如是說錯了，希望你不要生氣。」

百里冰暗暗忖道：這人實也可憐，處處陪盡小心，生恐開罪了岳姊姊。
只聽岳小釵道：「你說吧！」
玉簫郎君道：「如若姑娘答應在下，殺了沈木風之後……」
岳小釵冷冷接道：「怎麼樣？」
玉簫郎君道：「殺了沈木風之後，若咱們還能活著，那就替蕭翎建一座最好的墳墓，然後……然後……」
岳小釵道：「然後怎樣呢？」
玉簫郎君道：「然後，咱們在蕭翎墳墓之前，結下一座茅廬，替他守孝三年，姑娘也算對他盡了心意。」
岳小釵歎息一聲，默然不語。
玉簫郎君道：「那時，你再作決走，是否要嫁我爲妻，不知姑娘意下如何？」
岳小釵道：「張兄用情如此之厚，倒叫小妹難安了……」
玉簫郎君道：「你答應了？」
岳小釵道：「其實，我答應不答應，都無關緊要，因爲咱們取勝的機會，太渺茫了。」
玉簫郎君道：「我那姑奶奶，賜我靈丹之時，曾經傳了我幾招武功，她說這是她畢生智慧結晶，我希望能憑藉新學的武功，勝得那沈木風。」
岳小釵道：「看來你心中好像是有些把握。」

玉簫郎君道：「如若咱們勝了，那是替蕭翎報了仇，是嗎？」

岳小釵道：「不錯。」

玉簫郎君道：「蕭翎死於沈木風之手，我們替他報了仇，他死在九泉之下，也該甘心了。」

岳小釵道：「唉！張兄先請回去，容小妹想想再說好嗎？」

玉簫郎君道：「好！在下告辭了，岳姑娘想想吧！明晨在下再來。」

岳小釵道：「張兄走好，恕小妹不送了。」

但聞腳步之聲，傳了過來，似是玉簫郎君離開了岳小釵的房間。

百里冰心中暗道：大哥並未死去，如若是岳姊姊明晨答應了玉簫郎君，那又將是一個無法了結的糾纏，看來，我應該早些設法，把大哥未死之訊，告訴那岳姊姊才成。

心念一轉，挺身而起。

正待舉步向岳小釵房中行去，心中突然一動，停下腳步，暗道：如若我自私一些，不把此訊告訴岳姐姐，等她答應了，事成定局，那時，大哥的心目之中，只有我一個人了……

一時間，私情、理智，在心中翻騰不息，不知如何決定。

突然間，軟簾啓動，玉簫郎君滿臉怒容，當門而立。

百里冰望了望玉簫郎君，緩緩退回木榻上，坐了下去。

玉簫郎君放下軟簾，緩緩向百里冰行了過來，口中冷冷說道：「你聽了很多，是嗎？」

百里冰心中暗道：我如一說話，他定然會聽出我是女子口音，看來，只有裝啞巴了。心中念轉，伸手指指自己的嘴巴，搖搖頭。

玉簫郎君一皺眉頭，道：「你是啞巴？」

百里冰點點頭。

玉簫郎君冷笑一聲，道：「凡是啞巴都有些耳聾，閣下的聽覺如何？」

百里冰幾乎張口說出話來，急急點了點頭。

玉簫郎君淡淡一笑，道：「我說的聲音很低，你爲何聽得很清楚。」

百里冰搖搖頭，又搖手，裝作未聽清楚之狀。

玉簫郎君冷冷說道：「我說的是一樣的聲音，但你卻有些聽得很清楚，有些聽不清楚，分明是裝作的了。」

百里冰心中暗道：我如一味示弱，只怕更要使他疑心加重了。

當下雙目一瞪，雙手連揮，示意玉簫郎君退出室去。

玉簫郎君冷笑一聲，右手突然一伸，直向百里冰手腕之上扣去。

百里冰疾快地向後退了兩步，避開一擊，左手卻故意在綾壁上碰了一下。

原來，她經這一陣忖思，想出了一個法子，驚動岳小釵，以便替自己解圍。

玉簫郎君原想自己出手一擊，必可擒拿住對方的手腕，卻不料對方竟然能一閃避開去，不禁微微一怔，冷冷說道：「原來閣下是真人不肯露相。」

陡然欺身而上，雙手連連遞去，攻向百里冰。
玉簫郎君武功何等高強，如是全力施攻，百里冰不還手，決難應付，幸好那玉簫郎君，並無傷害百里冰的用心，全是擒拿手法，希望拿住百里冰的脈穴，逼她說話。
哪知他一連攻了十餘招，全都爲百里冰閃避開去，不禁臉色一變，道：「看閣下身分，分明已列武林一流高手，爲何不肯還手？」
百里冰還不見岳小釵過來解圍，心中大是焦急，暗道：岳姊姊如若再不來，那是迫我還手了。
但她在玉簫郎君攻出的幾招擒拿手中，已然隱隱覺到對方的武功，高強異常，如是動手相搏，必得全力出手，才能支持得住。
玉簫郎君不聞百里冰回答之言，冷笑一聲，道：「閣下小心了，我要在十招之內，取你之命。」
話甫落口，右手一抬，疾快絕倫地發出一掌。
百里冰早已全神戒備，急急向旁側一閃，避開一擊。
玉簫郎君一掌發出，第二招緊隨攻出，一眨眼間，已然劈出了四掌。
百里冰避開三掌，第四掌卻不得不舉手還擊，施展斬穴手，逼開了玉簫郎君一掌。
玉簫郎君冷哼一聲，道：「看來，我又低估閣下了。」
這當兒，突然一個清脆的聲音傳了過來，道：「張兄住手。」

玉簫郎君回頭看去，只見岳小釵站立在小室之中，不知何時，她已經行了進來。天不怕、地不怕的玉簫郎君，卻唯獨對岳小釵有著幾分敬畏，當下輕輕咳了一聲，柔聲道：「岳姑娘……」

岳小釵接道：「你爲什麼要殺他？」

玉簫郎君道：「他聽了咱們的說話，我問他話時，他卻裝聾作啞，這人分明不是好人，只怕是沈木風派來的奸細。」

百里冰吃了一驚，暗道：這人不但武功高強，而且爲人也極是陰險，他說我是那沈木風的奸細，如是岳姐姐相信，兩人不問青紅皂白，聯手而出，當真是十招之內，就可取我之命了。

只見岳小釵雙目在百里冰臉上瞧了一陣，搖搖頭，道：「不至於吧！那無爲道長和宇文寒濤，都是智慧絕高的人，豈能讓敵人奸細混來此地，而且又讓他住在此地。」

玉簫郎君道：「那牛鼻子老道和宇文寒濤也不知安的什麼心，把這樣一個又醜又怪的糟老頭子，擺在你的隔壁，我非得去要他們說個道理出來不可。」

岳小釵道：「不用了，他們也是要爲蕭兄復仇的人，你何苦找人麻煩呢？」

玉簫郎君道：「好吧，看在你的份上，饒他們一次就是。」

岳小釵微微一笑，道：「張兄，回去休息吧！明日咱們還要合鬥強敵。」

玉簫郎君冷若冰霜的臉上，突然泛現出一片笑意，道：「姑娘說得極是，明天咱們還要合鬥那沈木風，你也要好好地休息才成。」

言罷，轉身出室而去。

百里冰目睹那玉簫郎君臉上的神情變化，心中暗暗歎道：看來，這玉簫郎君對待岳姊姊是情深如海，只要她稍假辭色，那玉簫郎君心中就快活起來了。

心念轉動之間，玉簫郎君已然行出小室。

岳小釵也正舉步向室外行去。

百里冰突然向前兩步，扯住岳小釵。

岳小釵眉頭一聳，似要發作，百里冰急急地蹲下身子，在地上寫道：「我有話對姊姊說，不能讓玉簫郎君聽到。」

岳小釵看完地上字跡，略一沉吟，也在地上寫道：「你是什麼人？」

百里冰伸手在地上寫道：「小妹百里冰。」

岳小釵似是不相信自己的眼睛一般，用手揉揉雙目，又仔細看看地上的名字，點點頭，道：「咱們等會再見。」

起身行了出去。

四七　力搏梟雄

百里冰暗中留心，發覺那岳小釵雙頰間起了一片緋紅之色，顯然，這消息使她生出了無比的激動，但她仍然能控制著自己的舉動。

岳小釵行出室外，果然見玉簫郎君站在一處轉角所在，回目相望。目睹岳小釵出室之後，才轉身快步而去。

百里冰在室中等了約一刻時光，岳小釵重又行了進來。

這時，岳小釵已然完全恢復了鎮靜，神色冷肅地說道：「快取下你的面具，我想要瞧瞧你的真正面目。」

百里冰道：「玉簫郎君不會闖進來嗎？」

岳小釵道：「我已有安排，不用擔心！」

百里冰抹去臉上藥物，回復原來容貌，道：「姊姊請看。」

岳小釵見了百里冰抹去臉上易容物，現出本來面目後，輕輕歎息一聲，道：「果然是你。」

伸出手去，把百里冰拉入懷中，柔聲說道：「妹妹，你一定受了很多苦。」

百里冰原想她定然會先問蕭翎的消息，卻不料她先行慰問自己，當下說道：「依賴大哥的機智，我們逃出了沈木風安排的火陣。」

岳小釵點點頭，道：「蕭兄弟呢？」

百里冰道：「他發覺沈木風準備殲屠靈堂的陰謀，單人一劍，出去偵察那沈木風率領人手的實力去了。」

岳小釵道：「他見過我沒有？」

百里冰道：「見過了，姊姊奠祭靈位時，我們都在靈堂上。」

岳小釵聳了聳柳眉兒，道：「他爲什麼不暗中告訴我一聲，使我早些放心。」

百里冰心中暗道：看來岳姊姊很生氣，我該替大哥解釋一下才是。

當下說道：「大哥說，絕不能讓沈木風知曉他未被大火燒死的消息……」

岳小釵道：「爲什麼？」

百里冰道：「大哥說，如若沈木風知曉他未死的消息之後，定然會別作準備，他要在沈木風意料之外突然出現，使得沈木風措手不及……」

岳小釵道：「他想搏殺沈木風？」

百里冰道：「大哥沒有直接說出，但小妹看出他有此用心！」

岳小釵道：「唉！他常常勸別人珍惜生命，自己卻一點也不知道珍惜。」

百里冰道：「一點不錯，姊姊見他時，好好說他一頓。」
岳小釵眉宇間憂愁未解，卻又忍不住莞爾一笑，道：「你為什麼不勸勸他呢？」
百里冰道：「唉！他哪裏肯聽我勸呢！」
岳小釵道：「你既勸他不住，我說他，他也未必肯聽啊！」
百里冰道：「他一定會聽姊姊的話。」
岳小釵道：「為什麼呢？」
百里冰道：「小妹常見他提到姊姊時，神情間流露出無限的尊敬，所以，小妹推想他定然是很怕姊姊的。」
岳小釵笑道：「蕭兄弟外和內剛，哪裏會怕我呢？」
百里冰急道：「小妹之言，絕不會錯，姊姊不信，見他時不妨試驗一下。」
岳小釵微微一笑，改變話題，道：「你們能逃出那漫遍荒野的大火，實是不可思議的事，快些講給姊姊聽。」
百里冰應了一聲，把經過之情，很仔細地講了一遍。
岳小釵聽得連連點頭，道：「得道多助，講起來近乎奇蹟，但卻被你們遇上了。」
百里冰道：「姊姊，我求你一件事，好嗎？」
岳小釵道：「什麼事，只要姊姊我能力所及，一定會答應你。」
百里冰道：「還請姊姊裝出不知他仍活在世上的消息，因為大哥告訴我，不許我洩露出去。」

岳小釵道：「好！姊姊答應你……」

語聲一頓，接道：「我和沈木風約鬥的事，蕭兄弟是否知道？」

百里冰道：「自然知道了，姊姊在靈堂和沈木風訂約時，我們都在靈堂之上。」

岳小釵想到在靈堂上，眾目睽睽之下，自己無異以蕭翎妻子的身分出現，如今既知蕭翎未死，而且又知他在場聽聞，不禁感覺到一陣羞意，臉上一熱，道：「唉！蕭兄弟越大越壞了。」

百里冰低聲說道：「那也不能怪他啊！他如設法告訴姊姊，決然無法瞞過那沈木風。」

岳小釵道：「對於我和那沈木風約鬥之事，蕭兄弟準備如何？」

百里冰道：「他說明日午時之前，要趕回靈堂，但他仍然勸小妹阻攔住姊姊，不用和那沈木風一決生死了，但小妹卻爲姊姊擔心一樁事！」

岳小釵道：「什麼事？」

百里冰道：「關於那玉簫郎君，不知姊姊要如何處理，別說姊姊是當事人了，就是小妹，也不禁爲他一片癡心感動，當真是一樁麻煩事情！」

提起玉簫郎君，岳小釵確然有著無限煩惱，皺起了秀眉兒，沉吟良久，道：「唉！姊姊確也爲此而煩惱，他軟硬不吃，死纏不放，真叫人沒有法子。」

百里冰道：「小妹倒有一個法子，可絕玉簫郎君的癡念。」

岳小釵道：「你有什麼法子？」

百里冰道：「小妹說出來，姊姊不要生氣。」

岳小釵道：「好！你說吧。」

百里冰道：「如若姊姊和蕭大哥早日結成夫婦，那玉簫郎君自然會斷去癡念了。」

岳小釵神情嚴肅，緩緩說道：「我想到你會提出這個辦法，果然不出我的預料……」

百里冰道：「怎麼？小妹的辦法不對？」

岳小釵退到木榻旁，緩緩坐了下去，伸手拍拍木榻，道：「你過來坐下，我也有幾句體己之言告訴你。」

百里冰慢慢行了過去，道：「姊姊有何教訓？」

岳小釵伸出手去，拉著百里冰坐了下去，道：「我在靈堂中說的話，你都聽到了，是嗎？」

百里冰點點頭，道：「聽到了。」

岳小釵道：「那是我母親的遺命，我不能違背。但我卻有著很多事，只能和他有此名分，卻無法和他長年相處！」

百里冰奇道：「爲什麼呢？」

岳小釵道：「我母親爲了保全那禁宮之鑰，而亡命天涯，但仍然被人追到，力搏強敵，身受重傷，多虧蕭兄弟父母所救，暫居蕭家，但終因內傷過重，不久死亡，死前寫下了遺書，把我許於蕭翎……」

百里冰道：「慈母遺命，名正言順，姊姊爲什麼還要推諉呢？」

岳小釵道：「那時，蕭兄弟身懷三陰絕脈之症，決難活過二十歲，不論他娶得任何賢淑之妻，都將留下一個早寡之婦，家母受他們照顧之恩，才決心把姊姊許於蕭翎，而且那遺書還說明了要姊姊……」

突然間，雙頰泛紅，沉吟不語。

百里冰道：「姊姊爲何不說了？」

岳小釵道：「咱們同爲女兒之身，姊姊告訴你也不要緊……」

羞赧一笑，接道：「家母遺書中，說明蕭兄弟無法活過二十歲，要我早日和他成親，替他們蕭家生個兒子，以繼承蕭家的煙火，待蕭翎死去後，我就把孩子交還蕭夫人，並且替他們找一處隱秘之地，安排好他們，再設法替她報仇……

「報仇的唯一辦法，就是要進入禁宮，學習十大高人留下的武功，但是事情變遷，我未能遵照家母遺命行事，而蕭兄弟更是曠世奇遇，成就了一身絕世武功，家母遺言，自是無法再求實現了。」

百里冰道：「雖是事實變遷，但變得對姊姊更爲有利，蕭郎絕症得癒，又成了名震江湖的大俠，姊姊和大哥，豈不是正好結下白首盟約……」

岳小釵搖搖頭，接道：「先母大仇未報，家師情債未償，我如何能安心奉陪蕭翎，畫眉深闈。」

百里冰道：「姊姊母親之仇，蕭郎義不容辭，就是小妹，也要盡我所能，助姊姊一臂之力。」

岳小釵道：「一則，殺害家母的仇人，極善心機，而且武功高強，蕭兄弟不宜再多結一個仇人，姊姊想出了對付他的辦法，不用有勞蕭兄弟了……」

語聲微微一頓，接道：「妹妹，你知道姊姊告訴你這些事，有何用意嗎？」

百里冰道：「小妹不知。」

岳小釵道：「姊姊要拜託你一件事！」

百里冰道：「姊姊有什麼事，只管吩咐就是，這拜託二字，要小妹如何敢當。」

岳小釵道：「我要你好好地侍奉蕭翎，姊姊我要辦的事很多，恐怕是不能和他長相廝守，先母既有遺命，姊姊心目中自然要承認他是我丈夫，但要委屈妹妹，代姊姊善盡婦道了，好在公婆都是極明事理之人，他們定會視你如女，愛如己出，這一點，你盡可放心……」

百里冰搖搖頭，歎息一聲，道：「姊姊認爲我能夠代替你嗎？」

岳小釵道：「他娶到妹妹這樣美麗、聰明的賢妻，難道還心有不足嗎？」

百里冰道：「姊姊看錯了，蕭翎心中，姊姊才是他唯一敬愛的人，他雖沒有跟我提過一句喜愛姊姊的話，但我知道他的內心，他處處小心，生恐忤逆、褻瀆了姊姊，他對姊姊有著火般的熱情，但卻一直深藏內心，不敢形諸於外，因此，那熱情也愈來愈是強烈，不只小妹無法代替姊姊，就是傾盡世間美女，也一樣無法代替姊姊。」

岳小釵沉吟了一陣，道：「就算你說的真實，但他從未對我表示過愛慕之意，就是有，也是發乎於親情的姊弟之情……」

百里冰道：「他是不敢，怕惹姊姊生了氣，不再理他。」

岳小釵舉手理一下長髮，說道：「但這世上只有一個人可以助我，就是不知她是否肯幫忙？」

百里冰道：「誰？」

岳小釵道：「你！」

百里冰道：「我知道不成，再說我也想和姊姊在一起，多討一些教益，姊姊如不討厭小妹，小妹心甘爲妾，長隨姊姊身側。」

岳小釵接道：「如若我一切都進行得很順利，自也會使你的心願得償，不過，在我母親大仇未報之前，一切都要偏勞妹妹了！」

百里冰道：「說了半天，你還是獨行其是，我雖然和姊姊相識不久，但內心中對姊姊的敬佩，卻是由衷而發，你的事，也就是大哥和小妹的事，等大哥搏殺了沈木風之後，我們再合力替姊姊報仇。」

岳小釵微微一皺眉，沉吟了一陣，道：「看來姊姊是無法說服妹妹了。」

百里冰急急說道：「姊姊不要誤會，小妹用心……」

岳小釵道：「我知道你是一片好心，希望我和你們長在一起！」

百里冰道：「小妹正是此意。」

岳小釵道：「但姊姊滿身是非，行蹤所至，凶險隨來，你知道不知道？」

百里冰道：「這個小妹就不知道了。」

岳小釵輕輕歎息一聲，道：「你該好好的休息了，有什麼事，明天再說吧！」

百里冰還待接言，岳小釵已起身而去。

一宵易過，次日天明之後，百里冰不過剛剛起床，室外已傳來宇文寒濤的聲音，道：「姑娘起床了嗎？」

百里冰道：「起來了，是宇文先生嗎？」

門簾啓動，緩步走進來宇文寒濤。

宇文寒濤臉色一片嚴肅，手中執著兩張封箇，緩緩說道：「岳姑娘留給姑娘兩封信！」

百里冰怔了一怔，道：「岳姊姊呢？」

宇文寒濤道：「走了多時。」

百里冰急道：「走的哪個方向，快些追她！」

宇文寒濤搖搖頭，道：「追不上了，岳姑娘已走了兩個時辰。」

百里冰氣得一跺腳，道：「怎麼辦呢？」

宇文寒濤緩緩說道：「姑娘可是告訴了她蕭翎的消息？」

百里冰道：「我爲情勢所迫，不能不告訴她了。」

宇文寒濤道：「事已至此，姑娘也不用焦急，這兩封信，都是岳姑娘留給姑娘的，一封要你轉奉蕭翎，一封卻要姑娘自行拆閱，姑娘請先看看信上寫的什麼，咱們再作計議。」

百里冰接過兩封書信，凝目望去，只見第一封信上寫道：「勞請冰妹轉奉蕭翎親拆」。信封上既是寫的親拆，百里冰自是不能拆看，隨手藏入懷中。

再看第二封信時，只見上面寫道：「百里姑娘親拆」六個字。

百里冰手在拆信，口中卻問道：「那位張公子呢？」

宇文寒濤道：「姑娘可是說那玉簫郎君？」

百里冰道：「不錯，他走了沒有？」

宇文寒濤點點頭，道：「岳姑娘一共留下了三封信，其中一封信致奉玉簫郎君，在下先把玉簫郎君一封叫人送去，然後，才把這兩封信，送交姑娘。」

百里冰道：「岳姊姊留給玉簫郎君信上寫的什麼？」

宇文寒濤道：「信上寫的什麼，在下沒有看到，但那玉簫郎君看完留書，形同發狂一般疾奔而去。」

百里冰不再多問，展開信箋看去，只見上面寫道：「冰妹如握：愚姊正欲負荊師門，驚聞噩耗，不得不中止師門之行，晝夜兼程而來，原想盡我之能，和沈木風決一死戰，身殉蕭郎，但吉人天相，蕭郎和冰妹虛驚無恙。

「此間人才濟濟，愚姊留此，亦難有多大助力，何況明午蕭郎現身，張俊必將中途變節，反將爲蕭郎招來勁敵，幾番思慮，只有留書出走一途。

宇文先生智略過人，必有善策助蕭郎，愚姊一身是非，滿腔仇恨，實無法隨侍蕭郎身則，還望冰妹妹體念愚姊，善慰蕭郎，如若愚姊能夠不死，姊妹還有見面之日。

「紙短情長，寫不盡萬語千言，擱筆依依，望冰妹善自珍重。」

下面署岳小釵寒夜奉書。

百里冰一口氣看完了岳小釵的留書，忍不住內心酸楚，眨一下大眼睛，淚珠兒奪眶而出。

宇文寒濤輕輕咳了一聲，道：「百里姑娘。」

百里冰舉手拭去臉上淚痕，歎息一聲，道：「岳姊姊信上所書，都是我們姊妹間的私情。」

宇文寒濤微微頷首，道：「在下知道……」

語聲微微一頓，接道：「姑娘不用悲苦了，還望好好坐息一陣，養養精神，岳姑娘與玉簫郎君雙雙離去，情勢已經大變，蕭大俠英雄肝膽，只要他在場中，自然會挺身而出，也許難免生死惡鬥，姑娘武功高強，屆時要力任艱巨，還望保重。」

百里冰道：「你說得也有道理。」

宇文寒濤道：「好！姑娘好好休息，在下告辭了。」

一抱拳，回身行去。
百里冰低聲叫道：「宇文先生。」
宇文寒濤停下腳步，道：「姑娘還有什麼吩咐？」
百里冰道：「我岳姊姊在留書之上，讚你智略過人，必可助我蕭大哥，抗拒那沈木風。」
宇文寒濤微微一笑，道：「那是岳姑娘給在下的捧場。」
百里冰長長歎息一聲，道：「宇文先生，我岳姊姊和蕭大哥，都對你讚不絕口，你定然真是有本領了。」
宇文寒濤道：「蕭大俠賞識在下，在下自應當盡我之能，爲他分勞了。」
百里冰道：「你胸羅武略，料敵斷事，才能卓著，但在其他事物，是否也有能耐？」
宇文寒濤道：「姑娘有什麼事？」
百里冰道：「我滿腹憂苦，不知如何自處，想向先生請教。」
宇文寒濤略一沉吟，道：「也許在下無能爲姑娘分憂，但姑娘如肯相信在下，不妨說來聽聽，只要在下知道，自當盡心爲姑娘解說！」
百里冰道：「你通達相人之術嗎？」
宇文寒濤道：「略知一、二。」
百里冰道：「你說我蕭大哥是不是夭壽之相？」
宇文寒濤笑道：「蕭大俠乃人間祥麟，此番傳出他被火燒死一事，在下心中就不相信，但因傳證確鑿，歷歷如繪，使在下也不能不信了，但我心中一直是將信將疑。」

百里冰道：「以後，他再不會有何凶險了吧？」

宇文寒濤道：「這個，在下未仔細看過蕭大俠的相貌，不敢妄作斷言，不過，蕭大俠的成就太大太快了，道高魔高，日後恐仍難免幾番波折，但在下可斷言不會夭壽。」

百里冰道：「我知道了，那是說他還要經歷很多凶險了？」

宇文寒濤道：「千秋英名，蓋代勳業，豈是容易成就的嗎？」

百里冰道：「還有我那岳姊姊，先生有何看法？」

宇文寒濤沉吟了良久，道：「對於岳姑娘，在下就無法評斷了。」

百里冰道：「爲什麼？」

宇文寒濤道：「岳姑娘爲人嚴肅，不苟言笑，別人對她應該是心存敬畏，不敢接近，但是卻有很多人，對她迷戀情深，甘爲效死，大有得玉人回眸一笑，死亦無憾……」

百里冰道：「是啊！我也覺著很奇怪。」

宇文寒濤道：「千萬人中，難得有此一人，不幸她又生爲武林兒女，唉！如若她生在農家，也不過引起一村一地的騷動，如今卻要引起無數武林高手爲她火併。」

百里冰道：「那是岳姊姊生得太美了，是嗎？」

宇文寒濤道：「她生就奇貌，相法上所謂內媚之相，就一眼看去，她未必很美，但男人不能和她接近，只要對她稍加留心，必將爲她吸引，愈陷愈深，難以自拔。」

百里冰道：「原來這樣？」

宇文寒濤道：「還算岳姑娘爲人自重，冷若冰霜，如若她稍微放蕩一些，必會引起更多的紛爭……」

語聲微微一頓，接道：「話到此地爲止，在下希望咱們談的話，不要傳露出去。」

百里冰點點頭，道：「我會記下宇文先生的話。」

宇文寒濤道：「姑娘放開胸懷，好好休息，沈木風到來之時，在下自會遣人奉邀。」

不等百里冰答話，轉身而去。

百里冰目睹宇文寒濤離去，依言盤坐調息，但覺心中事紛至遝來，竟是無法安下心來。

茫然中不知過了多少時間，突聞步履之聲直入房中。

睜眼望去，只見一個女婢手中捧著一柄長劍，和一套黑色勁裝，行了進來，低聲說道：「宇文先生要姑娘換上衣服，帶上兵刃，到靈堂中去。」

百里冰應了一聲，急急換過衣服，佩上寶劍，向外奔去。

只見宇文寒濤、無爲道長、孫不邪等都在靈幃後面，低聲交談。

百里冰奔了過去，道：「沈木風來了嗎？」

宇文寒濤道：「快要到了，姑娘請躲在靈幃之後，聽在下招呼，再行出手。」

百里冰點點頭，就在靈幃之後，坐了下去。

宇文寒濤佈置這座靈堂，甚費心機，靈幃之後，光線十分暗淡，縱然目光極好之人，也無法看到靈幃之後，但靈幃之後，卻可清晰地看到靈堂前面的景物。

但聞宇文寒濤低聲說道：「岳小釵和玉簫郎君，已然雙雙離去，目下只有孫老前輩向沈木風挑戰一法了，如若那沈木風不肯答允……」

孫不邪道：「老叫化說過了，從此聽你之命。」

宇文寒濤道：「如是那沈木風答允了你，老前輩也要小心施放神雷。」

孫不邪道：「這個嘛，老叫化也許有顧及不到之處，諸位也要從中幫忙，暗中要他們退遠些去。」

宇文寒濤道：「好吧！」

目光轉到無爲道長臉上，接道：「還是道長出面和他應對，不過，不可和他相距過近，防他突然出手……」

談話之間，突聞楚崑山的聲音傳了進來，道：「百花山莊沈大莊主駕到。」

無爲道長一掀垂簾，緩步行了出去。

百里冰隔著靈幃，凝目望去，只見沈木風帶著四個人緩步行了進來。

除了金花夫人和藍玉棠外，一個身著紅色袈裟的和尙，手中拿著一對銅鈸。

另一個穿著青衫，面色慘白的少年，赤手空拳，未帶兵刃。

無爲道長一合掌，道：「沈大莊主，很守信用！」

沈木風道：「沈某人來得早了一點……」

目光轉動，回顧了一眼，接道：「岳姑娘現在何處？」
無為道長淡淡一笑，道：「沈大莊主一定要和岳姑娘動手嗎？」
沈木風微微一笑，道：「沈某人倒無意見，但在下幾位朋友，都希望會會岳姑娘。」
無為道長望了那面色慘白的少年一眼，緩緩說道：「諸位一定要會岳姑娘，那只好再等等了！」
沈木風還未來得及答話，藍玉棠卻搶先說道：「岳小釵在是不在？」
無為道長緩緩說道：「岳姑娘和諸位訂約之時，貧道並未作保，諸位問貧道要人，未免有些強人所難了吧！」
孫不邪突然由靈幃後行了出來，冷冷接道：「沈木風，你認識老叫化嗎？」
沈木風淡淡一笑，道：「丐幫長老，一代俠人，有誰不知？」
孫不邪道：「好說，好說，老叫化已是形將就木之年，活了這把年紀，實也活得不耐煩了，想在臨死之前替我武林同道，做一件好事，也好留個英名！」
沈木風道：「孫兄準備如何？」
孫不邪道：「老叫化想先和你沈大莊主，一決生死，算是開場戲，但不知你沈木風是否敢答應老叫化的挑戰？」
沈木風略一沉吟，道：「孫兄，想和在下動手？」
孫不邪道：「不錯，咱們這次動手，不許別人相助，不死不休。」

沈木風雙目神光閃動，掃掠了靈堂四周一眼，道：「在下很佩服孫兄的豪氣。」

孫不邪道：「那你是答應了。」

沈木風搖搖頭，道：「沒有答應。」

孫不邪心中大急，道：「爲什麼？」

沈木風道：「因爲你不是區區之敵。」

孫不邪怒道：「那你爲何不敢應戰？」

沈木風冷笑一聲，道：「事出常情之外，必有詭謀，孫兄如想動手，兄弟指派一人奉陪就是……」

不待孫不邪答話，低聲對那紅衣和尚說道：「有勞大師出手！」

那紅衣和尚應了一聲，大行兩步，擋在沈木風的身前，道：「閣下想動手，貧僧奉陪。」

孫不邪心中暗道：宇文寒濤料事之能，果然常人難及，看來老叫化是輸定了。

心中念轉，口中說道：「沈木風，你如不應老叫化的挑戰，必將流爲江湖笑柄。」

沈木風道：「大丈夫爭千秋大業，豈肯爭一時之氣。」

那紅衣和尚一揚手中銅鈸，冷冷接道：「你先勝了貧僧，再向沈大莊主挑戰不遲。」

身子一側，突然欺身而上，左手一揮，銅鈸閃出一道金芒，橫裏劃來，凌厲快速，無與倫比。

孫不邪吃了一驚，疾快地向後退了兩步。

那和尚冷笑一聲，疾向前衝行兩步，雙鈸連揮，左、右合擊。鈸光撒出一片金芒，耀眼生花。

孫不邪疾拍兩掌，兩股強烈的暗勁，隨掌湧出，一擋那和尚的攻勢，人卻疾快地向後退了兩步，冷冷喝道：「住手。」

那紅衣和尚停下雙鈸，冷冷說道：「貧僧久聞你老叫化子之名，想不到竟然是怯戰之徒。」

孫不邪心中雖然激憤難耐，但他卻強自忍了下去，冷冷說道：「老叫化套一句沈大莊主的話，你還不配和老叫化子動手。」

紅衣和尚怒道：「你先勝了貧僧，再行誇口不遲。」

孫不邪身懷破山神雷，生恐那和尚手中銅鈸，觸及神雷，爆炸開來，未傷到沈木風，自己卻先死在神雷之下。

他心有顧忌，不願戀戰，轉身行入靈幃之後。

那紅衣和尚左手一抬，飛鈸陡然盤旋而出，化作一團金芒，直襲過去。

無為道長右手一抬，長劍出鞘，懸空一劃，閃起一片劍芒。

只聽一陣金鐵交鳴之聲，那紅衣和尚投出的飛鈸受阻，陡然又轉頭飛了回去。

但見那紅衣和尚左手一抬，又把飛鈸抓住。

電光石火間，兩人各自露了一手，只見靈堂中敵我雙方，不少人暗暗稱讚。

那紅衣和尙接過銅鈸，冷冷說道：「你是無爲道長。」

無爲道長仗劍而坐，緩緩說道：「不錯，正是貧道，大師法號？」

紅衣和尙冷冷說道：「貧僧居無定處，不通法號也罷。」

語聲一頓，道：「目下武當派中，道長劍術成就最高，貧僧想領教一、二。」

無爲道長道：「大師飛鈸之術，頗似少林絕技迴旋飛鈸……」

紅衣和尙冷笑一聲，接道：「除了少林之外，天下還有奇技，道長請出手吧！」

無爲道長看他不承認是少林弟子，倒也無可奈何，只好一揮手中長劍，道：「大師既然不肯通名報姓，咱們只有在武功上一分勝負了。」緩步向前行去。

這紅衣和尙出手，聲勢不凡，無爲道長心知遇上勁敵，是以毫無輕敵之心，步履凝重，緩緩向前行去，暗中卻提聚真氣，抱元守一，全神戒備。

雙方相距三步左右時，停了下來。

那紅衣和尙雙鈸交錯而舉，神態極是詭奇。

無爲道長寶劍斜斜指出，正是太極慧劍中，如封似閉的起手招式。

雙方心中明白，彼此都已運足了功力，如是一旦發出招術，必然是石破天驚的一擊。

就在雙方將要動手之時，突聞一聲佛號，傳了出來，道：「道長住手，請退後五步。」

無爲道長長劍原式不變，緩緩向後退了五步。

轉目望去，只見一個身披灰色袈裟，手執戒刀，年約六旬的老僧，緩步行了出來。

來的乃是少林高僧正光大師。

無爲道長低聲說道：「大師有何指教？」

正光大師道：「貧僧目睹那位大師飛鈸，正如道長所說，頗似我少林絕技的迴旋飛鈸，因此，貧僧想掠人之美，會會那位大師。」

無爲道長道：「既是如此，貧道奉讓了。」

正光大師手中戒刀，平橫胸前，緩步向前行去。

原來，宇文寒濤隱在靈幃之後，默查靈堂中的情勢變化，暗作調遣，聽那無爲道長說出那紅衣和尚飛鈸招術，似是出自少林手法，立時遣出正光大師，換下無爲道長。

這時，孫不邪已行入靈幃，走到宇文寒濤身前，摸出懷中的破山神雷，低聲對宇文寒濤道：「先生果見人所不能見，老叫化十分敬服，從此之後，聽憑先生調遣之命。」

說罷，恭恭敬敬遞上破山神雷。

宇文寒濤微微一笑，接過破山神雷，低聲說道：「大約今日之戰，不需動用此物了，那蕭大俠，已然進入了靈堂。」

孫不邪低聲說道：「在哪裏？老叫化怎麼沒有瞧見呢？」

宇文寒濤道：「如在下推斷的不錯，那靈堂門口處，一個黃衫老者，就是蕭大俠的化身。」

孫不邪凝目望去，果然靈堂門口之處，站著一個身著黃衫的六旬老者，手中還握著一根竹杖。

孫不邪心中仍是有些不服氣，低聲說道：「何以見得呢？」

宇文寒濤道：「很簡單，在下由那竹杖之上瞧出。」

孫不邪仔細瞧出，那竹杖就是一根平常的竹子，毫無奇怪之處，不知宇文寒濤由何處瞧出那執杖人是蕭翎所扮。

當下問道：「那竹杖怎樣了？」

宇文寒濤道：「那竹杖色鮮，顯然是由竹園取下不久，如是這竹杖常常爲人所用，早已變了顏色，蕭大俠百密一疏，但願那沈木風瞧不出來。」

孫不邪心中暗道：如此簡單的事，老叫化竟然看不出來。

看來在用智之上，老叫化確然是比起這宇文寒濤，差上一著。

當下點頭一笑，道：「佩服，佩服……」

忽然一皺眉頭，道：「那沈木風會不會瞧得出來呢？」

宇文寒濤道：「我想他應該不會！」

孫不邪道：「那是說沈木風的才慧，比起先生差上一著了？」

宇文寒濤道：「那也不是。」

孫不邪道：「爲什麼先生能瞧出來，又推想那沈木風瞧不出來呢？」

宇文寒濤道：「因爲咱們先知道那蕭大俠今午要來，那沈木風卻不知曉。」

孫不邪微微一怔之後，點點頭，呆立在靈幃之後。

且說那正光大師行到那紅衣和尚身前，緩緩地說道：「少林派一向以維護武林正義自居，歷代先師中，有不少為此灑熱血、掉頭顱，在所不惜……」

紅衣和尚冷笑一聲，接道：「那是少林派的事，和貧僧何干？」

正光大師冷肅地說道：「如若你敢取下臉上的人皮面具，貧僧定可叫出你的法號！」

紅衣和尚道：「貧僧生具這張冷漠面孔，用不著大師關心！」

正光低喧了一聲佛號，道：「但你用鈸之法，卻是少林之學！」

紅衣和尚冷冷說道：「咱們佛門中人，不用禪杖，就是施用戒刀、飛鈸一類，天下的杖法、鈸法，那也相差不遠，大師指鹿為馬，硬說在下是少林出身，不知是何用心？」

正光淡淡一笑，道：「你如不是少林寺出身僧侶，那也用不著為貧僧作此解說了。」

紅衣和尚呆了一呆，怒道：「不論貧僧是何出身，都無關緊要，你先勝了貧僧手中銅鈸再說。」

話未落口，手中銅鈸疾劈而出，雙鈸化出了兩道寒光，分左、右襲向正光大師。

正光大師冷笑一聲，戒刀突然一招「地湧金蓮」，刀光一閃，直向那紅衣和尚當胸刺出。

靈堂中觀戰之人，全都看得一怔，暗道：這不是同歸於盡的打法嗎？

那正光大師這一刀固然是攻其必救，但那紅衣和尚兩面銅鈸，也勢將斬中正光大師。

連那無為道長也看得微微一怔，暗道：這和尚準備拚命？

心念轉運之間，突然見那紅衣和尙雙手一收，兩面銅鈸，突然收了回來。

疾快地向後退了兩步，迴避開那正光大師一刀。

但聞正光冷笑一聲，道：「你縱非少林弟子，這鈸法也源出少林一門。」

無爲道長心道：好啊！原來他胸有成竹，這一刀是破解紅衣和尙銅鈸的妙著。

那紅衣和尙不再答話，欺身而進，雙鈸輪轉，展開急攻。

但見金光閃閃，鈸影縱橫，攻勢凌厲無匹，正光大師手中戒刀，也疾快地施展開來，展開反擊。

兩個空門高手，展開了一場激烈絕倫的拚鬥，表面上看去，那紅衣和尙手中銅鈸飛舞盤旋，把正光大師的戒刀捲入了一片鈸影之中，但實際上，那正光大師形虛內強，戒刀一直控制著那紅衣僧侶手中的銅鈸。

一般江湖中人，雖然瞧不出，這場搏鬥的內情，但像無爲道長，卻瞧得明白，那正光大師似是深諳紅衣和尙銅鈸的變化之路，故而能夠招招制機，使那紅衣和尙手中銅鈸，無法施展。

這情形自然也無法瞞得過沈木風，但見沈木風一皺眉頭，沉聲喝道：「住手！」

那紅衣和尙突然雙鈸齊出，噹噹兩聲，架開正光大師手中戒刀，縱身而退。

正光大師滿臉肅然之色，冷冷說道：「爲何不再打下去？」

沈木風道：「兩位難分勝負，再打下去也是兩敗俱傷之局。」

正光冷冷接道：「沈大莊主看走眼了，貧僧已然勝算在握。」

沈木風哈哈一笑，道：「這個嘛，在下倒未瞧出來。」

正光大師目光轉到那紅衣和尚身上，緩緩說道：「咱們少林一門，在江湖之上，一向受武林同道敬重，歷年以來，都以維護武林正義自任，千百位師祖們不惜爲正義喪命成仁，才換到今日少林派在武林中的聲譽，想不到……」

只聽沈木風冷冷接道：「藍世兄，你去會會這位少林高僧。」

藍玉棠應了一聲，拔劍而出，直行到正光大師身側，冷肅地說道：「在下藍玉棠，在此領教大師絕技。」

正光大師看他年紀幼小，不禁一皺眉頭，道：「你要和貧僧動手？」

藍玉棠道：「不錯，大師小心了。」

右腕一抬，唰唰刺出兩劍。

劍尖處閃起了兩朵劍花，分刺正光大師兩處大穴，正光大師看他出手劍勢迅快，威勢驚人，急急退後兩步，揮刀迎戰。

藍玉棠長劍搶去了先機，展開了一輪快攻，劍如落英飄花，綿綿不絕地攻向正光大師要害。

正光大師手中戒刀，雖然竭力搶攻，希望扳回劣勢，但藍玉棠劍勢變化詭奇，招招攻向正光大師必救要害，使正光大師無能反擊。

兩人拚鬥激烈，刀來劍往，轉眼之間，惡鬥了五十餘回合，藍玉棠劍招始終如長江大河一般，傾瀉而下，正光大師也一直被迫得沒有還手之力，支撐到五十回合，已然有力不從心之感，臉上汗水淋漓而下。

宇文寒濤隱在靈幃之後，看得明白，低聲對百里冰道：「正光大師功力不輸藍玉棠，但他卻無法抵禦那耀眼生輝、奇幻橫生的劍勢，如不及早換他下來，二十回合內必傷在藍玉棠的劍下。」

百里冰低聲說道：「我成嗎？」

宇文寒濤道：「蕭大俠一側觀戰，在下能見正光大師處境之危，蕭大俠豈有看不出來之理，他既不肯出手，定必是別有用心，你還不宜出手。」

百里冰道：「他要對付沈木風，怎能輕易出手，我去替那正光大師下來。」

宇文寒濤道：「無爲道長足可抵拒藍玉棠，我想他該會挺身而出。」

談話之間，果聞無爲道長高聲說道：「大師住手。」

正光大師已被那藍玉棠奇幻莫測的劍勢，逼得連連後退，聽得無爲道長喝叫之聲，正待向後躍退，突聞藍玉棠冷笑一聲，道：「想走嗎？那未免太便宜了！」

喝聲中奇招突出，劍勢逼開了正光大師的戒刀，一劍刺中了正光的左臂。

一股鮮血，疾噴而出。

無爲道長冷哼一聲，疾衝而上，長劍一展，撒出一片寒芒。

這正是武當派中劍術精華，太極慧劍中一招「星河倒掛」，那點點寒芒，有如繁星墜落，耀眼生花，目不暇接。

藍玉棠長劍疾出一式，「海市蜃樓」，布成了一片劍幕，護住了身子。

但聞一陣叮叮咚咚的響聲，雙劍相觸。

寒芒斂去，人影乍現。

凝目望去，只見那藍玉棠長衫破裂，被劍芒劃破兩處。

沈木風冷笑一聲，道：「堂堂武當派掌門人，暗施襲擊，不覺得使人齒冷嗎？」

無為道長冷笑一聲，道：「沈大莊主指使這藍玉棠施展車輪戰法，難道是應該的嗎？」

沈木風雙目神光連閃，四顧了一眼，目光落在靈堂入口處，那手扶竹杖，身著黃衫的老者身上，瞧了一陣，目光又轉到藍玉棠的身上，道：「藍世兄，傷勢如何？」

藍玉棠道：「只及衣衫，未傷肌膚，在下還有重戰之能。」

陡然向前兩步，劍指無為道長，冷然接道：「道長可敢和藍某人決一死戰？」

無為道長冷笑一聲，道：「閣下當真是要和貧道決一死戰嗎？」

藍玉棠道：「不錯，如若道長不敢和在下決一死戰，那就只有請退避開去，請那岳姑娘出來了。」

無為道長淡淡一笑，道：「閣下到此的用心，就是希望見到那岳姑娘，可惜岳姑娘卻不想見你。」

藍玉棠怒道：「為什麼？」

無爲道長冷笑一聲，道：「那岳姑娘如若想見你，也不會離開此地了！」

藍玉棠臉色一變，道：「岳姑娘當真走了？」

無爲道長道：「也許她有著重要的事，重要性超過了和你們訂下之約，也許她只是爲了不想見你，所以離開此地。」

藍玉棠道：「那玉簫郎君呢？」

無爲道長道：「也走了，如若那玉簫郎君在此，決不致允許閣下連番指名挑戰岳姑娘！」

藍玉棠急急說道：「玉簫郎君和岳姑娘一起去了嗎？」

無爲道長道：「這個嘛……在下就不清楚了。」

藍玉棠回顧沈木風一眼，道：「大莊主，那岳姑娘已離開此地了！」

沈木風道：「婦道人家講話，自然是不能作數了，藍世兄不用計較此事了。」

藍玉棠心中懊喪，豪氣頓挫，原本要和無爲道長決鬥之心，也爲之消失，望了無爲道長一眼，緩緩向後退去。

沈木風淡淡一笑，道：「藍世兄，不是要和無爲道長決戰嗎？」

藍玉棠慢慢轉過臉去，望了沈木風一眼，緩緩說道：「今日雙方動手，並不是一般江湖上的比武爭名，在下不一定非要和無爲道長打個生死出來吧？」

沈木風淡淡一笑，道：「在下並未存心要藍世兄和無爲道長拚個生死出來，只是藍世兄把話說得太滿了，忽然又要罷了，也該找個臺階下來才是。」

藍玉棠道：「在下和沈大莊主相約有言，在下誘蕭翎入伏，沈大莊主助在下生擒岳姑娘，如今蕭翎已葬身火窟，岳小釵也來此憑弔，但你沈大莊主卻不肯聽從在下之言，昨日生擒岳姑娘，讓她和玉簫郎君雙雙逃去，在下為你沈大莊主，甘願受天下英雄責罵，出生入死，為你賣命，但你沈大莊主卻是不肯遵守諾言。」

沈木風雙目神光閃動，冷冷接道：「目下蕭翎屍骨未見，是否已死，還難預料，岳小釵也還活在人間，藍世兄未免說得太早了吧？」

藍玉棠冷笑一聲，道：「沈大莊主似是根本未把對我藍某人的承諾放在心上，在下自然也用不著為你效命了！」

沈木風舉手一揮，道：「藍世兄如此決絕，沈某人也不敢勉強，如果無意再蹚此渾水，那就儘管請便了。」

藍玉棠冷哼一聲，不再答話，緩步向蕭翎靈位行去，面向靈位，肅然而立，口中喃喃自語，不知在說些什麼。

沈木風心中雖然憤怒異常，但他卻強自忍下了心中之火，沒有發作，目光一轉到無為道長臉上，接道：「那藍玉棠既然不敢與道長動手，在下奉陪道長幾招如何？」

無為道長雖然明知自己非敵，但又不便拒絕，只好硬著頭皮，應道：「沈大莊主看上貧道，貧道自然奉陪。」

沈木風道：「好！沈某赤手接你兵刃。」

無爲道長長吁一口氣，平劍挺胸，正待出手，突聞一聲大喝，傳入耳際，道：「道長不可出手！」

轉目望去，只見宇文寒濤緩步由靈幃中行了出來。

沈木風冷冷說道：「我早已想到閣下在此，主持其事，果然不出我預料。」

宇文寒濤淡淡一笑，道：「沈大莊主還能夠記起我宇文寒濤，那是足證莊主故舊情深，倒叫兄弟有些受寵若驚了。」

沈木風冷然一笑，道：「看到此地的佈置，在下就料到是你，哼哼，我早該殺了你才是……」

宇文寒濤接道：「沈大莊主確也曾存有殺死在下之心，但大莊主卻未曾選對時機……」

沈木風冷冷接道：「禁宮之外，有蕭翎救你一命，如今那蕭翎已死，世間恐再無救你之人了，任你狡計萬端，今日也難逃死亡之厄。」

宇文寒濤淡淡一笑，道：「在下希望沈大莊主能夠稱心如願。」

沈木風冷笑一聲，道：「宇文兄可是覺得沈某人沒有殺你之能嗎？」

宇文寒濤道：「在下相信沈大莊主來此之前，定然已有準備，不過，區區也有了安排……」

沈木風突然緩緩舉步，直對宇文寒濤行來，一面說道：「在下倒想見識一番，宇文兄有些什麼驚人的佈置。」

宇文寒濤不但不退避，反而舉步直向沈木風迎上來，哈哈一笑，道：「在下大好頭顱，但不知沈大莊主是否有取去之豪氣。」

沈木風生性多疑，明知那宇文寒濤決難擋受自己的一擊，不知何以不肯退避，反而舉步直迎上來，心中動疑，突然停下了腳步。

宇文寒濤微微一笑，道：「沈大莊主，爲何又不肯出手了？」

沈木風雙目中神光閃動，從頭到腳地掃量宇文寒濤一陣，冷冷說道：「你一向貪生怕死，此刻，怎會如此豪氣？」

宇文寒濤淡淡一笑，道：「一個人總是要變的，在下以往確實有些怕死，但現在，在下卻豪氣干雲，視死如歸。以你沈大莊主的武功而言，只要一擊，立可使在下心脈崩斷而死，可笑你生性多疑，竟然是不敢出手。」

無爲道長知他要襲用那孫不邪的打算，使那沈木風一掌擊在破山神雷之上，神雷爆炸，和那沈木風同歸於盡，不禁肅然起敬。

一代梟雄的沈木風，果然有著常人難及的鎮靜，望了無爲道長一眼，淡淡一笑，道：「宇文寒濤，你本是貪生怕死之人，突然間如此慷慨豪邁，想來定然是別有所圖了，事出常情，必有原因，在下一生中最爲嚴守『謹慎』二字，只怕宇文先生的心機又是白費了。」

口中說話，雙目卻盯注在宇文寒濤的身上，希望瞧出一些蛛絲馬跡。

宇文寒濤笑道：「沈大莊主果然聰明，不過，任你才華蓋代，也決無法想出我宇文寒濤忽然間視死如歸的原因！」

沈木風回顧了金花夫人一眼，冷冷說道：「夫人，你那白線兒可在身上？」

金花夫人道：「在身上。」

沈木風道：「宇文先生也會使用毒物，不知你那白線兒能否傷他？」

金花夫人道：「沈大莊主可是要我試試嗎？」

沈木風笑道：「不錯，宇文寒濤忽然間不再怕死，在下想其中必有內情，別說他無此豪氣，就算有此豪壯氣概，照他的爲人，也不會甘心死我掌下，因此，我料他必有詭計。」

金花夫人道：「什麼詭計？」

沈木風道：「我想他是有著和我同歸於盡的打算！」

金花夫人望了宇文寒濤一眼，淡淡一笑，道：「賤妾倒瞧不出，他用什麼方法能和你同歸於盡。」

沈木風道：「宇文寒濤的陰險，不能以等閒視之，在下是寧可信其有，也不信其無，說不定他會在身上裝上火藥，等我擊中火藥，使它爆燃……」哈哈一笑，接道：「不管他用的什麼詭計，也無法防止你那白線兒的奇毒，你只要用白線兒來對付他，那就不會錯了。」

沈木風雖然對那金花夫人，有甚多優容厚待之處，但在沈木風再三說明之下，金花夫人倒也不敢違抗，右手探入懷中，摸出形似一節竹筒之物，握在手中，冷冷說道：「宇文兄，這白線兒毒性之烈，你是早已知曉了，那也不用詳細地說給你聽了！」

四八　生死紅顏

這時，一側旁觀的無為道長和孫不邪，才真的知曉了這沈木風是位厲害無比的人物，暗道：江湖只傳沈木風為人如何的惡毒，卻不知他還如此謹慎，果然是很難對付。

但聞宇文寒濤冷冷說道：「夫人那白線兒重逾性命，最好不要輕易使用！」

金花夫人咯咯一笑，道：「沈大莊主之命，那是沒有法子的事了！宇文兄小心了。」

說完，右手一抬，但見白影一閃，直向宇文寒濤飛了過來。

就在金花夫人放出白線兒的同時，一股暗勁迅快地湧了過來，同時，無為道長長劍也已遞出，拍來一劍。

白線兒吃那一股暗勁一擋，去勢頓挫，無為道長一劍拍來，正好擊中白線兒。

只聽唧的一聲怪叫，那白線兒，突然一圈，纏在無為道長的長劍之上。

無為道長手中之劍，雖非千古神物，削鐵如泥，但卻是百煉精鋼所鑄，鋒利異常，那白線兒纏在劍身之上，竟然是絲毫不怕。

沈木風突然冷笑一聲，道：「好啊！丐幫的長老，武當的掌門人，竟然一起出手，對付一個女流，你們自鳴俠義人物，不覺得慚愧嗎？」
孫不邪冷冷說道：「在下只是對付毒物……」
沈木風右手一抬，還擊出一記劈空掌力，冷然道：「老叫化！就憑你那一點能耐嗎？」
一躍而上，呼的拍出一掌，接著道：「沈大莊主可敢和老叫化動手嗎？」
只見塵土旋飛，兩股無形的勁道，相撞一起。
沈木風心中有備，掌力劈出之後，突然縱身而起，退出了兩丈多遠。
孫不邪卻感覺到全身微微一震，不禁吃了一驚，暗道：這沈木風的功力，果然非同小可。
沈木風的心中一直記著孫不邪向自己挑戰之事，怕他有何陰謀，哪知道這一掌硬拚之後，竟然毫無變化。
無爲道長想到那金花夫人，可能是蕭翎派在百花山莊的內應，倒也未存心傷她的白線兒，當下手腕一震，白線兒從長劍之上滑落到地上。
金花夫人快步行了過來，俯身抱起白線兒，藏入懷中。
宇文寒濤一臉嚴肅之色，站在原地未動，目光卻投注在那赤手空拳的青衣少年身上，那青衣少年自從現身之後，一直未說過一句話，神情鎮靜異常，對身外的打鬥，也似乎全然不覺。
這時，那站在門口的黃衣老者，突然移動一下身子，擋在大門口處。
沈木風四顧了靈堂一眼，忽然覺出氣勢上，自己已經先行輸了甚多，想到此地不便再留，便低喝一聲：「咱們走！」當先向外行去。

這時，堵在門口觀戰之人，愈來愈多，眼看沈木風向外行來，紛紛向兩側讓去。

只有那黃衣老者，手握竹杖，站在門口不動。

宇文寒濤沉聲喝道：「沈木風！」

沈木風聽那宇文寒濤直呼自己的姓名，眉宇間陡現怒容，口中喝道：「宇文寒濤，你的膽子竟越來越大了。」

宇文寒濤冷然一哂，道：「大莊主，此時此刻，我宇文寒濤非你座上之客，咱們相峙於敵對之中，別說我直呼你沈木風之名，就是叫得再難聽一些，也無礙於事吧！」

沈木風仰天打個哈哈，道：「好！你有什麼話說？」

宇文寒濤久和沈木風相處，知他適才神情，是憤怒已極的表示，只是他強把一腔怒火，按捺於胸中，不使它發作出來。

當下說道：「蕭大俠命喪你手，放眼天下，能和你沈木風單打獨鬥之人，確也不多，因此，在下不得不施展一些手段了。」

沈木風道：「嗯！你們盡可聯手而出。」

宇文寒濤笑道：「沈大莊主適才還言，一生之中，最爲嚴守謹慎兩字，但照區區的看法，沈大莊主這番計算……」

沈木風沉住氣，道：「怎麼說？」

宇文寒濤道：「在你想像之中，率領四個高手，或足以鎮服我等，其實此刻，天下和你爲敵之人，都已存了拚命之心，不會再為你沈木風的威武所屈，這是個很大的轉變，蕭大俠為你所害之後，眾情激昂，足可證明，目下我們這逼靈堂四周，有三百位以上武林同道，其中可稱高手者，亦有四、五十人……」

沈木風大笑一聲，打斷了宇文寒濤之言，道：「你們準備圍擊我等？」

宇文寒濤道：「只是圍戰你沈木風一人，這也正是你常用以對付武林高手的手法之一，不過，你是憑仗毒藥，逼他們為你賣命，我們卻是人人出自內心，戰死無憾。」

沈木風道：「犬雖眾多，何足以言困虎，我等人數雖少，但破圍而去，並非難事。」

宇文寒濤道：「目下那藍玉棠，似已不會再為大駕所困，你謊言以生擒岳小釵配他為餌，使他為你效命，此刻謊言揭穿，他自然不會聽你指使了。」

沈木風道：「胡說，你們故意隱起岳小釵，怎能說在下謊言欺人？」

只聽從未開口的青衣少年，冷冷接道：「沈大莊主當真答允了生擒岳小釵後，配與那藍玉棠嗎？」

沈木風微微一怔，道：「這個，這個……」

青衣人雙眉聳動，道：「沈大莊主如不健忘，似是對在下也許過如此諾言。」

一向狡詐的沈木風，此刻突然間變得大為尷尬，重重咳了一聲，道：「世間美女，何止千萬，在下不知諸位何以都極鍾情那岳小釵？」

青衣少年眉頭一皺，淡淡說道：「在下只是請問沈大莊主，可是對在下也有過這樣的承諾？」

沈木風的修養，雖然已到了爐火純青之境，但這青衣少年當面揭穿他施詐術的事，也不禁爲之臉色一變。

雙目中神光一閃，冷冷接道：「就算沈某人說過此話，那也不算有何大錯，岳小釵只有一個，你們爭相逐鹿，都要在下助你們生擒岳小釵，老夫如何應付呢？」

青衣少年冷冷說道：「君子不輕諾，以你沈大莊主的身分，這般輕諾寡信，不怕見笑江湖嗎？」

這幾句話，只說得那沈木風也不禁臉上一熱，但他狡猾多智，心中一急，又被他急出兩句話來，當下說道：「在下自然不是隨口輕諾，在下心中，亦早已想到了一個應付之法。」

青衣少年道：「請教高見。」

沈木風道：「如是老夫擒得那岳小釵，她只有一人，縱然是天下第一等才能之士，也無法使那岳小釵變成兩個，因此，只有兩位各憑武功，一分勝負了，哪個勝，那岳小釵就歸他所有了。」

青衣少年冷冷笑道：「沈大莊主這法子雖然不錯，但卻是美中不足，在下還有一個法子。」

沈木風道：「什麼法子？」

青衣少年道：「如是在下此刻先把那藍玉棠殺死，也不用事後的決鬥了。」

沈木風淡淡一笑，道：「這個嗎?老夫倒不便替閣下作主意了。」

言下之意，那無疑已然贊同了青衣少年的用心了。

青衣人道：「沈大莊主既然不便作主，自然由在下作主了，不過，在下想先問沈大莊主一句話。」

沈木風道：「好!只管請說吧!」

青衣少年道：「在下殺死藍玉棠後，不知是否還有人，和在下奪那岳小釵?」

沈木風道：「據沈某所知，江湖上還有爭奪岳小釵的人，不過，那些人都和沈某有仇，沈某自然只助閣下了。」

青衣少年道：「使在下擔心的，還有一人和我爭奪!」

沈木風道：「是我百花山莊中人嗎?」

青衣少年道：「不錯。」

沈木風道：「什麼人?」

青衣少年淡淡一笑，道：「在下先去殺了藍玉棠，再告訴沈大莊主不遲。」

舉步直對藍玉棠行了過去。

藍玉棠一直站在蕭翎的靈堂之前，呆呆出神，他似有無限的愧疚，也似有無窮的悔恨，對那沈木風和青衣少年一番對答之言，渾無所覺。

這時，觀戰之人，又增加了不少，看到他們窩裏反，自相殘殺起來，心中既是覺得可怖，又有一些喜悅之感。

宇文寒濤向後退了三步，使那青衣少年行經之路，更寬一些。

這時，藍玉棠仍然對著蕭翎的靈位出神，竟不知死亡之將至。

宇文寒濤重重咳了一聲，道：「藍玉棠，小心了。」

青衣少年冷冷一笑，道：「閣下放心，對付藍玉棠，在下還不用施展暗算。」

果然，在藍玉棠身前三尺處，停下腳步，道：「藍兄癡對蕭翎靈位，可是有些後悔引他入伏嗎？」

藍玉棠聽得宇文寒濤示警之後，早已有了戒備，但他仍然肅立未動。

直等那青衣少年發問，藍玉棠才緩緩轉過身子，道：「不錯，我引蕭翎入伏，如今悔恨交集。」

青衣少年哈哈一笑，道：「他是你的情敵啊！蕭翎如不死，你永遠得不到那岳小釵。」

藍玉棠道：「是的，不過你也得不到，那岳小釵乃天宮仙女，如若她有一個匹配之人，那人應該就是蕭翎，你不配，我也不配。」

青衣少年冷然一笑，道：「但如今那蕭翎死了，總該有一個配娶岳小釵爲妻之人。」

藍玉棠道：「但那人不是你！」

青衣少年道：「那是閣下了？」

藍玉棠搖搖頭，道：「也不是我！」

青衣少年道：「非你非我，那是何許人物呢？」

藍玉棠道：「那人嗎？不在人世之間……」

青衣少年突然一揚右手，道：「小心了。」

一點寒芒，直奔向藍玉棠前胸點去。

其實，他話未出口，寒芒已至。

只見藍玉棠右手一抬，肩上長劍，疾快絕倫地應手而出。

寒光一閃，噹的一聲，擊中那青衣少年疾射而來的寒芒。

藍玉棠擋開一擊後，右腕一沉，突向那青衣少年攻出兩招。

但見寒芒一閃，幻起了兩朵劍花，分刺向那青衣少年兩處大穴。

只見那青衣少年身軀閃動，腳不離原位，輕靈巧妙地避開了藍玉棠兩劍。

藍玉棠長嘯一聲，揮劍進擊。

但見寒芒流轉，漫天劍影，分由四面八方攻向那青衣少年。

眨眼之間，那青衣少年已然被困於一片劍影之中。

藍玉棠劍招太快，快得令人目不暇接，只見劍光擴布，兩條人影，竟皆不見。

四周觀戰之人，雖然都是武林中人物，但也很少人見過如此凌厲快速的劍招，只看得一個個目瞪口呆。

激鬥中，突聞得一聲慘叫，劍光突斂，人影乍現。

凝目望去，只見藍玉棠棄劍倒地，青衣人緩緩回身，走向沈木風、笑道：「在下幸未辱命。」

沈木風一皺眉頭，道：「這並非沈某主意。」

青衣少年笑道：「至少沈大莊主並未反對，因爲他背叛了百花山莊。」

沈木風淡淡一笑，道：「不錯，背叛我沈某的人，很難逃得性命。」

四周觀戰之人，都未瞧出那藍玉棠如何被傷，直待那青衣少年回身而去，仍然瞧不出藍玉棠傷在何處。

但聞沈木風輕輕咳了一聲，道：「如若在下能夠生擒岳小釵，必配巫兄爲妻。」

青衣少年道：「在下這裏先行謝過了。」

抱拳一禮後，又緩緩伸出右手。

沈木風略一猶豫，道：「這是爲何？」

青衣少年淡淡一笑，道：「在下要和沈大莊主擊掌爲誓，希望你沈大莊主今日承諾之言，日後不得再有變化！」

沈木風緩緩伸出手去，道：「在這一生中，沈某從未和人擊掌立誓，今日和你立誓，那是第一次了。」

青衣少年微微一笑，道：「這麼說來，足見大莊主對在下的重視了。」

迅快地探過手去，輕輕在那沈木風手上擊了一掌。

沈木風的臉色突然一變，雙目神光閃動，盯注在那青衣少年身上。眉宇間，隱隱泛起了一片殺機。

那青衣少年卻迅快地向後退出兩步，笑道：「大莊主前天可在我身上動過手腳？」

沈木風道：「動什麼手腳？」

青衣少年臉色突然一變，滿臉笑容，登時消失，冷冷地說道：「點了我一處奇經？」

沈木風突然仰天打個哈哈，道：「在下一生最敬佩才慧高強之人，今日你在眾目睽睽之下，在我身上下了毒手，在下一向自負謹慎的人，今日竟然著了你的道兒，好生叫沈某人佩服！」

青衣少年冷哼一聲，道：「好說，好說，沈大莊主的手段，在下亦是佩服得很。」

這一番對話，忽敵忽友，只聽得場中群豪，個個目瞪口呆，就連那無為道長和孫不邪，也看得震動不已，只有宇文寒濤卻鎮靜如常，似是對此等奇異之事，早已司空見慣，不足為奇了。

沈木風極快又恢復了原有的鎮靜，淡淡一笑，道：「在下想向巫兄請教一事。」

青衣少年道：「沈大莊主言重了，大莊主有何教言，只管吩咐。」

沈木風道：「巫兄適才在我沈某人身上動了手腳，不知是何奇毒？」

青衣少年道：「簡單得很，在下只是在手中暗藏一枚毒針，借著和你沈大莊主擊掌之時，刺中了沈大莊主！」

沈木風道：「這個我知道，我是問你針上之毒，要幾時發作？」

青衣少年道：「在下這毒針叫七毒針，如若不是刺中要害，要七日之久，毒性才能攻入心臟，毒發而死，不過在七日之前施救，立時安然無恙！」

沈木風道：「巫兄帶有解藥嗎？」

青衣少年道：「有，不過，不在我身邊！」

沈木風道：「放在何處呢？」

青衣少年道：「藏在一條毒蛇身上。」

沈木風怔了一怔，道：「當真嗎？」

青衣少年道：「在下一向不說謊言。」

沈木風道：「如若那條毒蛇被人殺死呢？」

青衣少年道：「在下胸記藥方，可以再配解藥。」

沈木風道：「配成可用之藥，要多少時間？」

青衣少年道：「大約總要三日之久。」

沈木風道：「這麼說來，在下還等得及讓閣下配解藥了！」

青衣少年道：「只要在下好好活著，沈大莊主又能遵從諾言，自然不會死了……」

語聲一頓，接道：「在下也想向沈大莊主請教一事。」

沈木風道：「什麼事？」

青衣少年道：「關於沈大莊主在區區身上動的手腳，是何手法？」
沈木風道：「剛才巫兄已經說了，我點了你一處奇經。」
青衣少年道：「手法很特殊，在下曾經運氣試行自解，耗了我兩個時辰之久，卻未成功！」
沈木風道：「那是區區的獨門手法，自非巫兄能夠解得了。」
青衣少年道：「沈大莊主點傷在下奇經，要幾時才會發作？」
沈木風道：「大約要半月之久，如若在下不施解救，半月之後，傷勢開始發作，嘔血而亡。」
青衣少年道：「不要緊，沈大莊主傷勢發作快我數日，在下相信，不會死了。」
沈木風點頭笑道：「從此刻起，沈某人要刻意保護巫兄了。」
宇文寒濤突然插口說道：「兩位還未談完嗎？」
沈木風淡淡一笑，道：「宇文兄有何指教？」
宇文寒濤道：「這位藍玉棠大約快要氣絕了，兩位難道見死不救？」
沈木風望了藍玉棠一眼，道：「這位巫兄的手段，只怕常人難以救得了。」
宇文寒濤淡淡一笑，道：「這位藍玉棠，雖然和我等敵對相處，但我等也不願見死不救。」
沈木風道：「宇文兄幾時變得這樣慈善了？」

他接著又道：「閣下之意，似乎是想救人了。」

宇文寒濤道：「不錯。」

沈木風道：「閣下能夠救得了嗎？」

宇文寒濤道：「盡人事而聽天命。」

沈木風冷笑一聲，道：「宇文兄爲人收屍，那也是一件大功德的事了。」

宇文寒濤不理沈木風的譏諷，高聲說道：「抬下去，全力搶救。」

靈幃後緩步行出來兩個黑衣勁裝大漢，把藍玉棠抬了下去。

青衣少年目光一掠宇文寒濤，道：「聽說閣下昔日也在百花山莊聽差。」

宇文寒濤道：「不錯，和閣下一般，爲沈大莊主巧言所欺。」

青衣少年道：「聽說你很有能耐，讀萬卷書，知天下事，星卜醫理，五行奇術，無所不能，不知是真是假？」

宇文寒濤看他的目光閃爍不定，口中雖在說話，暗中卻已留神作了戒備，口中緩緩應道：「閣下過獎了。」

青衣少年冷冷說道：「我不是稱讚你，而是想估量你一下，胸中究竟有多少能耐？」

宇文寒濤道：「閣下想問什麼？」

青衣少年道：「你可瞧出在下如何傷了那藍玉棠？」

宇文寒濤搖搖頭，道：「沒有瞧見，但在下能想得出來。」

此言一出，真是語驚四座，連那孫不邪也聽得暗皺眉頭，忖道：難道他的目力，還能強過我老叫化不成。

轉念一想，也許他早有準備，暗中留心，瞧出了藍玉棠受傷情形，故作這番驚人之語。

青衣少年冷笑一聲，道：「叫人難以相信，在下倒要請教一下，他是何物所傷？」

宇文寒濤道：「他非傷在武功之下，而是中了你的暗算！」

青衣少年道：「彼此動手，不死必傷，暗器傷人，也算不得什麼！」

宇文寒濤道：「但閣下用的暗器，和常人不同。」

青衣少年臉色一變，道：「什麼不同了？」

宇文寒濤道：「一般細小暗器，不外毒釘之類，但閣下的暗器卻是活的！」

青衣少年仰天冷笑一聲，道：「你可知曉那是何物嗎？」

宇文寒濤微微一笑，道：「在下只知不是毒蛇，而是一種細小的毒物，至於要在下叫出名字，那卻非我之能了。」

青衣少年緩緩說道：「這麼說來，閣下只能算知曉一半了！」

突然一揚右手，一道黑芒，由袖中疾射而出。

宇文寒濤早已有備，身軀一閃，右手劈出一掌。

但兩人相距甚近，宇文寒濤雖然早已有備，也是閃避不及，只見那異物沾在宇文寒濤衣角之上。

這當兒，忽聽嬌叱聲傳了過來，道：「宇文先生不要動！」

喝聲中銀芒一閃，射向宇文寒濤衣角。

只見宇文寒濤衣角上異物一顫，跌落在實地之上。

凝目望去，只見一條三寸長短的百足蜈蚣，被一枚銀針，穿身而過，百足划動，在地上掙扎了一陣死去。

青衣少年望了那地上蜈蚣一眼，道：「好毒的銀針。」

宇文寒濤望了那銀針一眼，知是北海寒毒冰魄針，自然是百里冰暗中發針相助了，心中暗道了兩聲慚愧。

忖道：這蜈蚣定然是奇毒無比之物，既被沾上衣角，再想拋掉牠，決非易事，若非北海寒毒冰魄針上奇毒，可以克制牠，立即取其命之外，今日只怕要傷在這毒蜈蚣的口下了。

只聽那青衣少年冷冷說道：「那位姑娘是誰，你本已處必死的情景之下，她卻救了你的性命。」

提高了聲音接道：「何人施放毒針，殺死了在下的蜈蚣，可敢現身一見？」

百里冰發出寒毒冰魄針，救了宇文寒濤，心中已然大感不安，忖道：我這寒毒冰魄針，如若被那沈木風瞧了出來，定然知曉我還活在世上，沈木風知曉我還活在世上不要緊，但如惹得大哥生氣，那就糟了。

是以，任那青衣少年出言相激，百里冰卻不肯現身。

正當百里冰心念轉動之際，果聽沈木風高聲說道：「北海寒毒冰魄針……」

宇文寒濤接道：「不錯，正是北海寒毒冰魄針，沈大莊主的見識很廣啊！」

沈木風臉色一變，道：「百里冰還活在人間嗎？」

宇文寒濤冷冷說道：「你很怕北天尊者，是嗎？」

沈木風目光盯注在宇文寒濤的臉上，道：「那百里冰還活著嗎？」

宇文寒濤道：「她如還活著，我們是慶幸萬分。如若她死了，北天尊者，只此一個愛女，自然會找你算帳了。」

這幾句話，答覆得巧妙之極，未說明百里冰是否還活著，聽起來若有所指，但想一想，卻又是不著邊際。

精明陰森有如沈木風者，也聽得滿臉困惑之色，緩緩說道：「那是說，北海冰宮中，已有高手到此了。」

宇文寒濤冷笑一聲，道：「彼此對敵，在下似是用不著給你沈木風說明吧！」

沈木風冷冷說道：「剛才說話那女子聲音，分明是發針之人，定然是百里冰了。」

宇文寒濤淡淡一笑，道：「百里姑娘還活在世上，蕭翎自然也不會死了。」

沈木風突然仰天打個哈哈，道：「北海冰宮中人，絕不只有百里冰一人施用這寒毒冰魄針了。」

宇文寒濤道：「這寒毒冰魄針，乃是那北海冰宮中獨門暗器，北海冰宮中人，會用此物，乃是天經地義，似是用不著向沈大莊主解說了。」
沈木風道：「那是說只要那靈幃之後，有北海冰宮中人，就可以打出這寒毒冰魄針了，不用百里冰還魂重生。」
宇文寒濤淡淡一笑，道：「沈大莊主隨便想吧！你想說百里冰還活在人間也好，已被你活活燒死也好，但如想從區區口中探得出一點消息，只怕要枉費一番心機了。」
沈木風道：「哼！果然是老奸巨猾。」
宇文寒濤道：「彼此，彼此。」
沈木風目光轉到金花夫人的臉上，低聲說道：「你帶有幾種毒物？」
金花夫人道：「三種。」
沈木風道：「好，只要有人攔阻咱們，那就一齊施放出手。」
目光轉到那青衣少年身上，接道：「巫兄也是一樣，隨身帶有多少毒物，聽在下招呼，就一齊施放出手。」
青衣少年抬頭望了金花夫人一眼，道：「聽說夫人有役使各種毒物之能，但不知手法如何？在下今日倒要一開眼界了。」
金花夫人舉手理一下鬢邊長髮，笑道：「閣下似乎是不分敵友，不管何人，都想撩撥一下。」
青衣少年淡淡一笑，道：「那是因爲區區也通曉一些役使毒物的手法，不知咱們中原和苗疆役用毒物之術，是否相同。」

金花夫人道：「嗯！那很容易分辨，日後，咱們找處地方，不妨來一次役用毒物比試，勝負立可分出來。」

青衣少年道：「好極，好極，在下既然出現於江湖之上，也不希望還有一個役使毒物之人，立足中原。」

靈堂中的群豪，只聽得個個心頭震動，想到那百毒相鬥的驚奇、殘酷場面，既想一睹奇景，又覺著一旦身臨其境，必將嘔出酒飯來。

沈木風神色嚴肅地說道：「巫兄，你是沈某人的貴賓，但咱們目下之處境，卻是賓主同命，生死與共，希望彼此之間，不要再有意氣之爭。」

青衣少年微微一笑，道：「沈大莊主但請放寬心，我們放毒相鬥，雖然是已成定局，但距那段時日還早。」

沈木風道：「以後的事，到時才說，岳小釵既已離開，咱們也不宜久留了。」

青衣少年四顧了一眼，笑道：「但區區卻覺得於此刻此情之下，正是和你沈大莊主討價還價的好時機。」

沈木風微微一怔，道：「這番話，是何用意？」

青衣少年道：「很簡單，因為在下心中有幾件事，早已想對沈大莊主說明，只是時機不當，說了於事無補，何況，沈大莊主深通先下手為強之道，先點了在下一處奇經，形勢迫人，在下才不得不忍氣吞聲……」

頓了一頓，接道：「但是此刻，強敵環伺，沈大莊主又中區區毒針之傷，形勢已變，雖然對在下未必有利，但至少是一個平分秋色的局面，在下如不借此機會，說出心中之言，豈不有負大好良機了嗎？」

沈木風強忍下心頭火氣，道：「好！你有什麼條件，儘管逐一說明，沈木風還自信有容人之量。」

青衣少年道：「第一件事是，在下和沈大莊主是平行論交，彼此之間，身分相等。」

沈木風點點頭，道：「這個嘛，在下一直未把巫兄看做沈某人的屬下。」

青衣少年道：「第二件，我助你對付蕭翎和天下英雄，並非是欽慕你沈大莊主英雄，全是爲了那岳小釵，只要岳小釵再度現身，你沈大莊主必得以全力助我生擒於她……」

語聲一頓，接道：「在下再說明一些，是生擒岳小釵，不許她受到任何傷害，那可能使你百花山莊的高手，有些死傷。」

沈木風道：「那是自然，巫兄助我，在下自當以生擒岳小釵以酬巫兄。」

一代梟雄的沈木風，在形勢逼人之下，不得不屈服在那青衣少年的迫逼之下。

青衣少年微微一笑，道：「在下適才說過，還有一人，也可能和在下爭奪岳小釵，沈大莊主還記得嗎？」

沈木風道：「記得，但不知那人是誰？」

青衣少年道：「你，沈大莊主。」

沈木風先是一怔，繼而一拂顎下長髯，哈哈大笑，道：「老夫這把年紀，怎的還有此心？」

青衣少年道：「別人也許瞧不出來，但在下卻不易爲人欺瞞。」

沈木風搖搖頭，道：「你要如何才肯相信？」

青衣少年道：「我只要揭穿你內心之秘，使你知曉在下已有準備，你如有此念頭，那就早日打消，無此念頭，那是最好不過了。」

沈木風臉上稍現怒容，道：「區區一生中，從未受人如此擺佈過，巫兄不可一再爲之。」

青衣少年哈哈一笑，道：「現在咱們可以走了，在下開道。」

轉過身子，大步直向靈堂外面行去。

沈木風回顧了宇文寒濤一眼，道：「在下想告別了，不知宇文兄意下如何？」

宇文寒濤淡淡說道：「看看你們的運氣了。」

沈木風雙眉一聳，卻未再多言，隨在那青衣少年身後向外行去。

宇文寒濤望了那站在靈堂門口，手執竹杖的黃衣老人一眼，站立在原地不動。

那青衣少年把毒物當做暗器施用一事，已瞧得群豪個個心中驚畏，看他當先開道而來，大都閃避開去，只有那黃衣老者，仍然站在門口不動。

沈木風和金花夫人也隨在青衣少年身後，行到了出口處。

那青衣少年冷冷說道：「老丈高壽？」

黃衣老人竹杖支地，站在那裏文風不動，有如石雕泥塑一般，望也不望那青衣少年一眼。

青衣少年冷笑一聲，右手一縮，由袖中抓出了一條三寸長的紫色蜈蚣，右手一抬，投向那黃衣老者的臉上。

宇文寒濤雖然料到這黃衣老者，可能是蕭翎改扮，但想到那蜈蚣的惡毒，也不禁有些震動，看他如此沉著，更是爲他擔心。

只見那黃衣老者左手一抬，竟然把那投過來的紫色蜈蚣，接在手中，反手一揮，投向了沈木風。

沈木風雖然武功高強，但他不敢和那黃衣老者一般伸手去接，大袖一揮，潛力湧出，擊落了投向身上的蜈蚣。

青衣少年道：「失敬，失敬，想不到閣下竟也是役使毒物的高手。」

右手一伸，扣向那黃衣人握著竹杖的右腕。

這一招去勢甚快，但那黃衣老者，卻有著近乎木然的鎮靜，直待那青衣少年右手五指，將要搭上右腕脈穴，右手才突然向下一滑，沉落半尺，竹杖一推，擊向那青衣少年肘間關節。

應變手法平淡中，蘊含奇奧，發難於猝然咫尺之間，那青衣少年閃避不及，被那黃衣老者推出的杖勢，擊在右臂之上。

竹杖上蓄力強大，青衣少年中杖後，頓覺左臂一麻，急急向後躍退三步。

那黃衣老者也不追趕，仍然站在原地不動。

青衣少年疾退三步之後，一條右臂，軟軟地垂了下來。

顯然，他一條右臂，受傷不輕。

青衣少年回顧沈木風一眼，肅立不動，顯然，正自暗中運氣解穴。

沈木風冷肅的臉上，閃掠過一抹驚愕之色，緩步行到門口處，冷冷地望了那黃衣老者一眼，緩緩說道：「閣下貴姓？」

黃衣老者兩道閃電一般的寒芒，移注在沈木風臉上，打量了沈木風一陣，卻是一語不發。

沈木風冷笑一聲，道：「閣下似是很少在江湖之上走動？」

黃衣老者道：「不錯。」

他似是生恐多說一個字，用最簡潔的字句回答。

沈木風微微一笑，道：「閣下既然很少在江湖之上走動，和我沈某人自然也談不上恩怨二字了，不知何故要攔阻在下的去路？」

黃衣老者道：「聽說你爲惡很多，今日一見，果然不錯。」

他說話的聲音很怪，似是用弓弦一個字一個字地彈了出來。

沈木風一皺眉頭，道：「閣下之意，是要打抱不平了。」

黃衣老者冷哼一聲，也不答話。

沈木風冷笑一聲，道：「閣下姓名，可否見告？」

黃衣老者冷然說道：「不必了。」
沈木風右手一抬，突然攻出一掌，拍了過去。
黃衣老者也不閃避，左手一抬，硬接一掌。
但聞砰的一聲大震，雙掌接實。
沈木風身軀晃動，那黃衣老者卻被震得向後退了兩步。
這一招硬打硬拚，雙方都用的內力硬拚。
沈木風冷笑一聲，道：「無怪閣下狂傲如斯，果是有些手法，再接我沈某一掌試試。」
喝聲中，右手一抬，又是一掌劈了過去。
掌勢中帶起了一股疾厲的暗勁，掌勢未到暗勁已到，整個靈壁，忽忽搖動。
那黃衣老者亦是不甘示弱，左手一抬，又硬接了一掌。
這一次，那黃衣老者，有了準備，只被震得退了一步。
但如沈木風發出的掌勢而言，這一掌似是強過了上一掌甚多。
沈木風一皺眉頭，又劈出一掌。
黃衣老者似已知曉厲害，不敢再用左手去接，鬆開了竹杖，用右手接了一擊。
沈木風連攻三掌，那黃衣老者也硬接三掌，只看得在場中人個個爲之一呆，心中暗道：這人不知是何許人物，竟然能夠硬接沈木風三掌猛攻。
沈木風攻出三掌之後，未再搶攻，急急收掌而退，冷冷道：「閣下居然能硬接沈某人三掌，足見高明……」

那黃衣老者，似是根本未再聽沈木風說些什麼，冷冷接道：「來而不往非禮也，小心了。」

竹杖揮動，劈出三杖。

沈木風連封帶躲，才把三杖快攻避開，雙目中神光凝注在黃衣老者身上，一字一句地說道：「你是蕭翎，你沒有死，是嗎？」

黃衣老者冷笑一聲，既不承認也不否認，竹杖一起，橫裏掃出一招。

沈木風也不閃避，左手一推，便向竹杖之上迎去。

這等打法，不但大出了在場群豪的意料之外，就是那黃衣老者，也不禁爲之一呆。

但聞砰的一聲脆響，竹杖正擊在沈木風的手腕之上。

只見竹屑橫飛，那黃衣老者手中的竹杖，突然破裂去一節。

廳中觀戰群豪相顧失色，暗道：這沈木風的武功，已練到了體若精鋼，那一杖明明擊在了手腕上，不但不見他痛苦之色，反而把竹杖震斷了一截。

但見那黃衣老者，卻毫無驚駭之狀，右腕一挫，收回竹杖，當心點去。

竟然把竹杖當作長槍施用。

沈木風左手推出，啪的一聲，又把竹杖震開，人卻欺身而上。

這一下，群豪聽得明白，分明是竹杖和鋼鐵相擊之聲，心中更是駭然。

原來，場中群豪，聽到起初一聲，認爲是聽錯了，這一次特別留心那聲音，分明是竹杖擊在鋼鐵上的聲音。

需知一個人練功夫，練得身上被擊時能發出回音，也如鋼鐵一般，實是罕見的事了。

宇文寒濤似是已看出群豪心中之疑，高聲說道：「沈大莊主左、右雙腕，各戴一個純鋼袖圈。」

這一點破，觀戰群豪，恍然大悟，驚愕之色，登時消失。代之而起的是一陣輕歎。

原來，武林之中，有很多不常用兵刃之人，常用精鋼打成袖圈，戴在腕上，其形如鐲，不過，要比鐲子廣大，以備不時之需。

沈木風武功高強，群豪一時間被他震住，想不到戴袖圈的事。

直待宇文寒濤出言點明，群豪才恍然大悟。

抬頭看去，只見沈木風人已欺進那黃衣老者身側，右手一沉，劈了下去。

那黃衣老者手中竹杖，已然吃那沈木風左掌擋開，欺近身側，別說竹杖一時間無法收回，就是有法收回，這等近身相搏，那竹杖過長，也無法施展。

只見那黃衣老者右手一抬，突然向上迎去。

沈木風冷哼一聲，欺近身側的身子，突然間暴退三尺。

凝目望去，只見那黃衣老者已然棄去了手中竹杖，右手卻握著一把鋒利的短劍。

沈木風臉色嚴肅，冷冷說道：「果然是你，蕭翎……」

那黃衣老者冷然一笑，仍不作正面答覆。

這等一直不肯接口的法子，使得狡猾多智的沈木風，也被搞得大爲不安。

略一沉吟，接道：「那蕭翎乃是英雄人物，行不更名，坐不改姓，你如是不敢開口承認，定非蕭翎了。」

只見那黃衣老者右手執劍，雙目微閉，臉上是一片誠敬神情，對沈木風的呼喝叫囂，充耳不聞。

這等神情，一般人瞧不出有何特殊之處，但以沈木風的武功，卻瞧出了情勢大爲不對，那黃衣老者的神情，正是運用上乘劍道的起手姿態，不禁大爲駭然，沉聲喝道：「咱們走！」

走字出口，人已飛躍而起，右手揮處，頂篷破裂，人隨著穿出帳篷，有如巨鳥凌空而去。

金花夫人緊隨沈木風身後，飛躍而起，穿出屋頂而去。

那青衣少年正運氣調息，卻不料沈木風破頂而起，警覺不對，顧不得再運氣療傷，急急一提氣，縱身而起。

只聽黃衣老者喝道：「你留下。」

喝聲中黃衣飄飛，人已凌空而起，兩條人影，同時以電閃雷奔的迅度，向篷頂搶去。

那黃衣老者身法，搶先了一步，揮掌劈下。

但聞砰的一聲，兩人懸空硬拚了一掌。

那青衣少年在那黃衣老者居高臨下的強猛掌力壓制之下，身不由己地跌落實地，震揚起一片沙土。

那黃衣老者，卻用八步登空的身法，斜出一丈多遠，才落著實地。

四九　金劍之主

宇文寒濤疾快地奔行過來，揚手一指，點了那青衣少年的穴道。

這時，沈木風隨行四人，除走了一個金花夫人之外，藍玉棠重傷之後，生死不明，這青衣少年，傷在那黃衣老者的掌下，又被宇文寒濤點了穴道，餘下的只有那手執銅鈸，身著紅色袈裟的和尚。

無爲道長長劍出鞘，攔住了那紅衣和尚的去路，道：「大師是束手就縛呢？還是要拚命一戰？」

紅衣和尚目光轉動，只見正光大師手執戒刀站在一側，心知破圍而出的希望百無其一，當下旋轉飛鈸，自劈咽喉，頭斷血噴，屍體栽倒。

無爲道長看他連震飛鈸，似要出手，卻不料他回鈸自絕，一時間救援不及。

正光大師棄去手中戒刀，接住那飛落的人頭，揭開他臉上人皮面具，黯然一歎，道：「果是老衲同門師兄弟。」

無爲道長輕輕歎息一聲，道：「本門之中，也有叛逆之徒，人死不能復生，大師善葬他的屍體，也算盡了同門之誼。」

正光宣了一聲佛號，抱起那紅衣和尙的屍體，向外行去。

那黃衣老者，望著正光大師的背影，輕輕歎息一聲，突然轉身向靈幃後面行去。

孫不邪、無爲道長等，心中雖然都覺著這黃衣老者，可能是蕭翎假扮，但又不能完全確定，一時間不知如何應對。

只見宇文寒濤快步而行，越過黃衣老者，道：「在下帶路。」

黃衣老者道：「有勞了。」

宇文寒濤帶著那黃衣老者，行入了一間靜室之中，抱拳一禮，道：「蕭大俠。」

黃衣老者微微一笑，除去臉上的易容之後，恢復本來面目，正是逃出火劫的蕭翎。

但聞步履聲響，孫不邪、無爲道長、百里冰等魚貫而入。

孫不邪伸手抓住蕭翎一隻手，道：「蕭兄弟，果然是你。」

蕭翎一欠身，道：「老哥哥好。」

孫不邪哈哈一笑，道：「看到兄弟你完好無恙，老哥哥還有什麼不好呢？」

這幾句話，聽來平淡無奇，但平淡之中，卻包含了無限的關懷情義。

蕭翎道：「多謝老哥哥了。」

無爲道長接道：「蕭大俠托鄧二俠和敝師弟，交貧道的兩本書，貧道已然收到，妥爲保管，立時可以奉還蕭大俠。」

蕭翎道：「道長沒有瞧過嗎？」

無爲道長道：「貧道只看了書名，未閱內容。」

蕭翎點點頭，道：「道長爲何不看呢？」

無爲道長道：「貧道老邁了，那是應該留給年輕人的，何況，此時敵我相對，處境險惡，貧道也無暇閱讀。」

蕭翎點點頭，道：「道長胸懷寬大，用心深遠，晚輩敬服得很。」

百里冰突然向前兩步，道：「大哥，我錯了。」

蕭翎微微一笑，道：「什麼事？」

百里冰道：「大哥交代我不許說出你脫險的事，但我卻未得大哥同意，說了出來。」

蕭翎道：「不要緊，我知道你有苦衷，其實你不說，也無法瞞過宇文先生。」

宇文寒濤道：「蕭大俠過獎了。」

孫不邪道：「這事不能怪百里姑娘，都是老叫化迫她說出。」

蕭翎道：「小弟沒有怪她啊！」

百里冰長長歎息一聲，道：「大哥，你在靈堂之中，都已經聽到了嗎？」

蕭翎道：「聽到什麼？」

百里冰道：「岳姊姊走啦！」

蕭翎一呆，道：「真的走啦？」

百里冰道：「岳姊姊和我談了很多，我堅持她不能離開，但她卻留書不辭而別。」

蕭翎臉上紅光一閃，淡淡笑道：「不要緊，岳姊姊一向來去自由，咱們怎能留她。」

宇文寒濤雙目閃動，回顧了一眼，道：「孫兄、道長、百里姑娘，在下有一事相求。」

他一口氣呼叫出三人，三人也同時愕然說道：「什麼事？」

宇文寒濤道：「在下有一樁急要之事，想和蕭大俠單獨談談，不知三位意下如何？」

孫不邪道：「武功上，老叫化佩服我蕭兄弟，用智上，老叫化敬服你宇文先生，你儘管請便吧！」

宇文寒濤一欠身，道：「蕭大俠，這邊請。」

蕭翎舉步隨在宇文寒濤身後，又行入另一靜室之中，道：「宇文先生有何見教？」

宇文寒濤道：「吐出那口堵在胸口的血，強忍住，要逼岔你的真氣。」

蕭翎雙目中神光如電，盯在宇文寒濤的臉上，瞧了一陣，突然閉上雙目，張嘴吐出了一口鮮血，歎道：「宇文先生，果然厲害，已瞧出在下受了傷！」

宇文寒濤點點頭，說道：「你傷得不重，這口血大部是爲了岳姑娘……」

蕭翎一皺眉，接道：「宇文兄怎能如此肯定？」

宇文寒濤微微一笑，道：「蕭大俠，承你看得起我宇文寒濤，引爲知己，在下自當是盡我之能，回報知遇，岳姑娘和蕭大俠之間，雖屬私事，但在下亦不得不插言數語了。」

蕭翎被他一言道破胸中之秘，只好長歎一聲，道：「宇文兄有何見教？」

宇文寒濤道：「藍玉棠、玉簫郎君等，都可列為一流人物，可是無美女相伴，這其間就有著值得研討的原因了。」

蕭翎道：「什麼原因？」

宇文寒濤道：「不能單方的責怪藍玉棠和玉簫郎君等人了。」

蕭翎道：「岳姑娘言行端正，從無輕佻，玉簫郎君和她有過一段相處時光，為她傾倒，還有可說，那藍玉棠和五毒門的巫公子，根本和我岳姊姊從無往來，他們自作多情，難道也要怪在我那岳姊姊的頭上嗎？」

宇文寒濤沉吟了一陣，道：「蕭大俠覺著那岳姑娘，是否和別人有些不同呢？」

蕭翎道：「在下倒是感覺不出。」

宇文寒濤道：「你仔細地想想看，每見她一次之後，是否就加深了一次印象，那印象愈來愈深，有如刻在心上的痕跡，抹之不掉，如影隨形，揮之不去。」

蕭翎長長吁一口氣，道：「就在下而言，昔年我並無此感。」

宇文寒濤道：「那時你年紀小，不解風情，岳小釵縱有傾城之媚，你也感覺不出，再度重逢，你已經長大了，感受自然不同。」

蕭翎輕輕歎息一聲，道：「也許你說得不錯，不過，我總覺著魔由心生，怪不得他人。」

宇文寒濤道：「在下稍涉相人之術，岳小釵那特殊之像，謂之內媚，千百年中，卻也難得一見的奇相。」

蕭翎眨動了一下星目，道：「那不是她的錯了。」
宇文寒濤道：「岳姑娘沒有錯，藍玉棠、玉簫郎君等也沒有錯，錯的是上天造就她這麼一副媚人的奇相，使她行蹤所至，必有人心猿意馬，情難自禁。」
蕭翎道：「古人云『紅顏禍水』，想必就是如此了。」
宇文寒濤沉吟了一陣，道：「也可以這麼說，但卻是還難盡言其中奧秘，那巫公子說得不錯，連那沈木風也已爲岳小釵媚力所惑。」
蕭翎神情激動，臉色忽白忽紅，顯然，他內心中，正有著強烈的衝突。
良久之後，才聽他長歎一聲，道：「宇文先生，如若情形如此，咱們應該如何處置我岳姊姊。」
宇文寒濤道：「讓她少見人，自成一個天地，年華如水，青春易逝，一旦紅顏老去，那天賦的惑人媚力，自然會隨著年華消失。」
蕭翎道：「她如是不肯長居無人之地，難道要把她關起來不成？」
宇文寒濤沉思了一下，道：「這件事過一陣子再說吧，咱們談了這一陣話，蕭大俠的氣血，大約已經平靜了下來，現在，你可以坐息一陣了。」
蕭翎亦知及時坐息一陣，調勻真氣，才不致使體能受損，當下說道：「多謝宇文兄了。」
宇文寒濤道：「還有幾樁事，待你坐息醒來之後，咱們再談不遲，在下先去了。」緩步出室而去。

蕭翎目睹宇文寒濤的背影消失之後，才盤膝坐好，運氣調息。

待他坐息醒來，睜眼看去，只見百里冰面含微笑，坐在身側。

這時，她已換著女裝，只見她秀眉彎彎，櫻唇噴火，久著男裝後驟還女容，似是又增加了不少清秀之氣。

但見她輕啓櫻唇，柔聲叫道：「大哥，好了嗎？」

蕭翎點點頭，道：「我很好。」

百里冰道：「宇文先生說，大哥和沈木風對掌時，受了傷，大家都很擔心。」

蕭翎微微一笑，道：「不要緊，一點輕傷。」

百里冰探手入懷，摸出一封信，道：「岳姊姊臨去之際，留下了兩封信，其中一封留給我，另一封給你。」

蕭翎接過書信看去，只見上面寫道：「勞請冰妹轉奉蕭翎親拆」。

看字跡娟秀，果是岳姊姊的手筆。

蕭翎拆開封套，只見上面寫道：

「書致蕭翎兄弟：你雲姨留書遺命，把姊姊終身許你爲妻，你易容隱於靈堂之上，大約已經聽到了我在靈位前的肺腑之言。

「雖我沒有告訴過你，但我內心之中，早已承認了你是我的丈夫，你如死去，爲人妻者，自應爲夫報仇，但我從冰妹口中，得悉內情，知你未死，情勢驟然有變。

「你雲姨大仇未報，姊姊怎能苟安偷活？目前我已找出殺害你雲姨的兇手，只是還無確證而已，此去報仇，生死難卜，也許日後無緣再會，再說我情孽纏身，難以自遣，實有些愧對夫君。

「冰妹妹，潔如其名，希望你善爲照顧，何況她對你一往情深，就是姊姊，也難及她，如若你還肯聽我一句話，那就善待冰妹，她才是你最好的終身伴侶。

「執筆千斤，心焦如焚，望兄弟善體我一片苦心。」

下面屬名岳小釵奉上。

蕭翎看完了岳小釵的留書，說不出心中是一股什麼滋味，不知是愛是恨。

但聞百里冰柔聲說道：「大哥，岳姊姊信上寫的什麼？」

蕭翎長長吁一口氣，道：「她要我好好地待你。」

百里冰怔了一怔，突然流下淚來。

蕭翎伸出手去，握住了百里冰的玉腕，道：「冰兒，哭什麼？」

百里冰道：「我也不知道是難過還是高興，其實，岳姊姊和你才是一對佳偶。」

蕭翎微微一笑，道：「冰兒，那藍玉棠不是說過嗎？岳姊姊是天上的仙女，俗凡中人，沒有哪一個配得上她。」

百里冰黯然垂下頭去，道：「大哥，你不知岳姊姊的心。」

蕭翎道：「什麼事？」

百里冰道：「岳姊姊很喜愛你，只是她不像我，什麼事都表現在臉上。」

蕭翎長長歎息一聲，道：「岳姊姊和你談些什麼？」

百里冰道：「我們談了很多話，但說來說去，都是兩個人的事，一個是你，一個是我。」

蕭翎道：「岳姊姊怎麼說我？」

百里冰道：「她要我勸你好好的保重，不要以她爲念……」

蕭翎點點頭，道：「這個我知道，岳姊姊在留給我的信上，已經說得很明白了。」

百里冰道：「岳姊姊雖然這樣說，但咱們決不能坐視不管，應該助她報仇。」

蕭翎沉吟了一陣，道：「目下情勢正值緊要關頭，只怕是無能助她了。」

百里冰道：「難道大哥對岳姊姊報仇的事，就不聞不問了嗎？」

蕭翎淡淡一笑，道：「沈木風陰謀野心，已經暴露，宇文先生借我之死，傳告天下，天下英雄，都聞風而來，雲集於斯，也許一場決戰，即將展開，小兄如何能夠離開此地呢？」

百里冰道：「唉！大哥說得也是，此地事情，也很重要，大哥又是舉足輕重的首要人物，自然是無法離開了。」

蕭翎道：「冰兒，你去請宇文先生和孫老前輩及無爲道長來，我要和他們研商一些事情，沈木風剛受挫敗，咱們要行動，最好能搶得先機。」

百里冰應了一聲，轉身而去。

蕭翎仰起臉來，長長吁一口氣，緩緩坐在一張木椅之上。

他必須盡力使自己安靜下來。

片刻之後，孫不邪、無爲道長、宇文寒濤等魚貫而入，百里冰走在最後。

蕭翎一欠身，道：「諸位請坐。」

幾人分別坐下，宇文寒濤微微一笑，道：「蕭大俠請我等來此，有何指教？」

蕭翎道：「指教倒不敢當，但在下想到了一件事，想和諸位研商一下。」

孫不邪道：「兄弟，什麼事，乾脆說吧！別這樣吞吞吐吐的，叫人聽著難過！」

蕭翎微微一笑，道：「關於那沈木風，小弟想先發制人。」

宇文寒濤接道：「操之在我，乃是上善之策，不知蕭大俠有何計畫？」

蕭翎道：「兄弟之意，愈快愈好，咱們研商之後，就立刻調集高手，直搗沈木風的巢穴，給他個措手不及……」

目光轉到宇文寒濤的臉上，接道：「兄弟只有此念，詳細的計畫，尚要宇文兄多多費心了。」

宇文寒濤沉吟了一陣，道：「目下，此地雲集的高手雖然不少，但真可用之人，卻也不多，如若咱們計畫不密，那該是一場硬拚，就雙方實力而論，咱們不宜和百花山莊的人硬拚！」

蕭翎道：「在下對付沈木風，餘下之人，可否是百花山莊的人的敵手呢？」

宇文寒濤道：「不可硬拚，何況蕭大俠也未必一定能夠勝得了沈木風，就在下觀察而言，你們兩位的勝敗之機，是五十對五十。」
蕭翎道：「這麼說來，咱們不能和他硬拚了。」
宇文寒濤道：「硬拚的結果，勝負很難預料，最後的結果是個玉石俱焚之局。」
蕭翎一皺眉頭，道：「聽宇文兄之意，那是說咱們敗多勝少了。」
宇文寒濤點點頭，道：「正是如此……」
語聲一頓，接道：「但如若咱們能夠知曉沈木風目下的實力，巧為調配，也許能掌握幾分勝算。」
蕭翎歎息一聲，道：「看來，只有在下去找金花夫人打聽一下內情了。」
宇文寒濤道：「藍玉棠人已清醒，也許咱們可以從他口中知曉一些內情。」
蕭翎道：「那很好，現在他是否可以說話了？」
宇文寒濤道：「大概還要等上兩個時辰才成。」
蕭翎道：「什麼人療治好他的毒傷？」
無為道長笑道：「除了宇文先生之外，還有何人有此能耐。」
宇文寒濤道：「說來慚愧得很，在下只不過是碰運氣罷了，想不到竟然奏效。」
孫不邪接口道：「蕭兄弟，老叫化想問你兩句話。」
蕭翎道：「大哥吩咐，小弟洗耳恭聽。」
孫不邪道：「你突然間急於搏殺沈木風，事出意料之外，是否別有原因呢？」

蕭翎道：「小弟想趁他受挫之後，一鼓作氣，能夠把他制服，也免得夜長夢多，別有變化。」

孫不邪道：「只有這一個原因？」

蕭翎道：「如此拖延時間，咱們固然可以多作準備，但對方也是一樣啊！再說，除了在此之人，小弟想不出，還有何人可以助我們了！」

孫不邪道：「說得有理，不過，老叫化總覺得兄弟你似是另有心事？」

蕭翎尷尬一笑，道：「小弟想搏殺沈木風後，由諸位收拾後事，小弟要去助人報仇！」

孫不邪道：「助哪一個？」

蕭翎道：「岳小釵姑娘。」

孫不邪一笑，道：「老叫化也想到和她有關……」

語聲一頓，接道：「岳姑娘要找何人報仇？」

蕭翎道：「不知道，她留書中未說明白。」

孫不邪道：「那人住在何處呢？」

蕭翎搖搖頭，道：「這個，小弟也不知道。」

孫不邪笑道：「天涯遼闊，兄弟既不知她找的什麼人，也不知她去向何處，這無疑是大海撈針，就算讓你找上三、兩年，也未必能夠找得著。」

蕭翎不善謊言，在孫不邪追問之下，不自覺地把心中之言，說了出來。

孫不邪輕輕咳了一聲，道：「這樣吧！老叫化要我丐幫中人，追查那岳姑娘的下落，一有消息，立刻告訴兄弟。」

宇文寒濤道：「最好要貴幫多派幾個高手，暗中助那岳姑娘一臂之力。」

孫不邪點點頭，道：「老叫化立時去辦。」起身向外行去。

蕭翎口齒啓動，似想阻止，但話到口邊，卻又未言。

宇文寒濤起身說道：「在下去瞧瞧藍玉棠的傷勢如何，如是能夠說話，就請他到此一談。」

起身隨在孫不邪身後而去。

大約過有一盞茶工夫，宇文寒濤又行了回來，低聲說道：「藍玉棠人已清醒，聽說蕭大俠想和他談談，使他精神大振。」

蕭翎道：「好！咱們立刻去看他。」

宇文寒濤道：「在下帶路。」舉步向外行去。

蕭翎隨在身後，行到了另一座小室之中。

只見一張木榻上面，睡著面色慘白的藍玉棠。

藍玉棠掙扎欲起，口中說道：「蕭大俠……」

蕭翎急急向前一步，按住藍玉棠，低聲說道：「藍兄睡著。」

藍玉棠長長吁一口氣，道：「在下數度陷害蕭大俠，但蕭大俠對在下卻是毫無仇視之意。」

蕭翎微微一笑，道：「過去的事，已經過去，咱們應該談談現在。」

藍玉棠道：「蕭大俠如此宏量，實叫我藍玉棠慚愧得無地自容了！」

蕭翎道：「我說過，咱們不談過去的事……」

語聲一頓，道：「在下想請教藍兄一事。」

藍玉棠道：「知無不言，言無不盡，蕭大俠要問什麼，只管請說。」

蕭翎道：「沈木風手下究竟有多少高手，實力如何？」

藍玉棠道：「沈木風老奸巨猾，真正實力內容，極度隱秘，除了他本人之外，大概再無第二人真正知曉了……」

忽然咳嗽了一陣，接道：「不過，就在下所知，很多正大門派中人，似乎是都已爲他所用，除了目下雲集於斯，聽命於他的高手之外，他還有著不可忽視的潛力。」

蕭翎點點頭，道：「在下之意，是希望藍兄能夠說出沈木風手下一些特殊的人物，列名一般的武林高手，不用談他了。」

藍玉棠道：「除了百花山莊的原有人手之外，稍受沈木風敬重，有那位適才傷我的巫公子，還有一名叫飛蝗劍的老者，不知是何許人物，但在下看那沈木風對他似是極爲敬重。」

宇文寒濤道：「飛蝗劍？」

藍玉棠道：「不錯，他叫飛蝗劍。」

蕭翎似是對飛蝗劍漠不關心，接口說道：「聽說他最後去會一位和尚，藍兄知道嗎？」

藍玉棠點點頭，道：「知道，只是我沒有見過那位和尚。」

蕭翎道：「聽說過他的名字嗎？」

藍玉棠道：「在下只知他去會一位高人，能讓沈木風移樽就教的人，那人自然非平常人物了。」

蕭翎心中暗道：看來也問不出個所以然了，當下掉轉話題，說道：「藍兄，有一樁事，在下大感不解，不知藍兄是否知曉？」

藍玉棠道：「什麼事？」

蕭翎道：「關於那金花夫人。」

藍玉棠道：「金花夫人怎麼樣？」

蕭翎道：「那金花夫人數番相助我等之事，沈木風難道一點也不知道嗎？」

藍玉棠道：「大概知道……」

長長吁一口氣，接道：「有一次在下在場，沈木風曾經譏諷過金花夫人，說她吃裏爬外，並笑她的年齡可做蕭大俠的……」

望了蕭翎一眼，突然住口不言。

蕭翎淡淡一笑，道：「不要緊，反正那是沈木風的話，藍兄照實而言就是。」

藍玉棠道：「既是如此，在下先行告罪了，沈木風說那金花夫人年歲，可做蕭大俠外婆了，還在癡想蕭大俠垂青於她，勸她早些死去心中情焰。」

宇文寒濤微微一笑，道：「區區早就有此感覺了。」

蕭翎道：「什麼感覺？」

宇文寒濤道：「那沈木風早已對金花夫人有情，才會三番五次地縱容於她，不論什麼事，都讓她三分。」

蕭翎道：「金花夫人心中知曉嗎？」

宇文寒濤道：「自然知曉，她才有恃無恐。」

蕭翎道：「不管如何，金花夫人曾數度救助在下，這情意實叫在下不安，真不知日後，如何報答於她。」

宇文寒濤道：「不只蕭大俠，就是天下和沈木風為敵的人，都應該感激她。」

蕭翎站起身子，道：「藍兄傷勢未痊癒，在下也不便多打擾，過幾日，藍兄身體好些，在下再來和藍兄長談。」說完，轉身向外行去。

藍玉棠長歎一聲，道：「蕭大俠。」

蕭翎已行到了門口之處，重又轉了回來，道：「藍兄有何見教？」

藍玉棠道：「有一件事，在下如鯁在喉，不吐不快。」

蕭翎道：「什麼事？」

藍玉棠道：「關於那岳小釵……」

蕭翎接道：「岳姑娘人間仙姑，無人不喜愛於她，這個兄弟明白……」

藍玉棠搖搖頭，道：「我是說現在，在下心中想的事。」

蕭翎道：「藍兄想的什麼？」

藍玉棠道：「蕭大俠對那岳姑娘似是無情。」

蕭翎怔了一怔，道：「我們相識很久，情同手足，怎能說無情呢？」

藍玉棠道：「在下所指之情，是情愛之情，當今之世，只有你蕭大俠這等人，才配岳姑娘，在下、玉簫郎君，和那位巫公子，都配不上她，因此，在下想……」

蕭翎道：「藍兄，岳姑娘才慧過人，一切有她自己主張，她要如何，咱們都無法勉強她，是嗎？」

藍玉棠道：「蕭大俠說得不錯，岳姑娘的事，只有岳姑娘自己決定，咱們都無法代她作主……」長長歎息一聲，道：「這樣簡單的一件事，我想了幾年，就沒有想得明白。」

宇文寒濤道：「當局者迷，藍兄現在想起來，時猶未晚。」

藍玉棠輕輕咳了一聲，道：「蕭大俠，在下想到一件事，不知蕭大俠能否見容？」

蕭翎道：「只要合乎情理，在下是無不答允。」

藍玉棠道：「在下傷好之後，想要追隨蕭大俠身後效力。」

蕭翎道：「『追隨』二字，在下如何敢當，藍兄如願共力同拒沈木風，兄弟是歡迎得很。」

宇文寒濤道：「藍兄肯加入我們的陣容，使我等實力增強不少。」

藍玉棠道：「諸位能夠見容，在下就感激不盡了。」

蕭翎一拱手，道：「藍兄好好養息，兄弟不打擾了。」緩步行出小室。

宇文寒濤隨後而出。

蕭翎突然想起了巫公子，低聲說道：「那位巫公子如何了？」

宇文寒濤道：「其人武功高強，一身奇毒，在下不敢讓他手足活動。」

蕭翎道：「你把他捆了起來？」

宇文寒濤道：「我點了他四肢穴道，派人監守，主要不讓他運氣衝開穴道。」

蕭翎道：「你和他談過話嗎？」

宇文寒濤搖搖頭，道：「沒有，其人性情冷酷、倔強，只怕很難說得服他，在下之意，不如暫把他囚禁起來，折磨一段時間再說。」

蕭翎道：「咱們去瞧瞧他吧！」

宇文寒濤道：「好！但蕭大俠要小心他的暗算，此人心機深沉、惡毒，只怕不在那沈木風之下。」

蕭翎道：「我知道，昔年我就是被他打下了深谷，身墜險地，得食千年石菌，今日和他交手，是第四度相逢了。」

宇文寒濤道：「在下帶路。」

搶在蕭翎前面，帶蕭翎行入另一座小室之中。

蕭翎抬頭看去，只見那巫公子盤膝坐在木榻之上，木榻兩邊，各站著一個持劍大漢，四道目光，一直盯注那巫公子的身上。

那巫公子緊閉著雙目，雖然聞得腳步之聲，仍是不肯睜眼瞧看一下。

蕭翎輕輕咳了一聲，道：「巫兄，好些嗎？」

巫公子睜開雙目，望了蕭翎一眼，冷冷說道：「剛才與在下對掌的黃衣老者，是你蕭翎裝扮嗎？」

蕭翎道：「不錯，適才多蒙巫兄承讓了。」

巫公子冷笑一聲，道：「我早該想到是你。」

蕭翎微微一笑，道：「事情已經過去，在下此來，是想和巫兄談談今後之事！」

巫公子道：「什麼事？」

蕭翎道：「巫兄準備今後作何打算？」

巫公子冷冷說道：「蕭大俠準備如何對付在下？」

蕭翎道：「在下還沒有想到，如何對付閣下。」

巫公子道：「現在你可以想了，在下想先知道，閣下準備如何對付在下。」

蕭翎道：「那要看巫兄是什麼態度了，如是巫兄可以和我等合作，合力對付那沈木風，咱們極是歡迎，但如巫兄不願和我等合作，那自是又當別論了。」

巫公子搖搖頭，道：「在下只怕很難和各位合作。」

蕭翎道：「爲什麼？」

巫公子道：「條件不合。」

蕭翎道：「閣下要什麼條件？」

巫公子道：「岳小釵，如若誰能把岳小釵許配給我，我就給誰幫忙。」

蕭翎臉色一變，道：「岳姑娘的事情，任何人都做不了主，但若閣下自信能夠使岳小釵對你動情，那是閣下的事，閣下這要求，未免太過份了吧！」

巫公子冷笑一聲，道：「你不管也可以，但要你答應一件事。」

蕭翎道：「但要合乎情理。」

巫公子道：「是否合乎情理，在下不知道，不過，你一定能辦到。」

蕭翎道：「你說說看。」

巫公子道：「我要你退掉岳小釵的婚約。」

蕭翎道：「岳姑娘和我並無婚姻之約！」

巫公子道：「但她母親遺命把她終身許配於你……」長長吁了一口氣，接道：「不過，在下並不是無理取鬧……」

宇文寒濤接道：「逼人退婚，這還不算無理取鬧，那要怎樣才算無理取鬧呢？」

巫公子道：「岳小釵的父親未死之前，親口答應家父，把那岳小釵許配於我，只不過，這些事都無法證明了。」

宇文寒濤斥道：「既是無法證明的事，如何能憑你巫公子隨口亂說。」

巫公子道：「岳小釵父親早亡，家父也不幸死去，如若岳小釵母親還在，也許她還可作證，不幸她也死了！」

宇文寒濤道：「如是岳姑娘母親知曉此事，哪裏還會把岳姑娘許配給蕭翎呢？」

巫公子冷冷說道：「不管你們信不信，這是家父親口告訴我的事情，我想，這是千真萬確的事，但這和各位關係並不大，重要的是對付沈木風。」

宇文寒濤道：「你能對付沈木風？」

巫公子道：「不錯，沈木風在我身上做手腳，或是用毒，或是暗點奇經，但在下卻以其人之道，還治其人之身，也用毒針刺了沈木風一針，諸位是親眼所見了，除此之外，在下亦在沈木風幾位屬下身上，暗中下了毒……」

宇文寒濤接道：「閣下很陰險！」

巫公子道：「在下爲了自保，和沈木風這等人來往，不得不用些心機。」

宇文寒濤道：「有一點，希望閣下明白，此刻，你在我們的掌握之中，我們隨時可以置你於死地。」

巫公子淡淡一笑，道：「我知道，但你們無能對付沈木風。」

宇文寒濤道：「你如不肯和我等合作，沈木風也一樣會毒發身死。」

巫公子道：「所以，在下相信，他會不計一切來此救我。」

宇文寒濤道：「如是我們現在把你殺死，他救出去的只是一具屍體。」

巫公子突然放聲大笑，道：「諸位把區區看得太無能了。」

宇文寒濤道：「怎麼說？」

巫公子道：「如若諸位殺了在下，那沈木風就不會死了，因爲在下早已把解藥，交給我一位對我忠實的屬下，如若他知道我死了，自然會把解藥交給那沈木風，連同他幾位中毒的屬下，自也一併獲得解藥，這就是諸位殺死在下的代價，如是咱們能夠談得好，不用諸位出手，數日之內，沈木風和他幾個重要的助手，都將毒發而亡。」

宇文寒濤道：「聽起來閣下似是很有把握。」

巫公子淡淡一笑，道：「如是在下無此把握，豈肯坐此待斃。」

宇文寒濤道：「五毒門之能，在下昔年也曾聽過，不過，我倒是想不出你有什麼辦法，能夠在穴道被點之下，逃離此地。」

巫公子雙目眨動，道：「好！在下試給諸位瞧瞧！」

蕭翎、宇文寒濤，都似是有些不信，四道目光，盯注著那巫公子。

只見巫公子閉上雙目，久久不見動靜，似是入定一般。

宇文寒濤正待開口，突聞兩聲驚呼，兩個執劍大漢，齊齊摔倒地上。

回頭望去，只見兩個執劍大漢，臉上各自爬著一條綠色的蜈蚣，滿臉青氣，似是已爲那綠色蜈蚣咬傷。

巫公子睜開雙目，笑道：「這兩隻綠蜈蚣，奇毒很烈，不輸見血封喉的淬毒暗器。」

蕭翎萬萬沒有料到，他在被囚之時，仍然敢施毒傷人，事先無備，未戴蛟皮手套，倒也不敢伸手去觸摸那奇毒之物。

宇文寒濤冷笑一聲，道：「他們死了嗎？」

巫公子道：「如是在頓飯工夫不施救治，那就沒有救了。」

宇文寒濤道：「你有解藥嗎？」

巫公子道：「有解藥，你們也無法施用！」

宇文寒濤道：「爲什麼？」

巫公子道：「因那是活解，以毒取毒。」

宇文寒濤道：「要解了你的穴道，才能施救？」

巫公子微微一笑，道：「不錯，宇文先生果然極明事理。」

宇文寒濤回望了蕭翎一眼，默然不語。

蕭翎略一沉吟，道：「救人要緊，解開他的穴道。」

宇文寒濤右手揮動，拍活了巫公子四肢被點穴道。

蕭翎卻藉機退到室門口處，暗中戴上了千年蛟皮手套。

只見那巫公子，伸展一下雙臂，緩緩行下木榻，口中喃喃自語，右手輕輕取下那兩隻蜈蚣，放入袖中，順手由袖中取出一個玉盒。

打開盒蓋，倒出兩隻人面蜘蛛，放在兩人被蜈蚣咬傷之處。

蕭翎仔細瞧去，只見那兩隻蜘蛛，大如雞蛋，通體如墨，頂門卻有一個白點。

但見兩個執劍人臉上青氣漸消，片刻工夫，青氣消退淨盡，面色復轉紅潤。

巫公子收起蜘蛛，藏入玉盒，又取出兩粒藥物，投入兩人口中，道：「不過一盞茶工夫，他們就可以清醒，不用再爲他們生死擔心，咱們還是談談合作的事……」

語聲微微一頓，接道：「在下毒死沈木風，和他幾位得力的助手，只要蕭大俠肯允拒絕岳小釵的婚姻。」

蕭翎心中暗道：和沈木風這場拚鬥，到目下爲止，還無必勝把握，如若沈木風突然毒發而死，對武林大局，自然是有很大的裨益，這巫公子要我逃避岳姊姊的婚姻爲條件，才肯毒斃沈木風，倒是一個很大的難題。

只見巫公子接道：「一個人不能兼得魚與熊掌，閣下已揚名天下，武林中人，都把你當成了救星，欲立千秋大業，只有犧牲一些私情了。」

蕭翎冷冷說道：「岳小釵已經離開此地，閣下信是不信？」

巫公子怔了一怔，道：「這話如出諸別人之口，在下不信，但既是你蕭大俠說出來，在下只好相信了。」

蕭翎道：「多承你看得起我，岳姑娘已然離此他往，留給在下的書信上說，她去報殺母之仇！」

巫公子道：「蕭大俠可知那岳姑娘的仇人是誰嗎？」

蕭翎搖搖頭，道：「留書上未曾提起，也未說明她要去之處。」

巫公子沉吟了一陣，道：「你說的都是真話？」

蕭翎道：「字字真實。」

巫公子道：「她一個人去的嗎？」

蕭翎道：「她有兩個情同姊妹的女婢，和她同行。」

宇文寒濤接道：「還有一個人追她而去。」

巫公子道：「什麼人？」

宇文寒濤道：「玉簫郎君。」

巫公子冷哼一聲，道：「早晚他要和藍玉棠一般的下場。」

蕭翎心中暗道：那藍玉棠也未死去啊！

心中念轉，卻忍下未言。

巫公子突然抬起頭來，兩道炯炯的眼神，逼注在蕭翎的臉上，接道：「藍玉棠的事不談，蕭大俠意下如何，還望給在下一個肯定的答覆。」

宇文寒濤接道：「這話閣下應該去問岳姑娘，也只有她才能決定，蕭大俠就算答應了，也是無補於事。」

巫公子冷冷說道：「看來，咱們是談不攏了。」

蕭翎冷笑一聲，道：「閣下又準備用毒物傷人嗎？」

巫公子道：「你是我和岳小釵之間最大的障礙，看來除了殺你之外，別無良策了。」

語聲微住，陡然揚手，綠芒一閃，直向蕭翎飛去。

蕭翎右手一抬，接住了那綠色蜈蚣，五指加力，把蜈蚣一捏三段，投擲於地，道：「閣下還有多少毒物，儘管施展吧！」

巫公子冷笑一聲，道：「你戴有武林三寶之一的千年蛟皮手套。」

蕭翎微微一怔，暗道：他的見識倒是很廣。

但聞巫公子接道：「家父在世之時，告訴我，他就是吃了這千年蛟皮手套之虧，傷在柳仙子的修羅指下……」

突然提高了聲音道：「那柳仙子是你的什麼人？」

蕭翎道：「受業恩師之一，你如想替父報仇，在下亦願代師出面。」

巫公子道：「我父親待我並不好，如果不是他阻攔於我，六年前，我就要你之命，也不會讓你活到今朝。」

蕭翎道：「六年前，你把我推下懸崖，只是我命不該絕……」

巫公子接道：「如非先父阻我，我要眼看著你死在毒物口下，也不會給你萬一生機了。」

宇文寒濤緩緩說道：「如若留著閣下，使咱們多了一個強敵，那就不如殺死閣下了。」
巫公子暗中提聚真氣，凝立不動。
蕭翎長長吁一口氣，道：「令尊昔年，對在下曾有過相救之恩，在下今日亦放兄台一馬，你可以走了。」
巫公子似是大感意外一般，怔了一怔，舉步向前行去。
蕭翎低聲對宇文寒濤道：「宇文兄，請招呼他們一聲，不要留難這位巫公子。」
宇文寒濤點點頭，目光轉到巫公子的臉上，道：「蕭大俠大仁大義，雖只是點滴之恩，亦必湧泉以報，放閣下平安離此，只怕也出了你意料之外，希望閣下能知好歹。」
兩句話，意義深長，無疑是提醒那巫公子，要他把蕭翎和沈木風的爲人比較一下。
巫公子也不答話，放步向外行去。
蕭翎和宇文寒濤，一直追在那巫公子的身後而行，一直看到他安全離去，兩人才轉身而回。
宇文寒濤輕輕咳了一聲，道：「蕭大俠，心中有所打算嗎？」
蕭翎回顧了宇文寒濤一眼，道：「你說，我放了那巫公子對嗎？」
宇文寒濤道：「巫公子爲人的陰沉、惡毒，似不在沈木風之下，如今蕭大俠放了他，未免是縱虎歸山了。」
蕭翎道：「我知道……」

語聲微微一頓，道：「當我決心放走那巫公子時，我已決定了約那沈木風，作一決鬥。」

宇文寒濤道：「蕭大俠準備直接找他挑戰？」

蕭翎道：「不錯，還要宇文先生設法傳檄武林，使沈木風無法不出面應戰。」

宇文寒濤道：「逼那沈木風出戰，倒非難事，但蕭大俠是否已經算過，定是那沈木風的敵手？」

蕭翎道：「我大約想過了，他的功力可能較我深厚，但我的武功、招數，較他博雜精奇，還有他的年齡，已近花甲，只怕是難耐久戰，如若我們拚上千招，他將力盡不支。」

宇文寒濤沉吟了一陣，道：「江湖大局，轉變得逐漸對我等有利，就目下情勢而言，似是用不著走此極端。」

蕭翎道：「沈木風連遭挫敗，銳氣已失，此時此刻，當是他重出江湖後，最爲暗淡的時期，如若我能夠僥倖地勝了他，不但可以使他聲威盡挫，統馭不固，而且也許可以挽救一場大劫……」

宇文寒濤奇道：「挽救一場大劫？」

蕭翎道：「不錯，挽救一場大劫，那沈木風已決定於本月十五日，同時用飛鴿傳諭，函告各大門派中潛伏的奸細，一齊動手，設法取得各大門派的領導之位。」

宇文寒濤吃了一驚，道：「這陰謀萬萬不能讓他得逞。」

蕭翎道：「是的，所以，我們要在十五日之前，和他作一決戰。」

宇文寒濤道：「既是如此，那是勢在必行了……」

語聲微微一頓，接道：「屈指算來，距離十五日，不過只有五日時光了。」

蕭翎點點頭，道：「是的，所以，我要請宇文先生設法在一、兩天內，逼使那沈木風出面和我決戰。」

宇文寒濤道：「好！在下當盡我之能就是。」

蕭翎道：「在下也要盡兩天之力，調養一下體力，如無特殊的事故，就請宇文先生作主，不用驚動我了。」

宇文寒濤道：「蕭大俠只管養息。」

蕭翎輕輕歎息一聲，欲言又止，緩步走到百里冰的房中。

百里冰正在梳頭，眼看蕭翎行了進來，站起身子，笑道：「大哥，我是不是長大了？」

蕭翎微微一笑，道：「女大十八變，越變越好看……」

語聲一頓，臉色突然變得十分嚴肅，接道：「冰兒，咱們好好休息兩天，調息體力，研求武功，縱然能多得一招一式，也是聊勝於無了。」

百里冰神色一整，道：「有什麼事？」

蕭翎道：「兩天之後，我要和沈木風作一場決戰，而且定要和他分出生死！」

百里冰道：「只怕那沈木風，不肯應允和你決戰。」

蕭翎道：「我已要那宇文先生盡一切可能，逼他出手。」

百里冰道：「但大哥一人，未必是那沈木風的敵手啊！」

蕭翎道：「所以，要你助我了。」

百里冰嫣然一笑，道：「咱們生死與共。」

蕭翎道：「不錯，但咱們不能盡人力，盡兩日時光，調息體力，我還想傳授你一點武功。」

百里冰道：「好吧！能和大哥戰死一處，也是小妹心願。」

時光匆匆，兩日間彈指而過。

在這兩日之中，蕭翎和百里冰，同室演練武功，和外界完全隔絕。

宇文寒濤既要接待佳賓，又要安排那蕭翎和沈木風挑戰之事，費盡了心力。

五十　雙雄對決

第三日中午時，蕭翎和百里冰行出小室，宇文寒濤和孫不邪等齊齊迎了上來。

宇文寒濤一抱拳，道：「我等正要去叩請蕭大俠。」

蕭翎道：「怎麼樣?事情安排好了嗎？」

宇文寒濤道：「幸未辱命，已約定明日午時開始，在白石坡上一決勝敗。」

百里冰道：「白石坡在哪裏，距此多遠？」

孫不邪道：「大約十五里，宇文先生已派遣了人手，趕去佈置。」

蕭翎道：「那很好，我和百里姑娘還有幾招劍法，未竟全功，明午距此，還有一段時光，我們也好趁此時間，再去練習一下。」

孫不邪急道：「兄弟且慢。」

蕭翎道：「大哥有何吩咐？」

孫不邪道：「明午之約，兄弟要單獨鬥那沈木風嗎？」

蕭翎道：「除此之外，小弟想不出如何能迫使那沈木風和我等一決死戰。」

孫不邪點點頭，道：「兄弟，老哥兒有幾句話，希望入耳之後，牢記心中……」

蕭翎道：「什麼事？」

孫不邪道：「你年紀還輕，今後數十年武林中，道魔消長，還要賴以維持，所以，不能輕言生死，如是你發覺，不是那沈木風的敵手時，還望及時而退，宇文先生已安排好了，對付那沈木風的法子。」

宇文寒濤接道：「近日中又有甚多武林同道，趕來此地，知曉蕭大俠未死大火之中，欣喜若狂。」

蕭翎道：「那就有勞先生和大哥，好好地接待他們了。」

宇文寒濤道：「在下已轉達了蕭大俠決心維護武林正義的心意，他們感奮莫名。」

蕭翎道：「留他們明日一同去參觀我和沈木風的決戰，也好為我助威。」

宇文寒濤道：「其中有一位來自中州的古老先生，非要見蕭大俠一面。」

蕭翎道：「先生代我婉謝了吧！非是我蕭翎端架子，實是因為明日一戰，關係太大，我不能不多作準備。」

宇文寒濤微微一笑，道：「那位古老先生說有要事，非要見蕭大俠不可，他行年八旬，雪髯垂胸，在下也不好堅拒了。」

蕭翎道：「好！咱們去見見他吧！」

宇文寒濤道：「那位古老先生，現在大廳之上。」

蕭翎一面舉步而行，一面說道：「可是原來的靈堂嗎？」

宇文寒濤道：「正是那裏。」

蕭翎行入大廳，只見廳中雲集了百位以上武林同道，都是聞訊趕來弔喪之人。

宇文寒濤舉手一揮，嘈雜的大廳，突然靜了下來，說道：「這位就是蕭大俠。」

蕭翎抱拳說道：「爲蕭翎的事，勞諸位長途奔走，兄弟是極感不安。」

群豪齊齊應道：「蕭大俠乃我武林中的救星，我等奔波一點路途，算得什麼。」

只聽一個粗豪的聲音叫道：「吉人天相，傳說蕭大俠遭害時，我就不信，果然被我猜中。」

又一個尖高聲音叫道：「蕭大俠爲拯救我等，免於淪入魔道，奔走拚命，我等無能回報，禮該一拜才是。」

一呼百應，全廳中百位以上英雄，齊齊拜了下去。

孫不邪輕輕歎息一聲，道：「古往今來，從無一人，受武林同道的崇敬，超過我蕭兄弟。」

蕭翎呆了一呆，急急拜伏於地，道：「諸位如此，折殺我蕭某了。」

宇文寒濤道：「蕭大俠人間奇男子，諸位勿以俗禮困他，快快請起。」

果然，這一喝，大見奇效，群豪齊齊站了起來。

這時，曾見一個雪髯垂胸的老者，身著布衣，越眾而出，直行蕭翎身前，一抱拳，道：

「蕭大俠。」

蕭翎還了一禮，道：「可是古老前輩嗎？」

那白鬚老人道：「老朽古公道。」

蕭翎微微一笑，道：「古老前輩有何見教？」

古公道道：「老朽已等了數十年，幾乎等不及了。」

這句話沒頭沒腦，聽得蕭翎呆了一呆，道：「古老前輩有什麼話，儘管吩咐，蕭翎洗耳恭聽。」

古公道道：「老朽說得太簡單，毋怪蕭大俠聽不明白……」

語聲微微一頓，道：「老朽受一位奇人所托，爲他保存一物，要我代他擇一位武林中公認大俠，轉贈他寄存之物，老朽看了幾十年，只有蕭大俠才配持此物。」

蕭翎眨動了一下星目，道：「老前輩保存的什麼奇物？」

古公道伸手從懷中取出一把黃綾纏裹之物，道：「一把金劍，用來掃蕩妖氛，維護武林之用。」

言罷，雙手奉起，恭恭敬敬，遞向蕭翎。

此景此情之下，蕭翎縱想推讓，亦是有所不能，只好接在手中。

解開黃綾看去，只見一柄金光燦爛的劍鞘，長卻只二尺，劍鞘之上，嵌著七顆貓眼大小的明珠。

不要看鞘中之劍，單是看這把劍鞘，已然是價值連城之物。

蕭翎道：「這把劍太名貴了，在下如何能受。」

古公道道：「寶劍奉於俠士，蕭大俠請拔出劍來看看。」

蕭翎手按機簧，嗆的一聲，抽出寶劍，只覺一股寒氣撲面而來，連連讚道：「好劍，好劍。」

森森的寒芒中，飛起一道金色的光芒。

原來，那一尺八寸的寶劍中間，有一條金線，閃爍耀目。

宇文寒濤道：「伏魔金劍，百年前，出現過江湖一次，大展神威，誅殺了六十四位魔頭，使武林中一連平靜八十年，未再有紛爭。」

古公道道：「不錯，宇文先生果然是見多識廣，這伏魔金劍削平江湖魔道之後，就消失不見，有人說它沉於大海，也有人說它飛上九天，其實它還在人間，但卻不知怎的落於老朽一位朋友之手，我那位朋友，自知德能難配此劍，一直妥爲保存，不敢應用，希望能爲此劍尋找一位名主……」

吁了一口氣，道：「但我的朋友卻等不及了，先我而去，臨死之前，把此劍托我，要我代他覓一位德、能雙絕，可佩此劍的主人……」

只聽大廳中群豪高聲說道：「當世之中，只有蕭大俠，才配此劍。」

蕭翎道：「諸位抬愛，蕭某何能……」

古公道接道：「蕭大俠不要推辭了，老朽已思索再三，還望蕭大俠收下吧！」

蕭翎道：「如此，在下先替古老前輩保管。」

古公道哈哈一笑，道：「這把劍，壓的老朽數十年喘不過一口舒服的氣，如今劍歸名主，老朽心願已完，也對得住我那死去的朋友了。」

言罷，突然縱聲大笑起來。

只聽他笑聲頓住，一跤栽倒地上。

蕭翎急急扶起古公道，道：「老前輩，老前輩……」

伸手摸去，已然氣絕而逝。

宇文寒濤輕輕歎息一聲，道：「他心願已完，死也安心瞑目了，你看他笑容不斂，足見心中確是快活。」

廳中群豪齊齊轉目望去，果見那古公道面上微笑，仍未消失。

蕭翎回顧了宇文寒濤一眼，道：「先生，盡量厚葬於他。」

宇文寒濤道：「不勞吩咐。」

目光轉動，四顧一眼，高聲說道：「這位古兄，千里送劍，劍交蕭大俠之手，才大笑氣絕而亡，這證明了一件事，天道有眼，我武林同道大難將消……」

語聲微微一頓，接道：「蕭大俠明日和沈木風決戰白石坡，事關我千百武林同道的命運，我想諸位對明日一戰的關心，不在蕭大俠之下。」

廳中群泉齊聲應道：「我們預祝蕭大俠，旗開得勝，馬到成功。」

宇文寒濤道：「諸位有此用心，蕭大俠是感激不盡，希望明日諸位都去給蕭大俠捧場，但此刻，蕭大俠必得充分的休息，只怕不能奉陪諸位。」

廳中群豪齊聲應道：「我等不敢勞動蕭大俠相陪，蕭大俠儘管退下休息。」

宇文寒濤道：「那很好，兄弟奉陪諸位喝一杯，算是爲諸位接風。」

蕭翎目睹群豪對自己擔心之情，只覺心情沉重無比，當下抱拳說道：「諸位請自行用酒進餐，恕蕭翎不陪了。」

但見廳中群豪齊齊抱拳作禮，道：「蕭大俠，多多珍重。」

蕭翎回過身子，行入靜室。

百里冰低聲說道：「大哥身受武林同道的愛戴，雖非絕後，只怕屬空前了。」

蕭翎苦笑一下，道：「他們對我的愛戴越深，寄望越厚，越加使我感覺到自己的責任重大，肩負沉重。」

百里冰道：「盛名累人，果然不錯，希望大哥明日一戰之中，殲滅沈木風，完你心願。」

蕭翎道：「小兄覺得，明日最艱苦的一戰，並非是和沈木風的一場決鬥。」

百里冰道：「那是什麼人？」

蕭翎道：「我只有此預感，自己還無法確定。」

伸手從懷中摸出記錄武功的經文，接道：「冰兒，好好保管此物，我如若在明日一戰中，不幸傷亡敵人之手，你就把這幾頁經文，設法交給岳姊姊。」
百里冰望著蕭翎手中的經文，卻不肯伸手去接，搖搖頭，道：「大哥，交給別人吧！」
蕭翎道：「爲什麼？」
百里冰道：「咱們相處這麼久了，難道你還不知道我的心嗎？你死了，我怎麼還能夠獨自活在這世界上。」
蕭翎微微一笑，道：「冰兒，我知道你的心意，但這不過是一個準備，單是搏鬥沈木風，我的勝算很大，但咱們不能不作最壞的打算，岳姊姊聰慧絕倫，她的穎悟才慧，不在我之下，只是感情糾纏，使她無法靜下心來，更求大進，如若那大忍大師說得不錯，這經文中所記，才是武功中的大乘之學，也是唯一能夠爲我報仇的武功，我自然要交給最信得過的人了。」
百里冰怔了一怔，道：「大哥要答應我一件事，我才能替你保管這經文。」
蕭翎道：「什麼事？」
百里冰道：「我把經文交給岳姊姊後，就回到你葬身之處。」
蕭翎笑道：「結廬而居，陪我陰靈。」
百里冰搖搖頭，神色莊嚴地說道：「不是，我要啓墓見屍，橫劍自絕，和你死在一起。」
蕭翎只覺心中熱血沸騰，感動萬分，但表面上卻盡量保持鎮靜之容，說道：「好吧！你先行收起經文。」
百里冰收起經文，藏入懷中，道：「大哥，小妹想不明白，爲什麼一定要我送去給岳姊姊呢?若派別人，我也可助大哥一臂之力。」

蕭翎道：「別人見不到岳姊姊。」

百里冰道：「為什麼?」

蕭翎道：「岳姊姊一定不願再見男人了。」

百里冰道：「說得也是，岳姊姊當真也是可憐，不論什麼樣的男人，只要見了她，都莫名其妙，神魂顛倒地為她瘋狂!」

望望天色，接道：「時光不早了，你也該坐息了。」

蕭翎道：「我要靜下心，思索幾招武功，不要驚擾我。」

百里冰點點頭，道：「你好好地想吧!我出去一下!」

蕭翎道：「你要到哪裏去?」

百里冰道：「我心中有多件事想不明白，希望和那宇文先生談談!」

蕭翎微微一呆，道：「冰兒，有很多事，不能使太多人知道。」

百里冰道：「我明白了，我只和宇文先生一個人談，我會交代他們替你護法，我和宇文先生談談就來。」

不待蕭翎答話，起身向外行去。

蕭翎看出她眉宇間，隱憂重重，心中暗道：這些時日，她和我相處一起，我一直未能使她有過一天真的快樂，反而終日裏使她提心吊膽，為我煩憂。

望著她窈窕的背影，心中有著一種說不出的愧疚不安。

但想到明日的決戰，關係重大，只好強自靜下心來。

閉上雙目，思索劍招。

百里冰行到大廳，只見大廳已擺上桌椅、酒菜，宇文寒濤、無爲道長，連同孫不邪也出了面，和趕來的武林同道周旋。

這是一幅豪氣飛揚，熱情澎湃的場面，和蕭翎那獨處一室，對壁冥思，索求武功奧秘的情景，成爲強烈的對比。

百里冰站在大廳門口處，張望一陣，輕輕歎息一聲，又回身行去。

她心中有著無比的憂鬱，也有著深沉的痛苦，但卻覺得無法說給人聽。

突然間，身後響起了一個沉重的步履之聲，傳入耳際，轉頭望去，只見宇文寒濤快步行了過來，道：「姑娘，是找在下嗎？」

百里冰停下腳步，不覺流下淚來。

宇文寒濤吃了一驚，道：「姑娘有什麼事，但管吩咐。」

百里冰道：「我有點事想請教你。」

宇文寒濤道：「在下知無不言，姑娘只管請說。」

百里冰道：「但我卻不知從何說起。」

宇文寒濤沉吟了一陣，道：「可是關於那蕭大俠的事嗎？」
百里冰點點頭，道：「自然是關於他。」
宇文寒濤道：「姑娘可是擔心他明日對沈木風的一戰？」
百里冰道：「據他說，明日一戰，除了沈木風之外，還有一位更強的敵手。」
宇文寒濤微微一怔，道：「什麼人？」
百里冰道：「他不肯告訴我。」
宇文寒濤沉吟了一陣，道：「如若蕭大俠單獨對那沈木風，在下的看法是那蕭大俠不致落敗，沈木風的功力可能比蕭大俠深厚，但蕭大俠身兼數種絕技，而且各有所成，會使沈木風防不勝防，何況，我們也有了很充分的準備！」
百里冰接道：「但如今情形有變，除那沈木風之外，還有一位強敵，情勢就大不相同了。」
宇文寒濤道：「蕭大俠既然不肯說，咱們也無法逼他，在下知曉了這件事，自然會盡我之能，多作安排，必要時……」
突然住口不言。
百里冰心中大急，問道：「必要時怎麼樣？」
宇文寒濤道：「蕭大俠是江湖上的正義象徵，無為道長、孫下邪老前輩和在下都有著一個感覺，那就是不能讓他死。」

百里冰道：「話雖不錯，但他和沈木風單打獨鬥，又有誰能夠替他呢？」

宇文寒濤微微一笑，道：「必要時，我們會替他死，絕不讓他受傷！」

百里冰道：「替他死的人應該是我！」

宇文寒濤訝然一笑，道：「爲什麼？姑娘年紀輕輕的，正是花樣年華，怎麼就活膩了？」

百里冰道：「我活得很煩惱，如能替他死去，才是兩全之策。」

宇文寒濤略一沉吟，道：「可是因爲那岳姑娘……」

百里冰接道：「不能說和她全然無關，但一半也是我自己的心願，如果我替蕭大俠死了，我將會永遠活在他們兩人的心中，是嗎？」

宇文寒濤神色肅然地說道：「岳姑娘誠有無可抗拒的魅力，那是與生俱來，任何絕世玉容，也無法和她抗衡，如說蕭大俠對她全不動心，在下也是不信……」

百里冰道：「是啊！他們祥麟、威鳳，天造地設的一對，我只是楊柳樹下一個可憐的小燕兒罷了，我活在他們之間的夾縫中，蕭大哥對我如有幾分喜歡，那也是憐憫多於情感。」

宇文寒濤搖搖頭，道：「姑娘，在下的話還沒有說完。」

百里冰道：「對不住啦，我心裏亂得很。」

宇文寒濤輕輕咳了一聲，道：「但蕭大俠與眾有些不同，他天生的俠骨、義膽，有著一種捨己爲人的天性，構成了一種突出人群的性格，他不會輕易對人示意，但他心中的情意，卻比他人爲重，你和他相處這麼長時光，日夕爲伴，這情形，除了夫婦、情侶之外，少年男女怎能如此相處，以蕭大俠的性格，他必將嚴為堅拒，但他卻沒有如此，那是他心中早已承認你是他未來的伴侶了。」

百里冰眨動了一下圓圓的大眼睛，道：「這話當真嗎？」

宇文寒濤道：「我幾時騙過你了，姑娘如是不信，我再說明一件事情。」

百里冰笑泛雙頰，道：「晚輩洗耳恭聽。」

宇文寒濤微微一笑，道：「不用如此客氣……」

輕輕咳了一聲，接道：「他在靈堂之中，親自聽到了岳小釵說出內心之言，已視他為夫，他如對你無情，怎會還和你形影不離，長時間單獨相處，如今天下英雄雲集於斯，他又面臨最為艱苦一戰，他冥索武力，靜思對敵之法，卻毫無顧忌地要你守在他的身邊，你能為他解決武力上的難題……」

百里冰嫣然一笑，道：「我是不行，他的才慧、悟性，都是我所難及。」

宇文寒濤道：「這就是了，那他為什麼要你守在他的身側？」

百里冰羞赧一笑，道：「我不知道。」

宇文寒濤道：「我知道，因為你在他身邊，對他精神上有著莫大的慰藉，其實他心中已經離不開你了，而且，已經到了不顧耳目的程度，你們日夜獨處一室，你又恢復了女兒裝束，難道蕭大俠想不到別人會怎麼想？」

百里冰笑道：「宇文先生，你當真是了不起，不但能運籌帷幄，決勝千里，而且連兒女私情，也會解說得情理入微，見人所不能見，知人所不能知。」

宇文寒濤微微一笑，道：「這叫當局者迷，旁觀者清。」

百里冰嬌軀一扭，向前行了兩步，突然又停了下來，道：「宇文先生。」

宇文寒濤道：「什麼事？」

百里冰道：「我還有一件事，不知道該不該告訴你？」

宇文寒濤道：「姑娘覺得是否該告訴在下呢？」

百里冰道：「我覺得應該告訴你，只是我蕭大哥不要我告訴旁人。」

宇文寒濤道：「哪方面的事？」

百里冰道：「關於我大哥，他似乎對明日一戰，沒有信心，因此，因此……」

想到未得蕭翎同意，竟是不敢說出口來。

宇文寒濤神情肅然地說道：「此事關係重大，姑娘必須說明白。」

百里冰道：「我大哥準備了後事！」

宇文寒濤道：「準備什麼？」

百里冰道：「他把一些可記錄的武功，交給我，告訴我說，如若明日一戰中，他不幸死去，就要我去找岳姑娘，把留下的武功秘錄交給她。」

宇文寒濤沉吟了一陣，道：「唉！他安排得不錯，如是這一戰蕭大俠不幸戰死，那岳小釵確是唯一能爲他復仇的人。」

百里冰道：「那我該怎麼辦呢？」

宇文寒濤神色凝重，仰起臉，思考了一陣，道：「這是一椿大事，在下也曾想到過，萬一蕭大俠在這場搏鬥之中，不幸戰敗，目下武林，將要陷入混亂之境，年來，蕭大俠已成了武林擎天一柱，成了武林正義的象徵，我們和他相交較深，自然應該處處設法維護他，唉！一個人，終是血肉之軀，並非是不壞金剛。」

百里冰道：「先生說得是，但不知先生是否已想到了保護我大哥的辦法？」

宇文寒濤道：「此事在下已有一個自信完善的辦法，但那沈木風實非簡單人物，我想，他在事先也會有著精密的計畫，因此，這一戰不但要較力，而且要鬥智……」

望了百里冰一眼，接道：「至於蕭大俠把武功秘錄，交予姑娘，在他萬一遭逢不幸時，托你交給岳姑娘，實是一個很深遠的安排，岳姑娘如若接過這武功秘錄，那就無疑是接過了蕭大俠鐵肩擔道義的重責大任……

「岳姑娘留書而去，已隱隱有出世避塵之心，蕭大俠的安排，有如一道無形的枷，套在岳小釵的心上，使她無法逸世塵外，獨善其身。」

百里冰點點頭，道：「原來，這裏面還有如許內情。」

宇文寒濤突然展顏一笑，道：「不過，在下相信不致如此，蕭大俠這安排，只不過是萬一之計。」

百里冰道：「先生有此一言，我就放下心了。」

宇文寒濤道：「姑娘先休息去吧！明日咱們見機而作，在下相信，我們的佈置，不會輸給那沈木風的。」

百里冰點頭一笑，回到靜室。

只見蕭翎閉著雙目，臉上是一片虔誠的神色，右手作執劍狀，不停地揮動擊出。

百里冰悄然行到原位坐下，瞪著一雙大眼睛，望著蕭翎那慎重的舉動，心中暗道：看來，他已經神與意會，融化於劍招之中了。

足足有一盞熱茶工夫之久，才停下手勢。

但他一直沒有睜開眼睛看過，似是根本不知道百里冰行了進來。

百里冰細心觀察之下，只見蕭翎臉上肌肉顫動，似是在用心思索什麼，也似在運行內功，她也就一直靜靜地坐著，不敢發出一點聲息，驚動蕭翎。

一宵匆匆而過。

第二天，天氣忽變，陰雲滿天，細雨霏霏。

蕭翎行出靜室，步入大廳時，宇文寒濤、孫不邪等早已在等候。

大廳中除了孫不邪、無為道長、宇文寒濤之外，再無旁人，和昨日的熱鬧成了強烈的反比。

宇文寒濤不待蕭翎問話，搶先說道：「蕭大俠名重江湖，聞訊來此的武林同道，已逾五百人。」

蕭翎道：「人呢？」

孫不邪接道：「已爲宇文先生分別編組成二十隊，每隊二十五人，趕往比武場中去了。」

蕭翎道：「沈木風手段惡毒，你先遣他們而去，不怕受那沈木風的暗算嗎？」

無爲道長道：「宇文先生已作了安排，二十隊相互支援，而且隊中分組，每一組五人，武功、暗器方面，都有著極佳的配合，除此之外，宇文先生又就本派中選出幾位弟子，分由中州二賈、終南二俠、貧道展師弟，及司馬乾、楚崑山、唐元奇、陸魁章等武功較強之人，易容改裝，巡視全場，就算沈木風親自出手，也要費些氣力，才能傷害到我們幾人……」

宇文寒濤接道：「但那沈木風絕不會於此時此刻中，去耗損他的體能。」

孫不邪突然歎口氣，道：「蕭兄弟，老叫化服了你了。」

蕭翎道：「什麼事？」

孫不邪道：「你慧眼識人，選擇宇文先生對抗沈木風，當真是一大傑作。」

蕭翎微微一笑，道：「老大哥誇獎了。」

孫不邪道：「往常他雖料事如神，但老叫化心中並不是很佩服他，但這次，老叫化看他編組那些武林同道，當真是人所難及，經過他一番編組之後，每一組人的武功，都發揮到巔峰，五人的力量，加在一起，變成了相乘效果，而且一夜半日間，輕輕鬆鬆地完成這樁大事。」

宇文寒濤道：「老前輩誇獎了。」

孫不邪道：「老叫化是由衷之言。」

宇文寒濤輕輕咳了一聲，改變話題，道：「時光已經不早，咱們也該動身了。」

蕭翎道：「好！」當先向外行去。

孫不邪、無爲道長、宇文寒濤、百里冰，緊隨在蕭翎身後，細雨中，大步而行。

這是一次正邪的大決戰，勝敗之間，關係極大。

五人步履漸快，一口氣行出了五、六里，始終無人講一句活。

原來，孫不邪、宇文寒濤等四人每人心中，都如壓上了一塊重鉛，心中雖然想對蕭翎說幾句慰藉之言，卻不知從何開口。

蕭翎呢？還在推想劍招變化，心無旁騖。

他希望能在眾目睽睽之下，堂堂正正地和沈木風作一次決戰，而且能夠勝他，使武林的公理得以伸張，人心重振。

二十里的路途，在幾人快速的奔行之下，不大工夫已趕到。

往日裏一片荒涼的白石坡，今日形勢大變，斜風細雨中，站滿了人。

這地方號稱白石坡，顧名思義，不難了然，白石甚多。

只見那滿地白石上，站滿了高、矮、肥、瘦，各種不同形貌的人，但大都穿著疾服勁裝，佩帶著兵刃。

細雨霏霏中，所有在場人的衣服，都已濕透。

但聞一個豪壯的聲音說道：「蕭大俠來了。」

雲集的江湖豪客，齊齊轉過臉來，望向蕭翎。

千百道目光一齊投注過來，紛紛抱拳作禮。

蕭翎一面舉步而來，一面抱拳高舉，道：「諸位不用多禮，蕭某人當受不起。」

突然間，寒光一閃，疾向蕭翎射到。

蕭翎抱拳的雙手一分，右手一掃，抓住了射來的暗器。

仔細看去，是一把淬有奇毒的柳葉飛刀。

不知何人大聲喝道：「刺客！」

四周群豪，立時轉動目光，四下搜望。

雲集於白石坡上的人，大都是來此弔祭蕭翎的人，被宇文寒濤在一日夜中，把他們編成節制之師，一面來此為蕭翎助威，一方面準備和百花山莊中人決戰。

驚變之下，群豪並未亂動。

各自站在原位，只有用目光搜查。

孫不邪看在眼中，暗暗歎息一聲，忖道：這宇文寒濤果有非常之才，只不過一日夜編組的時光，但他們的鎮靜，卻強似數年訓練的成就。

蕭翎緩緩把接在手中的飛刀，投擲於地，目光一掠一丈左右處，一個身著勁裝的年輕人，微笑著說道：「不要緊，在下常遭暗算，但卻始終僥倖，未爲敵人所乘，諸位不用放在心上。」

說完話，又大步向前行去。

神態從容，似是根本沒有發生過事情一般。

四周群豪眼看蕭翎遇變之後，仍是瀟灑自如、若無其事，心中更是敬佩。

蕭翎抬頭看去，只見五丈外，一片較爲平坦的石地上，搭了座五尺多高的木台。

這木台無頂蓋，四面也沒圍遮之物，顯然是倉促趕工而成。

宇文寒濤和孫不邪、無爲道長等早已有了計畫，萬一蕭翎不敵沈木風時，將如何應變，是以，絕口不和蕭翎談起搏鬥，表面看去，似是他們對蕭翎這一戰，漠不關心。

這一來，蕭翎自也不好多談。

突聞有人高聲喝道：「沈木風來了。」

蕭翎急行兩步，躍上木台，抬頭看去，果見數十匹快馬風馳電掣而來。

當下低聲對百里冰道：「冰兒，記著告訴你的事情。」

百里冰點點頭，道：「記下了，大哥放心。」

蕭翎目光轉到宇文寒濤臉上，道：「宇文兄，在下萬一在這番搏鬥中，罹難而死，不用替我報仇，但求保護百里冰安全離此。」

宇文寒濤道：「蕭大俠放心，沈木風已非你之敵，這一戰，當使邪惡伏誅，武林正義伸張，蕭大俠只管放心。」

蕭翎微微一笑，道：「但願如此。」

目光四顧，不見中州二賈、司馬乾和馬文飛等幾個交深相熟之人，忍不住問道：「宇文先生，我那商兄弟和杜兄弟呢？」

宇文寒濤道：「在下遣他們辦事去了。」

蕭翎點點頭，不再多問。

就在兩人談話工夫，那沈木風等數十騎快馬，已然馳近木台。

蕭翎凝目細看，只見沈木風身後，果然有著一個身著紅色袈裟的高大和尚。

正是自己學武三聖谷時，和義父搏鬥的那位和尚，仔細再看，只見那紅衣和尚左手之上，少了無名指和小指，心中暗道：義父南逸公功力何等深厚，都不是他之敵，恩師莊山貝，施展馭劍術，僅傷他手指，只怕我勝算更微，無怪那沈木風今日竟坦然應我之約。

他心中明白，如若自己不是這紅衣和尚之敵，環顧身側，實也再無相助自己之人，只有把此事放在心中，說出來，不過是徒亂人意。

目光到處，只見緊隨那紅衣和尚之後的，正是那五毒門的巫公子，以後是金花夫人、沈木風的血影化身，和在那山谷中與自己對掌的鄧倫。

似乎是百花山莊中精銳盡出。

沈木風下馬之後，隨來之人，紛紛下馬。

一向倨傲的沈木風，對那紅衣和尚似是十分恭敬，回身低聲說道：「大師請。」

紅衣僧人微微一笑，道：「你是主人，貧僧不能奪你彩頭，你如殺了蕭翎，不難君臨天下，如是不能勝他，我再同他結算舊帳不遲。」

這紅衣和尚的身分來歷，大部分人都不識得，是以並不驚奇，只有孫不邪見了那紅衣和尚之後，不禁臉色大變。

但他也似是心有所忌，並未告訴旁人。

沈木風抬頭望了蕭翎一眼，緩緩說道：「沈木風應約而來。」

蕭翎道：「大莊主請上臺來吧！」

沈木風舉步一跨，不見他作勢飛躍，陡然間，上了木台。

蕭翎道：「今日咱們是生死相搏，未分生死之前，不許住手，沈大莊主請亮兵刃吧！」

沈木風目光流顧，望望那雲集於台下的群豪，十之六、七，竟都是蕭翎帶來的人，不禁心頭一震，暗道：我用盡了手段，耗時十餘年，仍無法使許多江湖人物為我效命，蕭翎出道不足兩年，怎會有這麼多人，千里迢迢地趕來為他助拳呢？

心中念轉，右手卻從懷中，摸出一把全身如墨，長約兩尺，似劍非劍之物。

左手也同時在懷中摸出一把明亮奪目的短劍，冷冷說道：「我沈某人已經十餘年沒有和人動過兵刃了。」

蕭翎道：「這麼說來，在下覺得很榮幸。」

右手一抬，金劍出鞘，雙目卻盯注在沈木風右手那墨色的似劍非劍之物上。

沈木風望望蕭翎手中的兵刃，道：「伏魔金劍。」

蕭翎道：「不錯，大莊主識得此劍？」

沈木風神情肅然，良久之後，才長長歎息一聲，道：「這把劍，很久未在江湖上出現了。」

蕭翎道：「大莊主很怕此劍嗎？」

沈木風冷然說道：「這劍縱然鋒利，但要看用劍之人，蕭兄弟小心了。」

右手一揮，銀芒疾閃，刺向蕭翎，蕭翎伏魔金劍一振，一道金芒飛起，封開了沈木風手中銀劍，不待沈木風劍招變化，劍勢一沉，點向沈木風的前胸。

沈木風凝立不動，右手墨尺陡然一舉，平橫胸前，直待蕭翎劍勢近身時，猛力向外一推，蕭翎只覺對方的墨尺之上，有著一股強大的吸力，劍不由主地微微一偏，不禁吃了一駭，陡然警覺，原來沈木風手執之物，竟然是一根強力的磁尺。

蕭翎伏魔金劍偏勢雖然不大，但這一偏，卻在他控制之外。

要知像蕭翎和沈木風這等高手過招，不得有一絲一毫的差錯，就這失去控制的一偏，已給了沈木風可乘之機。

只見沈木風一側身子，左手銀劍快速絕倫地一探，刺向了蕭翎左面肩井穴。

這一招看似平淡，但站在木台前面的高手，卻看得心中微微一震，不知蕭翎如何能躲開那沈木風的一劍。

這不過是一瞬間的工夫，只見蕭翎一塌肩，陡然向後退了一步。

銀劍過處，劃破了蕭翎左肩，衣服破裂，鮮血湧出。

蕭翎劍勢一顫，長嘯聲中，人、劍一齊飛起，劍勢盤空打旋，灑下一片寒芒。

沈木風大喝一聲，也縱身而起，直向那灑落劍芒之上迎去，但見兩團光影，盤空旋轉，一連串金鐵交鳴之聲，傳入耳中。

光影乍分，人影重現，砰的兩聲輕震，蕭翎和沈木風，一齊跌落在木台之上。

凝目望去，只見蕭翎劍眉聳立，滿臉嚴肅，沈木風卻是臉色蒼白，目光中閃爍不定，顯然，這交手一招，沈木風吃了苦頭。

只是，兩人搏鬥時，劍光環繞，使人無法瞧出詳細情形。

雙方相持片刻，蕭翎一振伏魔金劍，重又攻了上去。

沈木風回手反擊，展開了一場惡戰。

蕭翎劍招奇幻，變化莫測，以華山談雲青劍法爲主，輔以各家劍法之長，攻勢凌厲，使台下觀戰之人，爲之眼花撩亂，無法分辨。

沈木風似是爲蕭翎奇幻的劍招壓制，反擊無力，但他手中那磁尺，卻作用甚大，每當蕭翎劍及要害時，總被那磁尺引偏，未給蕭翎可乘之機。

兩人劇鬥百招之後，蕭翎的劍勢，已然發揮到極致，沈木風雖有磁尺為助，也已無法再戰下去。

這當兒，突聞一聲大喝道：「沈大莊主暫時退下，老衲要和這娃兒算一筆老帳。」

沈木風正覺不支，聽得呼叫之言，立時全力反擊了兩招，準備逼退蕭翎，躍下臺去。

哪知蕭翎劍招如影隨形，似附骨之蛆，沈木風一連兩招，竟然未能迫退蕭翎。

蕭翎劍勢突然一緊，連攻三劍。

就在劍勢攻出的同時，左手悄然發出了彈指神功。

沈木風右手一抬，磁尺橫向蕭翎劍上拂去。

突然一股潛力，擊中右肘，五指一鬆，磁尺脫手落地。

蕭翎劍勢一揮，寒芒一閃，斬斷了沈木風一條右臂。

金劍回轉，正待橫裏劈出，以取沈木風之命，突感一股強烈的暗勁，直湧過來，勢道奇猛，有如排山倒海一般，迫得蕭翎不得不縱身讓避。

但見紅影一閃，那身著紅色袈裟的和尚，疾躍上臺。

孫不邪大喊道：「賊和尚，想用車輪戰嗎？」

縱身而起，一掌劈去。

那紅衣和尚冷然喝道：「下去！」

左掌一揮，拍出一招。

但聞砰的一聲，雙掌接實。

孫不邪躍飛而起的身子，突然懸空打了兩轉，重又落著實地。

但蕭翎卻借此機會，提聚一口真氣，橫劍而立。

那紅衣和尚一掌震下孫不邪後，目光轉到蕭翎身上，冷冷說道：「你是莊山貝的徒弟，是嗎？」

蕭翎道：「不錯，我見過你。」

紅衣和尚道：「那很好，我如殺了你，你不會死得不明白。」

蕭翎冷冷說道：「未動手前，還不知鹿死誰手，大師不用太狂了。」

紅衣和尚道：「好大的口氣，就算莊山貝、南逸公，與老衲一對一的搏鬥，也不敢這般口氣說話。」

蕭翎不再答話，全神貫注在劍身之上。

紅衣和尚臉色一變，道：「好！你學會了莊山貝的馭劍術。」

蕭翎全身運氣，默不作答。

這時，沈木風、孫不邪都已躍下木台，各自爲同來之人接迎而去。

台下，人來人往，激起一片混亂。

宇文寒濤穿梭往來，似是在指揮什麼。

但這些蕭翎都無法看到。

他全部精神都貫注運劍之上。

但聞那紅衣和尚冷笑一聲，陡然縱身而起，撲向蕭翎。

就在那紅衣和尚躍起的同時，蕭翎也飛躍而起。

只見劍芒和一團紅影，懸空撞在一起。

沒有人看清楚兩人懸空一招交接經過，只見蕭翎從空中直摔在木台之上。

那紅衣和尚卻長嘯一聲，飛躍而起，一團紅影，流星閃電一般，直向正東方飛奔而去。

點點鮮血，滴在白石地上。

兩條人影，躍上木台。

抱起了蕭翎，縱身而起，正是宇文寒濤和百里冰。

緊接著一聲轟然的爆震，碎石與木屑橫飛，那比武木台，毀傷一半。

五一　英雄氣短

不知道過去了多少時間，蕭翎悠悠醒來，睜眼看時，只見自己躺在一張棕榻之上，宇文寒濤、百里冰、商八、杜九、藍玉棠，一字排列於棕榻前面。

幾人的臉色原本都滿帶哀愁，見蕭翎清醒過來，哀愁都一掃而空。

百里冰睜大著一雙眼睛，長長吁一口氣，道：「謝天謝地，大哥醒過來了。」

蕭翎才掙扎欲起，宇文寒濤卻疾快地伸出手去按住蕭翎，道：「蕭大俠，你內傷很重，不用坐起來了。」

蕭翎目光轉動，望了榻前的群豪一眼。

緩緩說道：「我躺了幾天了？」

百里冰長吁一口氣，道：「整整七天了。」

蕭翎呆了一呆，道：「七天了？」

宇文寒濤道：「是的，毒手藥王的醫道，果然有驚人之能。」

蕭翎道：「毒手藥王也來了？」

宇文寒濤道：「不錯，這是一場武林中從未有過的盛會，天下各門派的掌門人，到了一百多位，少林、華山、峨嵋等九大門派掌門人，及丐幫的申幫主，全都到了。」

蕭翎點點頭，道：「我那位孫老哥呢？」

宇文寒濤正要答話，突聞一陣哈哈大笑之聲，傳了過來，道：「老哥哥嘛，死不了。」

轉眼看去，只見孫不邪臂下架著拐杖行了進來，接道：「兄弟，你怎麼樣了？」

蕭翎淡淡一笑，道：「大概也死不了啦。」

孫不邪行到榻前，道：「當時你受傷奇重，以宇文先生的醫道，也有著無從下手之感，大家都哀痛無比。那時，老哥哥人也在半暈半醒之中，但我知道你不會死，我曾要他們放心……」

百里冰接道：「如非那毒手藥王老前輩能及時趕來，細心治療，且親煮湯藥，大哥絕不會這麼快醒來。」

蕭翎道：「我該去拜謝南宮老前輩救命之恩，冰兒，扶我起來。」

只聽一個冷冷的聲音，接道：「不用謝了。」

蕭翎目光轉動，只見那毒手藥王，大步行了過來，手中捧著一個玉瓶，接道：「瓶中有七粒丹丸，日服一粒，七粒服完，縱不能傷勢痊癒，也將差不多了……」

語聲一頓，道：「不過，你傷勢好了之後，希望允爲老夫做一件事。」

蕭翎道：「老前輩吩咐吧！只要晚輩力所能及，無不全力以赴。」

毒手藥王道：「你一定能辦得到，傷勢好後，請到九宮山中，去看小女一面，她練功練岔了氣，不能隨老夫同來，老夫言盡於此，去不去，你蕭大俠酌量著辦吧！」

不待蕭翎答話，轉身一躍，身影頓失。

蕭翎望著毒手藥王消失的背影，長長歎息一聲，默然不語。

宇文寒濤輕輕咳了一聲，道：「蕭大俠，安心養息吧！天下各門派，都受了蕭大俠的感召，一致奮起，九大門派和申幫主，都已決定盡全力清除餘孽，不致再勞動蕭大俠了。」

蕭翎淡淡笑道：「沈木風呢？」

宇文寒濤道：「他一行數十人，盡都死在破山神雷之下……」

蕭翎道：「金花夫人也死了嗎？」

宇文寒濤道：「死了，當時為情勢所迫，無法先行通知她。」

蕭翎道：「看到他們屍體了？」

商八接道：「當時血肉橫飛，肢體交錯，無法認出屍體，但就情勢計算，沈木風決難活命。」

百里冰接道：「那沈木風作惡多端，死得屍骨無存，那也是該有的報應了。」

蕭翎沉吟了片刻，道：「那位八指和尚呢？」

宇文寒濤道：「中了蕭大俠一劍，一路帶血而逃，傷勢很重，能保下性命，已算他運氣好了……」

稍一停頓，接道：「九大門派和丐幫，各遣了高手十名，配合天下英雄，四出追查餘孽，及探查那八指和尚的生死，探馬往返，消息可極快傳到此地。」

孫不邪道：「樹倒猢猻散，沈木風一死，整個百花山莊都已瓦解，餘下的事，不用兄弟你再勞心，一百多位掌門人，已決贈你三面飛龍牌，龍牌所至，天下英雄，都得遵從吩咐。」

蕭翎道：「這個等小弟傷勢全好之後，再談吧！」

只聽一個宏亮的聲音喝道：「蕭兄弟，你醒過來了……」

馬文飛快步行了過來，接道：「司馬乾、唐元奇、陸魁章，接令尊、令堂去了，三、五日內，即可趕到。」

蕭翎點頭一笑，道：「多謝馬兄和諸位兄台了。」

宇文寒濤低聲道：「九大門派和申幫主，已決定全力幫助岳小釵復仇，蕭大俠好好休息。」

揮揮手，群豪齊齊退出靜室。

百里冰走在最後，等群豪盡行離去後，輕輕掩上房門，又行回蕭翎榻前，低聲說道：「大哥，服藥吧！」

伸手由蕭翎枕邊，取過玉瓶，拔開瓶塞，倒出一粒丹丸，右手執丹放入蕭翎的口中，左手取過案上瓷壺，倒出一杯開水，服侍蕭翎吃下丸藥。

放下茶碗，接道：「大哥，睡一會兒好嗎？」

蕭翎望著她溫柔的舉動，星目中橫溢的情愛，心中甚是感動，輕輕歎息一聲，說道：「冰兒……」

百里冰伸出玉指，按在嘴上，低聲說道：「不要講話，好好睡一覺，那毒手藥王說，你要好好休息。」

蕭翎微微一笑，道：「不要緊，我精神很好，說幾句話，絕不妨害……」

語聲微微一頓，接道：「那毒手藥王幾時到此地的？」

百里冰道：「在你受傷三天之後，前三日中，宇文先生和幾位自信醫道高明之人，衣不解帶地守在大哥身側，他們商議用藥，竭盡所能，但卻一直無法使大哥的傷勢好轉，但大哥內功深厚，未再惡化，只是一直昏迷不醒，停頓在危險邊緣。」

蕭翎道：「唉！我一人的生死，何足爲惜，拖累別人如此，想來實有些不安。」

百里冰歎道：「但你挽救了武林的劫運，我聽到少林掌門人說，如非大哥及時傷了沈木風，使沈木風預先安排的陰謀，無法發動，各大門派都將在沈木風一道號令之下，全部癱瘓，至少也將大損元氣。」

蕭翎道：「各大門派中，都潛伏有沈木風收用的內應，如若他們暗中施毒，這損傷定是很大，也正因如此，我才在時機不成熟、毫無把握中，行險求勝。」

百里冰道：「目下各門派掌門人，都已知曉此事，對大哥感激莫名。」

蕭翎道：「各門派中潛伏的沈木風的內應，是否都已經查出來了？」

百里冰道：「沒有，這正是目下各門派掌門人最大的心病，他們都請宇文先生幫忙，但宇文先生忙著爲大哥療傷，只是口頭答應，並未見諸行動，是否他已經胸有成竹，我就不知道了。」

蕭翎道：「宇文寒濤曾在百花山莊中，做那沈木風謀士甚久，也許會知曉內情……」

百里冰望了百里冰一眼，接道：「仔細告訴我，這幾日經過的情形。」

百里冰道：「各派掌門人，如何會趕來此地，那我就不知道了，自大哥受傷後，我大都守在大哥身側，剛才說給你聽的事情，是我偶然聽到一些內情，因爲一直無心聽他們談話，不過，宇文先生很清楚，等大哥傷勢完全復元之後，叫宇文先生仔細說給你聽。」

蕭翎道：「我知道你爲我傷勢擔心，不會分心旁顧，你知道多少就說多少吧！病榻無聊，談談這幾日中的瑣事，也好解我寂寞。」

百里冰沉吟了一陣，道：「先說你的傷勢吧！宇文先生和幾位深諸醫理之人，會商用藥，在三日夜中，下藥三次，但始終無法使大哥清醒過來，第四日中午時分，毒手藥王及時而至，替大哥把脈之後，立刻下藥，但也費了他三日時光，才使大哥清醒過來。」

蕭翎道：「冰兒，你可曾聽過，他說起我傷在何處？」

百里冰搖搖頭，道：「沒有，毒手藥王爲大哥療治傷勢時，宇文寒濤雖然也在旁側，但卻未曾問過一句話，那毒手藥王也未和宇文先生交談。」

蕭翎點點頭，道：「我的武功，是否還能保存呢？」

百里冰道：「沒有聽他們談過，但想來不致會損傷到大哥的武功。」

蕭翎道：「但願如此。」言罷，閉上雙目。

百里冰只道他經過這一陣談話之後，人已感覺疲倦需要休息，也不再多言。

其實蕭翎心中對自己是否保存著武功一事大爲關心，心想運氣相試，必將爲百里冰所阻擋，只有設法，使她不注意時，再暗中相試。

果然，百里冰輕輕拉動棉被，蓋在蕭翎身上，悄然行到窗口處，望著窗外，呆呆出神。

蕭翎微啓一目，望了百里冰一眼，暗中運氣一試。

只覺真氣流動，行至胸肋間，突然一陣急疼，有如一把利刃刺入，雖然忍住未呼叫出聲，但卻疼了一身大汗。

幸好百里冰一直望著窗外，未見此情。

蕭翎吁一口氣，舉手拂拭一下臉上的汗水，暗暗忖道：看來，武功並未失去，只是胸肋間受了極重的內傷，不知幾時才能養好傷勢，以助岳姊姊一臂之力。

想到感傷之事，不禁黯然一歎。

就這一聲輕微的歎息，驚動了百里冰，急急行回榻前，道：「大哥醒來了？」

蕭翎勉強一笑，道：「醒來了，冰兒，你好像有心事？」

百里冰道：「我在想岳姊姊！」

蕭翎心中一動，道：「想念岳姊姊？」

百里冰道：「嗯，她孤身一人，尋找仇家，大哥傷勢很重，無法趕去助她，小妹有心，但卻自知無能爲她分勞，唉！各大掌門人，雖然爲宇文先生說服，遣出高手，爲岳姊姊助拳，但是小妹仍然放心不下，何況……」

突然住口不言。

蕭翎道：「何況什麼？爲何不說了？」

百里冰道：「我們之間，也該有個了局，岳姊姊在靈堂之前，已經承認是你的妻子了，我這些日子裏，也想通了一件事。」

蕭翎道：「你想通了什麼事？」

百里冰淒涼一笑，道：「大哥好好養傷吧！等你身體完全復元之後，咱們再仔細地談談吧！」

蕭翎道：「咱們之間，純屬私情，就算宇文先生之才，也無法替咱們作主意，是嗎？還是把你想的事，告訴我吧！」

百里冰雙目盯注在蕭翎的臉上，瞧了一陣，道：「大哥，你只是我的兄長，對我的呵護、愛惜，也只限兄妹之情，唉！你和那岳姊姊，才是真正的一對，等大哥傷勢好了，我就要離開中原。」

蕭翎道：「你要到哪裏去？」

百里冰道：「回家，我生長在那冰天雪地之中，還是應該回到那裏。」

蕭翎略一沉吟，道：「我送你回去。」
百里冰道：「不行，你不能送我。」
蕭翎道：「爲什麼？」
百里冰道：「爹爹恨你入骨，你如送我回去，兩人豈不要打起來嗎？」
蕭翎道：「打起來你幫哪一個？」
百里冰似是未料到他如此反問，道：「所以，你還是不要送我。」
蕭翎道：「送是非送不可，但我不和你爹爹打架就是。」
百里冰道：「我爹爹脾氣暴躁，除了我母親之外，誰也無法勸得住他。」
蕭翎道：「由你母親出面勸阻於他，咱們就不用怕了。」
百里冰輕輕歎息一聲，道：「你爲什麼一定要送我呢？爹爹脾氣暴急，你又生性高傲，你們要是打了起來，我該如何是好呢？」
蕭翎微微一笑，道：「冰兒，古往今來，你見岳父大人殺過女婿嗎？你爹爹脾氣暴急，但想來他還不會殺我吧！」
百里冰一時間會不過意，呆了一呆，才想通蕭翎言中之意，無疑剖心證情，求婚於己，不禁喜極而泣，兩行情淚，順腮而下。
蕭翎吃了一驚，道：「冰兒，你生氣了？」
百里冰搖搖頭，破涕一笑，道：「我太高興了，大哥對我情深如斯，我卻一點也不知道。」

伏在蕭翎身上，柔聲說道：「我實在太笨了。」

蕭翎心中亦是大爲感動，伸出手去，握著百里冰纖巧的玉手，道：「冰兒，坐起來，咱們好好地談談，我心中有很多事，必須對你說明，你聽了不要生氣。」

百里冰坐正身子，拭去臉上的淚痕，道：「我已經是你的妻子了，不論說什麼，我都會很柔順地聽從，哪裏還會生氣呢？」

蕭翎道：「現在還不是啊！你有雙親在堂，我有父母作主，咱們沒有稟明父母之前，還是名不正言不順。」

百里冰道：「我會求爹娘答應，就是不知我那未來的公婆，是否喜歡我這樣的醜媳婦。」

蕭翎道：「這個你可以放心，我爹爹由宦海急流勇退，看破名利，飄然物外，他不會管我的事，我母親知書明理，一向對我愛護。何況，你伶俐聰慧，討人喜愛，我如是沒有一點把握，也不敢隨便提出，更不敢向你求婚。」

百里冰道：「那就好了，要是你爹娘不答應，我就跪在地上哀求他們，直到他們答應爲止。」

蕭翎道：「我們幾度生死與共，幾番患難與同，我父親如若知曉此事，對你愛護還來不及，怎會讓你身受委屈，倒是我，有很多地方，需要你的諒解了。」

百里冰道：「什麼事呢？」

突然若有所悟地接道：「我知道了，是關於岳姊姊的事？」

嫣然一笑，不待蕭翎接口，又搶先說道：「這個，你可以放心，我心裏也喜歡岳姊姊和我們長相廝守，亦可解深閨中些許寂寞，你已經揚名天下，日後江湖上有什麼事，必然會請你排解。現在，我們沒有名份約束，我可以自由自在地跟著你行遍天涯海角，但如是真定了名分，上有公婆，我也無法和你同行，能有岳姊姊深閨作伴，小妹是求之不得。」

蕭翎微微一笑，道：「你倒想得很多，但小兄還有事，必先說明。」

百里冰雙目眨動一下，道：「可是毒手藥王之女，南宮姑娘。」

蕭翎道：「正是如此，她父親對我有救命之恩，我對她虧負太多，傷勢好後，必得到九宮山中一行，一則拜謝那毒手藥王救命之恩，二則探視她的傷勢情形，希望你不要生氣才好。」

百里冰舉手理一下鬢邊散髮，淡淡一笑，道：「大哥不用掛心，咱們這些日來相處，我自信對你了然很深，你是英雄，也是少女們深閨夢裏情人，但我知你胸懷坦蕩，別擔心我會胡鬧，不過……」

蕭翎道：「不過什麼？」

百里冰嗤的一笑，道：「不過，別忘了我是女人，是你的妻子，你和人交往，我不管，但除了岳姊姊之外，你不能再對別的女人動情。」

蕭翎笑道：「但請賢妹放心，小兄自有分寸……」

神情突轉嚴肅，接道：「賢妹再三的提起岳姊姊，而且存心讓情，我是感激不盡。不過，你要知曉，岳姊姊好比是謫凡人間的仙女，小兄何許人，如何能和她比翼人間，玉簫郎君不知自慚形穢，癡心求愛，那是自討苦吃，藍玉棠大劫復生後，已然自知不配，綺夢醒來，才知曉天鵝應比翼雲霄，豈能夠養於私堂……」

百里冰接道：「但她對你不同啊！靈前拜奠，言吐心聲，當天下英雄之面，承認了是你妻子，母親遺書爲媒，你也是親耳聽到，難道你要負岳姊姊？」

蕭翎淡淡一笑，道：「岳姊姊對我有情嗎？」

百里冰道：「如是無情，她怎肯在眾目睽睽的靈堂之前，自認是你的妻子？」

蕭翎道：「如若說岳姊姊對我有情，那還不如說她對我有此憐惜，因岳姊姊母親岳雲姑遺書中，指命她嫁我爲妻，那完全是出於一種報恩和犧牲之心，她知我活不過二十歲，因此才要岳姊姊下嫁於我，但如今這些原因都已消失，岳姊姊自應該有她自主之權，何況，她非人間平凡俗女，我不會接受憐惜的，她對我亦無情意，我只是心中對她敬重，視她如雲姨的化身。」

百里冰沉吟了一陣，道：「大哥，咱們不用談這件事了。」

蕭翎道：「怎麼，你可是不相信我的話嗎？」

百里冰道：「相信，不過，以後情勢的變化，非我們所能預料，也非我們能夠主宰，我倒希望你不要太過自負忘情，傷害到岳姊姊。」

蕭翎微微一笑，道：「咱們不談此事，你去請宇文先生來，我想問他幾件事。」

百里冰道：「你今日才清醒過來，已經談了很多話，睡一覺，再和宇文先生見面如何？」

蕭翎道：「不用了，我精神很好，去請他來吧！」
百里冰點點頭，緩步而去。
片刻之後，帶著宇文寒濤，一起行了進來。
宇文寒濤一抱拳，道：「蕭大俠，找在下來，有何吩咐？」
蕭翎拍拍病榻，道：「坐下來，我有幾樁事情請教！」
宇文寒濤對蕭翎一直保持著適度的敬重，緩緩坐了下去，道：「蕭大俠有何教言，只管請說。」
蕭翎道：「不要這樣稱呼我，非你相助，我蕭翎哪裏還有命在，整個武林，也將淪入沈木風的魔掌之下了。」
宇文寒濤笑道：「如非蕭大俠對在下的賞識、提攜，天下英雄又有誰肯相信我宇文寒濤。」
蕭翎道：「咱們彼此互助，合力維護江湖正義，宇文兄，以後就不要客氣了，蕭大俠這稱呼太過生疏，你叫我蕭兄弟如何？」
宇文寒濤道：「這個，這個……在下叫蕭大俠已經叫得習慣了，一時改口，實還有些不容易呢！」
蕭翎心知他對自己有著一份很深厚的感激之情，呼叫蕭大俠，是由內心生出的敬意，也不再堅持，轉過話題，說道：「宇文兄，你要說實話給我聽。」

宇文寒濤怔了一怔，道：「什麼事？」
蕭翎低聲道：「那沈木風是否真的死了？」
宇文寒濤道：「蕭大俠怎會對此存疑？」
蕭翎道：「因爲，我不相信那沈木風，會這般簡單的被人殺死。」
宇文寒濤沉吟了一陣，道：「在場之人，大部分相信沈木風已經死去！」
蕭翎道：「宇文兄呢？」
宇文寒濤道：「不敢欺瞞蕭大俠，在下對此存疑！」
蕭翎道：「爲什麼？」
宇文寒濤道：「因爲現場之中，沒有找到沈木風一點遺留之物！」
蕭翎道：「是的，那沈木風老奸巨猾，必然會早有準備，你們那日在靈堂中向他挑戰，已使他生出了很深的戒心，豈會不作準備……」
長長吁一口氣，道：「宇文兄，難道那樣多的人，就無一人發覺沈木風逃離現場嗎？」
宇文寒濤道：「在下想不通的，也在此處了，在下暗中派了數組人，要他們留神那沈木風的舉動，但卻未發現他離開逃走，因此，對他的生死，在下也無法定論。」
蕭翎沉思了一陣，道：「這倒是一樁不可思議的事。」
宇文寒濤道：「如若就那沈木風的機智而言，他必然早有準備，咱們絕無法炸得死他，不過，他在和蕭大俠動手時，斷去了一臂，也可能受此影響，巨疼之下，使他的機智盡失。」

蕭翎輕輕歎息一聲，道：「當時情景，宇文先生可否仔細地說給我聽聽？」

宇文寒濤道：「破山神雷爆炸時，血肉橫飛，受傷之人甚多，不過，那時，情景也很亂，敵我雙方之人，紛紛亂奔，因為，除了極少數的人之外，我方之人，也不知有此埋伏，如若沈木風當真逃走，就是在那一刻紛亂之中，他易容脫逃。」

蕭翎道：「巫公子呢？是否死在現場？」

宇文寒濤搖搖頭，道：「他受了重傷而逃。」

蕭翎道：「宇文先生親自看到嗎？」

宇文寒濤道：「不是，藍玉棠告訴在下……」

輕輕咳了一聲，道：「為了激起各大門派的鬥志，在下不得不通權達變，說出沈木風已經死亡的話，如是他們知曉那沈木風已經死去，就會振起精神，追殺百花山莊的餘孽，等他們殺了幾個百花山莊的人，縱然知曉沈木風還未死去，那時已經騎虎難下，不打也得打了。」

蕭翎微微一笑，道：「宇文先生每一句話，似是都有心機！」

宇文寒濤道：「情非得已，不得不使用一點手段了。」

蕭翎道：「只要心存仁義，縱然用些詐術，那也無傷大雅。」

宇文寒濤道：「此時此刻，蕭大俠實是用不著再為我武林中事擔心，目下，我們實力強，武林中各門派的精銳高手，大都集中於斯，沈木風斷去一臂，就算他逃離此地，也非要一段時間養息不可，此段期間，他自是無法再出面主持，百花山莊少去了沈木風，就算沒有了主宰力量，在數百名高手搜捕、追殺之下，就是沈木風本人能夠逃過此劫，百花山莊必被擊潰，沈木風傷癒重出，已經天下大變了，那時，他一人縱然武功高強，也無法擺脫厄運。」

蕭翎道：「宇文兄言之有理，不過，在下的看法，和宇文兄稍有不同！」

宇文寒濤道：「蕭大俠高見如何？」

蕭翎道：「在下覺得那沈木風，還在江湖埋伏著一股不為人知的實力，一旦他傷癒復出，必將更為殘忍！」

宇文寒濤接道：「蕭大俠是推論嗎？」

蕭翎道：「並非無的之矢，近一年來，幾次搏鬥中，我們殺死百花山莊不少高手，可是他們的實力不但不見減弱，反而有所增強，照在下的看法，這些人，大都是來自沈木風埋伏在外地的實力。」

宇文寒濤道：「在下當和丐幫及九大門派中人，詳為計議，務求掃穴犁庭，全面追查，蕭大俠不用為此煩心。」

蕭翎點點頭、道：「由宇文兄主持策劃，在下自然放心……」

輕輕歎息一聲，接道：「在下還想請教兩點私事！」

宇文寒濤道：「蕭大俠請吩咐。」

蕭翎道：「在下傷勢，是否能完全復元，宇文兄精通醫道，想必心中有數，大丈夫問禍不問福，我要宇文兄據實而言。」

宇文寒濤道：「蕭大俠過獎了，在下的醫道，實難及毒手藥王萬一，蕭大俠三日不醒，在下已經不敢存蕭大俠復生之望，但他竟然能妙手回春，使你重行醒來……」

蕭翎苦笑一下，接道：「我知道，就目下情形而言，我大約是不會死了，我問的是，我的武功能否恢復？」

宇文寒濤雙目盯注在蕭翎的臉上，望了一陣，道：「蕭大俠此刻有何不適之感？」

蕭翎低聲說道：「我不能行功運氣，稍一運氣，內腑就奇痛難忍。」

宇文寒濤道：「蕭大俠醒來不久，重傷之下，必然波及內腑，服完了毒手藥王留下的丹丸之後，再看情形如何？」

蕭翎點點頭，道：「我明白了，宇文兄這樣說，那就是在下恢復武功的希望不大了。」

一直未發一言的百里冰，突然接口說道：「大哥，就算你武功不會恢復也無憾，你已在武林中留下了美名，從此不再捲入江湖是非，豈不更好。」

蕭翎道：「是的，我並不爲自己失去武功難過、惋惜，而是我還有兩樁心願未完。」

百里冰道：「宇文先生會助你！」

蕭翎道：「那倒不用了，宇文先生此刻應該以全副精神，用在搜捕百花山莊的餘孽之上，不能分心旁顧。」

宇文寒濤道：「蕭大俠有何心願，儘管交托在下，宇文寒濤粉身碎骨，也必爲你完成心願，至於蕭大俠的武功，並非不能恢復，只是……只是……」

蕭翎道：「宇文兄，據實而言，不要欺騙我。」
宇文寒濤點點頭，道：「蕭大俠能否恢復武功，似是掌握在毒手藥王的手中。」
百里冰道：「爲什麼？難道那毒手藥王醫好了我大哥的傷，又暗中下了毒手？」
宇文寒濤道：「是否毒手藥王又下的毒手，在下不敢斷言，至少是那毒手藥王留了一手。」
目光轉到百里冰的臉上，接道：「姑娘很聰明，想必已知曉內情了。」
百里冰點點頭，道：「那毒手藥王的用心，是想迫我大哥去九宮山瞧看他的女兒。」
宇文寒濤緩緩說道：「不錯，在下也是這樣的看法，不過，目前還無法確定。」
百里冰道：「爲什麼？」
宇文寒濤道：「毒手藥王留下的藥物，蕭大俠還未用完，也許這藥物用完之後，蕭大俠的傷勢，還有變化。」
百里冰點點頭，道：「先生說得是，眼下只有等大哥服完這一瓶藥物之後再說了。」
宇文寒濤道：「蕭大俠大傷初醒，不宜說話太多，耗費精神，在下先行告辭。」一抱拳，起身欲去。
蕭翎道：「宇文兄。」
宇文寒濤道：「蕭大俠還有什麼吩咐？」
蕭翎道：「關於我那位岳姊姊。」

宇文寒濤道：「蕭大俠可是想問岳姑娘的行蹤嗎？」
蕭翎道：「是的，她現在在何處？」
宇文寒濤道：「在下只知她奔向東南方，至於欲到何地、尋找何人，就非在下所知了。」
蕭翎道：「唉！雲姨待我恩情甚重，如非遇上雲姨，我哪裏還會有今日，不論是否幫岳姊姊的忙，我都該替雲姨報仇。」
宇文寒濤道：「目下蕭大俠似是無法想得太多，任何事，都要等你傷好之後，才能著手，蕭大俠但請安心養傷，岳姑娘的事，在下自當留心打聽。」
蕭翎道：「一切有勞宇文兄了。」
閉上雙目，不再多言。
宇文寒濤低聲對百里冰道：「姑娘，記著要他按時服藥。」
然後悄然退了出去。
七日時光，匆匆而過。
百里冰不顧忌耳目，服侍蕭翎服藥、進食。
宇文寒濤爲蕭翎安排了一段很寧靜的生活，七日之中，從無一人來驚擾過蕭翎。
服完了毒手藥王留下的最後一粒丹藥，蕭翎就迫不及待地運氣行功，想證明自己是否還保有武功。

只覺真氣行經胸肋之間，似是遇上了一股強大的阻力，強行運氣，就疼痛異常，不禁黯然一歎。

百里冰看他盤坐運氣之時，就悄然行到蕭翎身側，留心察看。她心中知道，如若蕭翎武功不能恢復，對他心靈上的打擊太大了。待她聽到蕭翎黯然的歎息，知道他沒有成功，不禁心中一跳。她盡量保持著自己的平靜，柔和一笑，道：「大哥好些嗎？」

蕭翎抬起頭來，臉上是一股莫可言喻的奇異神情，盯注在百里冰臉上，瞧了一陣，道：「冰兒，我不行啦。」

緩緩躺了下去，睜著一對眼睛，望著屋頂出神。

百里冰察顏觀色，知道他心中感受的打擊，已超過他可能忍受的程度，那近乎癡呆的平靜，正代表他內心中深沉的痛苦。

本想勸慰蕭翎幾句，但又覺得無從說起。

仔細看去，只見蕭翎一直望著屋頂，似乎已不知自己站在他的身邊。

百里冰驚駭了，悄然移動腳步行出室外，直奔宇文寒濤的住處。

宇文寒濤正在和商八、杜九商量什麼，目睹百里冰匆匆行來，立時站起身子，迎了上來，道：「百里姑娘有事嗎？」

百里冰點點頭，急道：「我怕他承受不了。」

商八吃了一驚，道：「怎麼？大哥傷勢有了變化？」

百里冰道：「傷勢已好，人也可以行動，只是他的……」

宇文寒濤接道：「失去了武功。」

百里冰道：「他心願未完，一旦失去了武功，只怕他會受不住的。」

腦際中浮現出蕭翎那癡呆的神情，忍不住淚珠兒奪眶而出。

宇文寒濤輕輕咳了一聲，道：「姑娘不用急，慢慢地說出經過。」

百里冰鎮靜了一下心神，拭去臉上的淚痕，道：「我看他盤坐運氣，大約是真氣不能暢通。」

宇文寒濤道：「姑娘一直守在他的身側嗎？」

百里冰道：「是的，我一直守在他的身側。」

宇文寒濤道：「他醒來之後，說些什麼？」

百里冰道：「他只歎一口氣，告訴我不行啦，就躺了下去，瞪著眼，望著屋頂出神，似乎已覺不出我是在他身側，宇文先生，你一定要想個法子救救他，我怕他受不了這沉重打擊。」

宇文寒濤神情肅穆地沉吟了一陣，道：「姑娘鎮靜些，事情早在我預料之中。」

百里冰奇道：「早在你預料之中？」

宇文寒濤道：「是的，只是那時在下還不敢斷作論定，卻也希望我推斷有錯，但卻不幸被我猜中了。」

百里冰眨動一下眼睛，道：「宇文先生，可是沒法子了？」

宇文寒濤道：「我在想……」

百里冰道：「唉！我從沒見過他那樣的神色，不是悲傷，也不是憤怒，平靜中流現出一股哀愁，他似乎已決定自己該怎麼做，使人感覺到那是種絕望的平靜……」

講到傷心處，淚水又順腮而下。

這次，她連臉上的淚痕也未拭去，淒涼地接道：「這些日子中，我們日夕相處，我對他知之很深，他外面平和，內心好強，他如是下了決心的事，誰也無法能勸服他。」

商八、杜九，都聽得呆在當地，望著百里冰出神，不知從何接言，該說些什麼？

宇文寒濤仰起臉來，長長吁一口氣，道：「如是能使他恢復武功呢？」

百里冰舉起衣袖，拂去臉上淚痕，道：「宇文先生有此能耐嗎？」

宇文寒濤道：「我沒有這本領，但有人有！」

百里冰道：「毒手藥王……」

宇文寒濤接道：「是的，毒手藥王，當今之世，只有他一人有此能耐。」

商八接道：「毒手藥王千里迢迢趕來此地，爲我蕭大哥療治傷勢，爲何不肯一次治好？」

杜九道：「那老鬼定然有所圖謀，咱們備上一份厚禮，請他再來一次就是。」

宇文寒濤輕輕歎息一聲，道：「貴兄弟聚藏之豐，當今之世，實無人能夠及得，只是珠寶珍玩，未必能打動毒手藥王那樣人物的心。」

杜九道：「兄弟藏有千年老參，和甚多珍奇名藥，送給他就是。」

宇文寒濤道：「世有奇藥，但最重要的還是用藥人，如是施用不當，奇藥亦難發揮妙用，至於貴兄弟收藏藥物，絕無法及得那毒手藥王收藏之豐，這方法，恐也難收效。」

商八道：「這麼說來，咱們是無法可想了。」

宇文寒濤道：「在下的看法，倒是有一種禮物可動毒手藥王之心，那是視之無形、嗅之無味的空靈之物！」

商八道：「視之無形、嗅之無味，那是什麼東西呢？」

杜九道：「天下如有此物，中州雙賈傾盡所有，也要買到手中。」

宇文寒濤道：「那是無價之物，無法以金銀珠寶購到手中。」

商八道：「究竟是何物？」

宇文寒濤道：「親情。」

商八、杜九若有所悟地點點頭，道：「親情深如海，看來和南宮玉姑娘有關了。」

宇文寒濤道：「是的，毒手藥王臨去之際，已然說明，南宮玉真氣岔經，無法行動，要蕭翎趕往九宮山中一行，去與不去，任憑蕭大俠，話是說得客氣，實在暗中已用了手段，蕭大俠是非去不可。」

百里冰道：「我明白了，我大哥如若不去，那就無法恢復武功。」

宇文寒濤道：「正是如此……」

輕輕咳了一聲，接道：「目下，蕭大俠心中也已明白，不去九宮山，武功難有復元之望，所以，他並未叫姑娘通知在下趕往探視，只是他不願為毒手藥王脅迫而去，寧可使武功失去，也不願趕去九宮山中。」

百里冰歎道：「但他忍受不了那打擊。」

宇文寒濤道：「所以，要姑娘作主了。」

百里冰怔了一怔，道：「要我作主？」

宇文寒濤道：「是的，眼下只有姑娘一人，可以勸他趕往九宮山中赴約。」

百里冰略一沉吟，黯然說道：「我明白了，宇文先生，我會勸他。」

宇文寒濤道：「為著蕭大俠設想，姑娘不妨忍受一些……」

放低聲音，道：「照在下的看法，蕭大俠一縷情絲早已繫在姑娘身上，岳小釵都無法使他移情，何況他人，姑娘何不大方一些？」

百里冰道：「如若那毒手藥王，真能使大哥神功盡復，我又何在乎他多房妻妾呢？」

中州二賈聽到此處，也都恍然大悟，齊齊「啊」了一聲。

百里冰望了中州二賈一眼，道：「九宮山我不便去，你們陪大哥走一趟吧！」

宇文寒濤點頭微笑，道：「姑娘果然是明理人，由中州二賈陪同前去，那是最好不過了。」

百里冰淒涼一笑，道：「多承先生指點，我回房去對他說明。」轉身向前行去。

宇文寒濤急急說道：「姑娘。」

百里冰停下腳步，道：「什麼事？」

宇文寒濤道：「勸他去九宮山，最好不要明說內情，婉轉相陳，更見深情。」

百里冰道：「我明白。」舉步而去。

商八目睹百里冰去遠，低聲說道：「宇文兄，那毒手藥王，可是想把他那位終年纏綿病榻的女兒，嫁給我大哥，所以才借療傷之機，暗在大哥身上下了毒手？」

宇文寒濤道：「也許不是他下的毒手，他只是未肯完全療治好蕭大俠的傷勢。」

商八冷哼了一聲，道：「毒手藥王錯看我家大哥，想以恢復我家大哥的武功為條件，要我家大哥屈服，娶他多病的女兒，必能如願，他如全心全意，療治好我家大哥傷勢，蕭大哥感恩之餘，也許還有些……」

宇文寒濤接道：「商兄，此事關係重大，兩位見著毒手藥王之時，萬望忍耐一、二。」

商八道：「在下只不過是背後罵他幾句，為了使大哥的神功早復，在下就是給那毒手藥王叩上兩個頭，我也認了。」

宇文寒濤道：「那就好了，萬一毒手藥王提出的條件苛刻，蕭大俠不肯低頭，還望兩位多多勸他兩句。」

商八道：「這個很難，蕭大哥要是彆扭，在下絕無法說服他。」

宇文寒濤點點頭，道：「商兄告訴他，就說兄弟幾番思慮後，覺得那沈木風並未死去。」

商八一拍大腿，道：「好主意，這可激起蕭大哥的鬥志，使他忍辱負重。」

宇文寒濤微微一歎，道：「也許在下會不幸說中，那沈木風真的未死去。」

杜九道：「不可能吧！」

宇文寒濤道：「但願杜兄說對……」

長長吁一口氣，道：「爲整個大局著想，也必得使蕭大俠恢復神功……」

杜九接口道：「宇文先生，蕭大哥是否已知曉他武功能否恢復，掌握在毒手藥王手中。」

宇文寒濤道：「蕭大俠絕頂聰明，只是不肯說明罷了。」

杜九道：「不知百里姑娘能否說動蕭大哥，赴九宮山中一行。」

宇文寒濤道：「那要看百里姑娘如何勸說了，不過，照在下的看法，蕭大俠十有八、九會答應下來。」

杜九道：「爲什麼？」

宇文寒濤道：「因爲，百里姑娘會盡最大的心力，勸說蕭大俠，那蕭大俠也會想到自己還不能失去武功，各方面一湊合，他就會答應了。」

商八道：「宇文先生，想必有幾分把握了。」

宇文寒濤道：「兩位去收拾一下，在下在此等候百里姑娘的消息。」

中州二賈應了一聲，起身而去。

蕭翎是否答應，宇文寒濤心中亦是毫無把握，是以等得十分焦急。
過了一個時辰之久，才見百里冰緩緩行了過來，只見她臉上淚痕猶存，顯是剛哭過不久。
宇文寒濤壓制著內心的激動，淡淡一笑，道：「姑娘，說服了蕭大俠嗎？」
百里冰道：「他不肯去，我費盡口舌，苦苦求他，他才答應下來。」
宇文寒濤道：「你們是否談好了幾時動身？」
百里冰道：「自然是越快越好。」
宇文寒濤道：「我已要中州二賈準備攜帶之物，如是百里姑娘同意，立刻就可以上路。」
百里冰道：「他傷勢未癒，不能行走，不知要他如何趕路？」
宇文寒濤道：「我已遣人為他備了一輛輕便篷車，行入山區就改坐滑竿。」
百里冰道：「篷車幾時可到？」
宇文寒濤道：「半個時辰之內，姑娘去為蕭大俠準備應用之物。」
百里冰點頭而去。
一個時辰之後，在宇文寒濤安排之下，蕭翎很隱秘地登上了一輛輕便的篷車。
商八、杜九並坐車前，揚鞭馳車，篷車疾奔如飛。
除了換馬、進食之外，篷車一直兼程而進。
不分晝夜，不顧陰晴。

這日，天亮不久，趕到了九宮山下。

啇八從懷中掏出了宇文寒濤繪製的入山路徑圖，瞧了一陣，和杜九捆好滑竿，棄去篷車，抬著蕭翎入山。

那宇文寒濤雖然對九宮山形勢很熟悉，但他並不知曉那毒手藥王居住之地，只覺得毒手藥王必會安排等候蕭翎。

是以，在圖上只寫明了幾處入山要道。

蕭翎數日來，一直很少講話，對入山求醫之事，更是不願多問。

啇八、杜九知他心事，也不多言。

行了約兩個時辰，天色已近中午，到了一座峰脊之上。

只見一株高大的槐樹之下，有座小廟。

廟旁一座草亭，亭中一張木桌上，擺著一個茶桶，兩個瓦碗，和一些零食的湯餅。

啇八打量了一下四周的景物，說道：「老三，咱們休息一下，再趕路。」

杜九道：「喝碗茶去。」

兩人把滑竿放在樹蔭之下，欠身對蕭翎道：「大哥，喝茶嗎？」

蕭翎搖搖頭，道：「我不渴，你們去吧！」

他靠在滑竿座位之上，閉目假寐。

商八、杜九望了一眼，舉步向茶亭行去。
只見一個五旬以上的老人，坐在一張竹椅之上打盹。
商八、杜九各取一碗茶水飲過，放了兩枚制錢，不見有可疑之狀，轉身行向滑竿。
目光到處，不禁一呆。
只見毒手藥王正站在蕭翎滑竿前面交談。
杜九一皺眉頭，低聲說道：「他在哪裏藏身？」
商八道：「樹上。」
輕輕咳了一聲，道：「南宮兄。」
毒手藥王回過臉來，笑道：「兩位辛苦了，區區已備下幾樣野味，恭候大駕。」
言下之意，似是料定幾人必來。
商八道：「南宮兄的住處離此很遠嗎？」
毒手藥王道：「就在附近，老朽帶路了。」
轉身向前行去。
商八、杜九抬起滑竿，跟在毒手藥王身後而行。
三人腳步漸快，奔行在崎嶇的山徑之上。

五二　倩女癡情

足足走了一個時辰，來到一處山腰間，竹林旁一精舍之外。

毒手藥王抱拳肅客，把三人讓入室中。

蕭翎緩步行入廳中，也不待毒手藥王相讓，就在一張椅子上坐下。

竹籬、瓦舍打掃得纖塵不染。

毒手藥王滿臉歡愉之色，道：「蕭大俠果然是恩怨分明的俠義人物，傷勢還未痊癒，就趕來九宮山中。」

蕭翎望了毒手藥王手一眼，默然不語。

商八、杜九，緊傍蕭翎的身側坐下。

毒手藥王不聞蕭翎的回答，哈哈一笑，道：「小女對蕭大俠十分念慕，蕭大俠此番大駕親臨，定然使小女大感驚喜了……」

商八心中暗道：他講得毫不保留，固是愛女情深，無法自禁，但以他爲人的冷傲，如若不是被情勢所逼迫到萬不得已，怎會講出此話。

但聞毒手藥王叫道：「玉兒，快出來瞧瞧，蕭大俠來探望你了。」

蕭翎心中本有著滿腹的委屈、怒火，目睹此情，大爲消滅。

只聽一陣輕盈的步履聲，傳了過來，軟簾啓動處，走出個長髮披肩的青衣少女。

蕭翎目光到處，隱隱可以辨識，正是那南宮玉。

過去，蕭翎和南宮玉，雖然有一段相處的時光，但那南宮玉一直在大病之中，是以蕭翎根本就沒有仔細看過她，心中只記著斯人之名，南宮玉長得如何，他早已模糊不清，此刻看去，只見她除瘦弱一些之外，長得極是美麗。

南宮玉對蕭翎卻似是有著很深的記憶，一眼就認出來。

只見她微微一笑，欠身作禮，道：「蕭大哥，還認識小妹嗎？」

蕭翎站起身子，道：「南宮姑娘，身體好些嗎？」

南宮玉望了望毒手藥王一眼，道：「爹爹費盡了心機，替我找到奇藥，使我死中生還，爹爹更想把我調教成武林中一位高手，只是我太沒用了，在習武之中，不小心行岔了氣，所以，現在仍然是一無所成。」

蕭翎轉頭看去，只見毒手藥王臉上，慈情橫溢，似是南宮玉說的一番話，使他大感安慰，不由心中暗道：這毒手藥王爲人，似正似邪，本不足取，但他卻是天下最好的父親了。

只聽南宮玉接道：「蕭大俠，這一年來，你好嗎？」

蕭翎道：「浪跡江湖，四海爲家。」

南宮玉道：「啊！那你很辛苦了。」
毒手藥王哈哈一笑，道：「傻丫頭，你的蕭大俠，如今已是江湖第一位被人推崇備至，敬重異常的大俠了。」
南宮玉嫣然一笑，道：「那是當然啦，我早就瞧出蕭大俠是英雄人物！」
蕭翎尷尬一笑，道：「在下慚愧得很。」
南宮玉目光轉到商八、杜九的臉上，道：「我還記得你們叫商八、杜九。」
商八道：「不錯，姑娘記得很清楚。」
南宮玉舉手理一下鬢邊長髮，又向蕭翎行近了兩步。
毒手藥王微一擺頭，商八會意，起身說道：「大哥，小弟告便一步。」
杜九跟著起身，隨在商八身後而去。
毒手藥王道：「蕭大俠稍坐，老夫到廚下替你們準備點吃喝之物。」
蕭翎心中也明白，毒手藥王是故意留給自己和南宮玉一個談話的機會，當下便說道：「有勞老前輩了。」
眨眼間，毒手藥王、商八、杜九，都出了客室。
南宮玉緩緩在蕭翎身旁的竹椅上坐下，道：「蕭兄春風得意，名成業就，小妹心中實爲蕭兄高興。」
蕭翎苦笑一下，道：「天下英雄起而自保，在下只不過先走他們一步而已。」

南宮玉道：「爹爹說，沈木風已經伏誅，今後，蕭兄也可稍息風塵了。」
蕭翎道：「目下真相還未全明，不知沈木風是否還活在世上。」
南宮玉道：「可惜我真氣岔了經脈，否則我真想練成本領，助你一臂之力。」
室中兩人交談。
室外，毒手藥王和商八、杜九談判起來。
商八早已得宇文寒濤囑咐，胸有成竹地說道：「藥王留了一手，不肯完全療好在下大哥的傷勢，迫我們兄弟到此，不知是何用心？」
毒手藥王道：「小女對他思念甚切，常常和老夫談起蕭翎，父女情深，老夫豈忍坐視不管。」
商八道：「藥王心願得償，蕭大哥已然登門造訪，不知藥王準備如何？」
毒手藥王輕輕歎息一聲，道：「對蕭翎的爲人，老夫也對他敬服，只望你們留此三日，三日內，老夫療好蕭翎餘疾，使他神功盡復。」
商八倒是未想到他會答應得如此乾脆，不禁微微一怔，暗道：這和宇文先生的推論，倒是有很多不同之處？
心中念轉，口中說道：「藥王答允療好我家大哥餘疾，我等十分感激，但不知有何條件？」
毒手藥王道：「唉！老夫原先之意，是準備迫使蕭翎和小女成親之後，再行替他療好內傷，復他神功，但適才見小女和蕭翎一番交談，老夫又改變了主意。」
商八暗道：這就和宇文先生推斷相符了。
杜九冷冷地接道：「現在，藥王又為何改變了主意呢？」
毒手藥王道：「老夫適才見到小女雙目之中，泛起了從所未有過的光輝，那是證明了她對蕭翎的情意，深摯無比，如若老夫迫使蕭翎答應了小女的婚事，此事傳到小女耳中，定然一輩子不會快活，那豈不是反害了她嗎？她對我這位做爹爹的，也是一輩子不會原諒了，唉！兩位沒有兒女，難知天下父母心。」
商八道：「那藥王此刻，又準備如何呢？」
毒手藥王道：「借兩位之口，轉告蕭翎，要他留此三日，三日之內老夫療好他的內傷，使他恢復神功，不過，老夫也有一個條件。」
商八大為緊張地問道：「什麼條件？」
毒手藥王道：「這三日之內，要那蕭翎對小女遷就一些，我要她快快樂樂的過三天生活，小女自幼多病，一直沒有過快樂的日子，要蕭翎陪她三日，半是報答老夫救他之恩，半是對小女憐憫施捨，這條件不算苛刻吧？」
商八、杜九雖都是英雄肝膽，但目睹毒手藥王對女兒親情如斯，亦不禁大為感動。
沉吟良久，商八才歎一口氣，道：「親情無限深，商某亦不禁為之感動，我們將盡己所能，說服我家大哥，不過，三日之後呢？藥王又何以自處，南宮姑娘又將如何？」

毒手藥王道：「那是我們父女的事了，不勞諸位再多費心。」
商八仰起臉來，長長吁一口氣，道：「藥王，在下有幾句不當之言，不知該不該問？」
毒手藥王道：「兩位有什麼話，儘管請說，老夫洗耳恭聽！」
商八道：「令嬡的絕症，是否已好？」
毒手藥王點點頭，道：「好了，那是蕭翎帶老夫找到的千年石菌，療治好小女之病，只是她命運多舛，絕症獲救，竟然練真氣岔了經脈。」
商八道：「怎會如此呢？」
毒手藥王道：「這又和蕭大俠有關了。」
商八道：「怎又和在下大哥有關呢？」
毒手藥王道：「說來也許兩位不信，小女在運氣之時，老夫無意中提到了『蕭翎』二字，小女心神震動，真氣岔經。」
杜九道：「老前輩隱居於斯，但是仍似對江湖事十分留心。」
毒手藥王道：「不錯，老夫必然要知曉沈木風的活動，那沈木風把蕭翎看作第一對頭，老夫也該排名第二了，因此，老夫不得不經常注意江湖情勢，準備應付。」
商八道：「原來如此。」
毒手藥王道：「老夫自覺這番要求，不算苛刻，希望兩位能爲我完此心願，說服蕭翎。」
商八道：「藥王放心，在下自信還有這點力量，能使蕭大俠留此三日，不過……」

毒手藥王道：「不過什麼？」

商八道：「要藥王設法把令嫒引開，使我們兄弟有機會說明內情。」

毒手藥王道：「那是當然，老夫這裏謝過兩位了。」言罷，抱拳一揖。

商八、杜九急急抱拳還了一禮，道：「不敢，不敢，我等盡力而為。」

毒手藥王長長歎息一聲，緩緩轉身而去。

杜九低聲說道：「這毒手藥王是何等自負人物，江湖上不論正、邪高手，哪個不怕他三分，但他卻為一個多病的女兒，拖累得如此求人。」

商八微微一笑，道：「所以，咱們打光棍的最好，這就叫英雄氣短，兒女情長啊！」

且說毒手藥王回到客廳之後，那南宮玉正和蕭翎談得興高采烈，心中感慨萬千，輕輕歎息了一聲，道：「孩子，你該吃藥休息了，蕭大俠要在此留住甚久，你吃過藥後，再談不遲。」

南宮玉微微一笑，道：「爹爹，我的精神很好，少服一次藥也不要緊。」

毒手藥王道：「不成，你精神才剛剛好些，如是不服藥休息，病勢又要發作，那時，你再想休息療治，只怕就來不及了！」

蕭翎接道：「你爹爹說得不錯，反正在下要在此留住甚久，你病好了，咱們再談也是一樣。」

南宮玉道：「好！你一定要等我啊！」

蕭翎點點頭，道：「在下答應了，豈能不守信諾。」
南宮玉嬌羞一笑，起身行入內室。
毒手藥王望了蕭翎一眼，緊隨在南宮玉身後行入室中。
中州二賈在毒手藥王父女行入內室的同時，緩步行了進來。
商八突然快行三步，到了蕭翎的身側，低聲說道：「大哥，剛才那毒手藥王和我們說了很多話，要我轉告大哥。」
蕭翎道：「談的什麼？」
商八道：「關於他女兒的事！」
蕭翎淡淡一笑，道：「條件很苛了？」
商八道：「簡易得很，簡直出了我和杜老三的意料之外！」
蕭翎奇道：「有這等便宜的事，你們說出來給我聽聽。」
商八道：「他要大哥陪那南宮姑娘三日，三日之內，希望大哥對那南宮姑娘還就一些，讓她快快樂樂的過三天日子，然後，毒手藥王就療治好大哥的傷勢，放咱們走！」
蕭翎沉吟了一陣，道：「表面上看，這法子對咱們太優厚了，其實這法子也很惡毒。」
商八、杜九，齊齊聽得一怔，雖未出言反駁，心中卻是不服氣。
蕭翎微微一笑，道：「兩位兄弟可是心中有些不服嗎？」
商八道：「兄弟想不出惡處何在？」

蕭翎道：「每一個方法，都會因人的不同，而產生不同的後果，毒手藥王對我們很了解，所以他用最簡單的方法，使我們陷入圈套。」

商八道：「大哥年來，不但武功一日千里，就是智慧的進境，也是我等無法趕上，這幾句話雖然說得很明白，但小弟還是有些不懂。」

蕭翎道：「好吧！毒手藥王要我答允陪南宮玉姑娘三天，而且在這三天之中，還得要對她多遷就一些……」

商八接道：「是啊！難道這條件很苛嗎？」

蕭翎道：「如是這三日之後，南宮玉姑娘過得很快樂，她的病情，也有了顯著的減輕……」

商八接道：「好事情啊！大哥，咱們幫助了南宮玉姑娘，毒手藥王也醫好了大哥的傷勢，這樣一舉兩得，彼此互惠，正是大哥平日行事爲人的準則，有何不好？」

蕭翎歎息一聲，道：「兩位兄弟，短短的三日快樂生活，能使那南宮玉姑娘永遠快樂嗎？」

商八道：「這個，這個……」

蕭翎道：「南宮玉自幼臥病，她清醒的日子，屈指可數，照那毒手藥王的說法，她此刻絕症已好，真氣岔經，那是她的身體並未強健起來，三日相處，對南宮玉姑娘而言，充滿著新奇、快樂，但對小兄而言，卻加重了一重責任……」

商八接道：「我有些明白了……」

蕭翎道：「日後，那南宮玉姑娘，如是病勢有了什麼變化，咱們內心之中，都將擔負一種莫可旁貸的歉疚。」

商八道：「不錯，小弟智不及此，還望大哥多多指教。」

蕭翎淡淡一笑，道：「我和宇文先生相識之後，學會了一樁事，那就是遇事三思。」

杜九道：「大哥，可是說咱們不能答應了？」

蕭翎沉吟了一陣，道：「情債難償，小兄亦感無法決定。」

杜九道：「早知如此，應該叫宇文先生來了。」

蕭翎道：「運籌帷幄，決勝千里，宇文先生雖然是強過我們很多，這等事情，只怕宇文先生也無法決定。」

商八道：「毒手藥王還在等待我們回音，大哥決定如何，小弟也好回覆那毒手藥王。」

蕭翎道：「唉！現在只有答應一途，不過，咱們要事先把話說明。」

杜九道：「對！咱們把話說清楚，日後就算有了什麼事，咱們也好交代。」

蕭翎道：「好！你們請毒手藥王來，我要和他談談。」

商八望了內室一眼，道：「內室之中，小弟不便擅闖，咱們在廳中等一會兒就是。」

又等了約一刻工夫之久，只見毒手藥王緩步行了出來。

商八一拱手，道：「老前輩，我家蕭大哥想和老前輩談談。」

毒手藥王微一頷首，緩步行了過去。
啇八右手一擺，示意杜九，兩人一齊悄然退出客廳。
毒手藥王緩步行近蕭翎，道：「蕭大俠想和老夫談什麼？」
蕭翎道：「關於令嬡的事。」
毒手藥王道：「老夫已然告訴中州二賈，想來他們已告訴蕭大俠了。」
蕭翎道：「是的，他們已告訴了我，但其間甚多問題，只怕藥王也未曾想到，因此想和藥王當面談談！」
毒手藥王道：「有何見教，老夫洗耳恭聽！」
蕭翎道：「如若在下無法使令嬡的病好轉，老前輩等於白費這番心血，如若在下真能使令嬡心情開朗，那區區三日，轉眼即過，三日之後，令嬡豈不是……」
毒手藥王接道：「那啇八也曾經提到此事，老夫已經告訴他了，後果問題，老夫已經想到，那是我們父女的事，和你蕭大俠無關了……」
語聲一頓，目光逼注在蕭翎的臉上，又道：「我救你一命，只要你報答三日，難道這條件太苛刻了嗎？」
蕭翎輕輕歎息一聲，道：「藥王誤會在下之意了……」
毒手藥王道：「老夫沒有誤會，我有我的想法，老夫醫道敢自誇為當今第一，我自有療治小女弱病之法。」

蕭翎道：「那又何需在下陪她三日？」

毒手藥王道：「那是因爲小女一生中從未有過歡笑，我要她過三日歡笑快樂的生活，便能使她岔經真氣回歸……你把此事看作一樁善功也好，報答老夫救命之恩也好，不論如何，老夫都不顧忌，就算你對小女施捨一些憐憫，我也不在乎，因爲老夫行事，一向是笑罵由人，我自爲之。」

他說得似是極爲吃力，長長吁一口氣，又接道：「話到此處，應該是說得很明白了，蕭大俠是否答允，還望一言而決。」

蕭翎沉思了一陣，道：「這個，容在下再考慮一下，好嗎？」

毒手藥王道：「小女大約要兩個時辰，才會醒來，希望蕭大俠能在兩個時辰之內決定。」

蕭翎道：「好！兩個時辰之內，在下當給藥王一個肯定的答覆。」

毒手藥王道：「好！蕭大俠慢慢地想，老夫不打擾了。」轉身行向室外。

毒手藥王去後，商八、杜九齊齊行了回來，道：「大哥如何決定？」

蕭翎望望室外，默然不語。

商八道：「毒手藥王已然去遠，大哥只管請說不妨。」

蕭翎道：「兩位兄弟看那毒手藥王的爲人如何？」

商八道：「江湖上盛傳其名，但他依附百花山莊，被那沈木風掩去了他的鋒芒！」

蕭翎道：「我是說他的性情、智慧。」

商八道：「就小弟所知，他的智慧極高，至於性格，卻是獨行其是的人物。」

蕭翎皺皺眉頭，道：「唉！可惜宇文先生沒有來。」

商八道：「大哥覺得哪裏不對？」

蕭翎道：「如若那毒手藥王，是一個獨行其是的人，那就有些不同了。」

商八道：「大哥好像是擔心什麼事？」

蕭翎道：「不錯，我擔心一樁事，只不過，我無法確定是什麼事罷了。」

商八道：「大哥是否準備答應那毒手藥王的條件呢？」

蕭翎道：「小兄在考慮。」

商八心中大急，暗道：如若大哥拒絕了此事，不但他武功難以恢復，毒手藥王在盛怒之下，暗中施展手腳，只怕連大哥的性命也無法保全了。

心中念轉，緩緩說道：「大哥，宇文先生告訴兄弟一件事，小弟覺得，應該告訴大哥。」

蕭翎道：「什麼事？」

商八道：「宇文先生說，就目下情勢而言，那沈木風八成未死。」

蕭翎心頭一震，道：「當真嗎？」

商八道：「宇文先生這麼說，是真是假，兄弟就無法預料了。」

蕭翎歎息一聲，仰臉望著屋頂，出了一會兒神，歎道：「看來，只有冒險一試了。」

商八茫然說道：「冒什麼險？」

蕭翎道：「爲了江湖大局，只有冒險一試了。」

商八望望蕭翎，欲言又止。

原來，他想了半天，仍然想不出蕭翎這冒險一試的用意何在？

蕭翎輕輕咳了一聲，道：「你們去告訴那毒手藥王，就說我答允了。」

商八喜道：「好，小弟立刻去告訴那毒手藥王。」大步向外奔去。

蕭翎望著商八奔去的背影，回目望望杜九，輕輕歎一口氣，道：「杜兄弟，小兄預感這三日很難過，毒手藥王不計後果的性格，不知要做出什麼事，也許我要造成大錯。」

杜九奇道：「什麼大錯？」

蕭翎道：「小兄也無法預料！」

杜九道：「大哥之意，可是說那毒手藥王，會在這三日之中，施展什麼手段，對付咱們嗎？」

蕭翎搖搖頭，道：「大概不會，不過，總會有事情發生，什麼事，小兄就無法預料了。」

杜九想了半天，道：「這幾日咱們小心一些，多多戒備就是。」

蕭翎苦笑一笑，道：「戒備？如何一個戒備法呢？事情至此，只有碰咱們運氣了。」

談話之間，商八已急急奔了回來，滿臉笑容，說道：「毒手藥王說，大哥答應了，他就先替大哥療傷。」

蕭翎道：「他怎麼說？」

商八道：「我轉達大哥之言，答允了他，他說，一個時辰後，就替大哥療傷，十二個時辰內，大哥就可以盡復神功。」

蕭翎道：「當真嗎？」

商八道：「毒手藥王這樣講，小弟是原話轉告。」

蕭翎道：「我答應留此三天，陪那南宮玉姑娘，你們也要同我留在這裏，而且要隨……」

他本想說，你們要緊隨我身邊，不能離開一步，說了一半，瞥見毒手藥王神情嚴肅地站在大門口，只好忍下不言。

只見毒手藥王大步行了過來，肅然地說：「蕭大俠，老夫想在小女還未醒來之前，先療治蕭大俠的傷。」

蕭翎道：「令嫒要幾時醒來？」

毒手藥王道：「兩個時辰之內！」

蕭翎道：「只這一點時間夠嗎？」

毒手藥王道：「就老夫醫道而言，用一個時辰爲人療傷治病，那已算得很久時間了。」

蕭翎道：「如何一個醫治法？」

毒手藥王道：「老夫也正想對蕭大俠說明，你兩處穴脈的交接關頭，爲人所傷，如若使用藥物，和推拿法，需要一段很漫長的時間，少則三月，多則一年……」

蕭翎接道：「在下希望傷勢早些好，好得愈快愈好。」

毒手藥王道：「老夫也這麼想，所以，決定用金針過穴之法，使你早些恢復武功。」

蕭翎道：「如若使用金針過穴之法，要多久時間……」

毒手藥王哈哈一笑，接道：「大約十二個時辰可使你真氣暢通，不過……」

蕭翎道：「不過什麼？」

毒手藥王道：「你要全心全意地相信老夫，需知那金針過穴之法，落針認穴，不得有毫釐之差，如是你心中對老夫稍有畏懼，抑或老夫落針時，你身軀稍有移動，就可能造成大錯、大恨。」

蕭翎微微一笑，道：「在下對藥王的醫道，敬佩異常，豈有不信之理。」

毒手藥王道：「那很好，咱們立刻開始療傷。」

蕭翎點點頭，道：「好！」緩緩站起身子。

毒手藥王道：「隨老夫來。」

緩步行入一間靜室。

蕭翎、商八、杜九，魚貫隨入。

只見靜室中佈置得極爲簡單，一榻一桌，兩張竹椅，另外再無他物。

木榻上，鋪著雪白的褥子，異常潔淨。

毒手藥王指指木榻，道：「蕭大俠請躺在榻上。」

蕭翎依言躺上木榻，毒手藥王探手從懷中取出一個羊皮夾子，打開皮夾，取出四支長逾四寸的金針，道：「蕭大俠請閉上雙目。」

蕭翎依言閉上眼睛。

但覺兩處穴道一麻，暈了過去。

不知過去了多少時間，醒來時，只見室中火燭融融，已是入夜時分。

毒手藥王、中州二賈，都已不在室中，只有長髮披肩的南宮玉，靜靜地坐在榻前。

蕭翎掙扎欲起，卻為南宮玉伸手攔住，道：「不要動，爹爹說，你還再須兩個時辰，才能夠下地走動。」

蕭翎道：「你爹爹呢，哪裏去了？」

南宮玉道：「他和你兩位兄弟一起出去了。」

蕭翎「啊」了一聲，暗道：是了，大約毒手藥王已讓我履行承諾，陪他女兒三日。想到自己已經答允，心裏反而鎮靜，微微一笑，道：「你現在身體好些了？」

南宮玉玉手一掠長髮，微微一笑，道：「已經好些了，我如不是運功岔氣，此刻應該是更好一些了。」

語聲一頓，急急接道：「我忘記告訴你了，此刻千萬不能運氣，還得再過上兩個時辰，服過藥物才行。」

蕭翎點點頭，道：「多謝姑娘指教！」

南宮玉伸出纖細的玉指，指著屋角處一座丹爐，丹爐中冒著藍色的火焰。那燃燒的火焰，非木非炭，似是一種很特殊物質，不見一點煙氣。

丹爐上，放著一個砂鍋，鍋中卻不知放的是何物。

但聞南宮玉笑道：「爹爹說，這藥物對你的幫助很大，但它必須要適度的火候，熬煮六個時辰以上才能服用，爹爹調整好丹爐火候，就和你那兩位朋友離去，他說爐火自熄之後，就可以服用鍋中的藥物了。」

蕭翎點點頭，道：「多謝姑娘，但姑娘的身體尚未復元，不宜多所停留，在下既已醒來，姑娘可以休息去了。」

南宮玉嫣然一笑，道：「我坐這裏，一點也不覺累。」

蕭翎一皺眉頭，道：「但你身體不好，萬一累著了，在下不是罪大惡極嗎？」

南宮玉道：「不要緊，我從來只有自己吃藥，沒有看到過別人吃藥的樣子，今日看看你吃藥的情形和我有何不同。」

蕭翎聽得忍俊不住，嗤的一笑，道：「吃藥有什麼好看，還不都是一樣。」

南宮玉道：「我想定然不會一樣，唉，我吃藥太多了，十幾年來，幾乎全靠藥物維持生命。」

蕭翎點點頭，道：「我知道你很苦，但你現在好多了，你要好好地愛惜自己才對……」

南宮玉接道：「你又想勸我休息嗎？」

蕭翎道：「是的，就姑娘而言，實是不宜太過勞累。」
南宮玉道：「好吧！等你吃完了藥，我就去休息。」
蕭翎道：「要多長時間？」
南宮玉道：「總還要一個時辰多些。」
蕭翎搖搖頭，道：「不行，太久了，你的身體，如何能夠支撐下去呢？」
南宮玉道：「不行也得行啊！」
蕭翎道：「爲什麼？」
南宮玉道：「因爲那砂鍋之中，除了替你煮的藥物之外，還有我的藥物。」
蕭翎道：「原來如此。」
南宮玉道：「蕭大俠，聽說你這些日子南征北戰，走了很多地方？」
蕭翎點點頭，道：「深山大澤，和甚多城鎮。」
南宮玉道：「那一定看了很多不同的風光，是嗎？」
她終日纏綿病榻，既少接觸事物，又毫無見識。
雖然，她很想用心地和蕭翎談些事情，但一直不知該說些什麼才對。
蕭翎也了解她的心情和境遇，雖然她說的盡都是無味的事，也裝出一副樂與聽聞的姿態，和她聊個沒完。
他擔心她說話太多累著了，有時，不得不搶著說些話來，以讓南宮玉多休息。

南宮玉談興甚深，大約是精神太過興奮之故，是以，看不出一點倦容。

不覺間，過去了一個時辰之久。

爐中那藍色的火焰，突然熄去。

南宮玉緩緩由座椅中站起身子，道：「我去拿藥去。」

蕭翎道：「姑娘請坐，在下去拿也是一樣。」

南宮玉道：「不行，我爹爹說，你在未服用藥物之前，不能隨便行動。」

蕭翎微微一怔，暗道：她決然不會騙我，只好躺著不動。

南宮玉行近丹爐，打開鍋蓋，取出一碗藥物，雙手捧著，小心翼翼地行到蕭翎榻前，道：「不知道苦不苦，你自己服用下去。」

蕭翎接著藥碗，凝目望去，只見碗中藥物，是淺碧色的濃汁。一股清香，直撲鼻中，心中暗道：這藥物聞來甚香，想來是不致很苦了。心中念轉，舉碗一口氣喝乾。

南宮玉微微一笑，接過藥碗，道：「苦不苦。」

蕭翎道：「不苦。」

南宮玉放下藥碗，又從丹爐中取出一碗藥物，自行服下，緩步走回木榻。轉目望去，只見蕭翎微閉起雙目，前胸起伏不定，不禁心頭大駭，急急問道：「蕭大哥，你怎麼啦？」

蕭翎雙目怒睜，冷冷說道：「令尊留下的是什麼藥物？」

南宮玉已聽出蕭翎的口氣不對，神情間微現驚怯，道：「我不知道，藥物不對嗎？」

她身體本來就虛弱不堪，此刻心中驚怯，更顯得楚楚可憐，惹人惜愛。

蕭翎突然閉上雙目，道：「南宮玉姑娘，在下已覺出了這藥物有些不對，姑娘請趕快走避開去，好嗎？」

南宮玉道：「唉！那是爹爹在藥物中下毒了……」

搖搖頭接道：「我不明白爹爹，何以要在藥物中下毒，他大概不知道，毒死了你，他也將嘗到老而喪女的悲痛……

「人人活在世上，都有甜有苦，縱然是苦長樂短，但他總還有樂的時候，只有我活在世上，永遠是在痛苦之中生活……

「我早就不想活了，但卻又不忍心拋下他一個孤苦伶仃的老人，想不到，他竟然忍心對我唯一的朋友下毒。」

蕭翎緩緩說道：「姑娘把在下看成朋友嗎？」

南宮玉道：「我知道我不配，但你是我除了爸爸之外，唯一認識，而留有印象的人，不論你心裏怎麼想，我都將把你看成我的朋友。」

蕭翎輕歎一聲，道：「我知道，姑娘，請離開此地，好嗎？」

南宮玉道：「你要我到哪裏去呢？」

蕭翎道：「離這裏越遠越好，記著出門時，把門鎖起來。」

南宮玉轉目望去，只見蕭翎的臉上，泛起了兩片紅暈，心中更是震駭，暗道：糟了，我爹爹施放之毒，只怕很重，他的臉都燒紅了。

心中念轉，伸手向蕭翎的頭上按去。

手指觸及了蕭翎肌膚，頓覺一陣滾燙。

只聽蕭翎大聲喝道：「拿開去。」

南宮玉駭得向後退了三步，呆呆地望著蕭翎。

但見蕭翎圓睜的雙目中，佈滿了血絲，再加上如火雙頰，神情間，顯得十分可怖。

南宮玉舉手理一下垂肩長髮，低聲說道：「蕭大哥，你這話，不是說得很奇怪嗎？你千里迢迢跑來看我，我怎能在爹爹對你下毒之後，離開這裏。」

蕭翎怒聲喝道：「快退出去。」

南宮玉柔聲說道：「蕭大哥，你心中很難過嗎？」

蕭翎舉手揮動，道：「快出去……」

突然間，揮動的手指，觸在南宮玉的前胸之上。

原來，那南宮玉看到了蕭翎揮動雙手，竟然是不退反進，直向蕭翎行了過來。

蕭翎的手指已和南宮玉前胸相觸，不禁心神一震。

極力控制著一種反常情緒的防線，突然崩潰了。

南宮玉在蕭翎手指撞及前胸時，也突然生出了一種異樣的感覺。
頓然，停下了腳步。
兩個人同時抬頭望去，四目交投。
只見蕭翎目中奇光閃動，緩緩伸出了右手。
嬌弱的南宮玉，毫無懼怯逃避之意，反而伸出手去，讓蕭翎抓住自己的左腕。
蕭翎輕輕一帶，掩去了蕭翎的人性，也激起了一種原始、本能的獸性瘋狂。
狂熱的風暴過後，一切重歸沉寂。
嬌弱的南宮玉，似是忽然間變得堅強起來。
只見她掙扎而起，望了望熟睡的蕭翎，悄然起身，隨手撿起了被蕭翎撕裂的衣服。
不知是毒手藥王留的藥物之力，或者是大變之後，激起南宮玉生命的潛力，她舉手理一下散亂的長髮，緩步行回自己的臥室，選一套心中最爲喜愛的水綠衫裙，用綠紗結起長髮，又重行回到蕭翎甜睡的丹室。
她長長吁一口氣，收拾一下零亂的衣物，使一切都恢復了原有形狀。
久臥病榻的南宮玉，從來未曾注意自己的容貌，這一次卻特地找出一面銅鏡，刻意修飾一番，輕輕把椅兒移到了蕭翎的木榻前面，望著甜睡未醒，使自己醉心的情郎呆呆出神。
蕭翎長久甜睡不醒，使南宮玉有著很足夠的時間，收拾去痕跡和零亂之物。
不知過去了多少時間，才聽得蕭翎長長吁一口氣，睜開雙目。

南宮玉盡量保持著神情的平靜，微微一笑，道：「你醒了？」

蕭翎眨動一下雙目，盯注在南宮玉臉上瞧著。

南宮玉被蕭翎兩道銳利的目光，看得心中怦怦亂跳，故作輕鬆地嫣然一笑，道：「你這樣瞧著我幹什麼？可是不認識了嗎？」

蕭翎神情嚴肅，緩緩說道：「南宮姑娘，發生了什麼事情？」

南宮玉道：「沒有啊！你睡得很甜，我擔心爹爹對你施毒，所以一直坐在這裏守著你。」

蕭翎搖搖頭，道：「姑娘，一定發生了事情，令尊的藥物，使我的記憶有一些模糊不清。」

南宮玉道：「大概我爹爹留下的藥物，使你神智有些迷亂，這室中只有咱們兩個人啊！如若發生什麼事，我怎會不知道呢？」

蕭翎望望南宮玉，道：「你換了衣服。」

南宮玉道：「是啊！」

蕭翎突然坐起了身子，目光轉動，四下望了一陣，自言自語地說道：「奇怪啊！奇怪！」

南宮玉道：「奇怪什麼？」

蕭翎不理南宮玉的問話，仍是自言自語地接道：「難道我是在作夢嗎？」

南宮玉笑道：「嗯！你一定是在作夢了，我大部時間都守在這裏，會發生什麼事呢？」

蕭翎被南宮玉說得有些茫然不解，一皺眉，道：「你好嗎？」

南宮玉道：「我不是坐在你的身邊嗎？哪裏不好了？」

蕭翎道：「我沒有欺侮你嗎？」

南宮玉搖搖頭，道：「沒有，你沒有欺侮我。」

蕭翎茫然地說道：「這就奇怪了，我記得清清楚楚，這決然不會是夢了。」

南宮玉道：「你是在作夢，如是你欺侮了我，我怎會不知道呢？」

蕭翎看她說得十分堅決，心中亦不禁動搖起來，暗道：難道這又和毒手藥王留下的藥物有關不成？那藥物使人神智迷亂，意識飄蕩，胡思亂想，如夢如幻。

仔細查看，只覺一切都像無事般，於是心情逐漸地鎮定下來。

但那經歷之事，太真實了，心中仍是難消疑慮，緩緩說道：「姑娘，在下服過那藥物之後，情況如何？」

南宮玉微微一笑，道：「你服過藥物之後，神智好像很狂亂，一疊聲攆我出去。」

蕭翎點點頭，道：「這個在下知道，以後呢？」

南宮玉道：「以後你伸手抓住我……」

蕭翎神情緊張地接道：「不錯，不錯，我也記得很清楚，以後，我就把你拖上木榻。」

南宮玉搖頭，道：「沒有，也許你心中有此意識，但你卻很快地熟睡了過去。」

蕭翎長長吁一口氣，道：「當真嗎？」

南宮玉道：「自然是當真了，我看你睡熟了，就離開此地，去換過衣服，守在此地，直到你清醒過來！」

蕭翎圓睜星目，望著屋頂出神，顯然，他對南宮玉的話，仍然有些存疑。

南宮玉一直暗中留心著蕭翎的神情，看他心中仍有懷疑，立時接口說道：「我聽爹爹說過，他配有一種藥物，可以把人引入一種空幻、狂想的境界，使受傷人完全忘去了自己，據爹爹說，這是一種很高的療傷之法。」

蕭翎啊了一聲，心中的存疑，消減了甚多。

南宮玉舉手理一下鬢邊的散髮，接道：「不要胡思亂想啦，倒是你應該運氣試試，內腑的傷勢，是否已經好轉。」

蕭翎應了一聲，道：「姑娘說得是。」

立時盤膝而坐，閉上雙目，運氣調息。

但覺真氣暢通，內腑傷勢似是已經完全復元。

南宮玉看蕭翎運氣均勻，漸入忘我之境，心知他傷勢已好，當下悄然退了出去。

待蕭翎運氣醒來，南宮玉已經備好飯菜，笑道：「蕭大俠，吃飯啦。」

蕭翎道：「這茅舍中還有什麼人？」

南宮玉道：「爹爹和你兩位兄弟都未回來，茅舍中，只有我們兩個人！」

蕭翎道：「那是你做的飯了？」

南宮玉道：「嗯！初次嘗試，只怕你難以下嚥。」

蕭翎道：「你的身體不好，怎能自己下廚。」

南宮玉道：「我也這樣擔心啊！但我竟然能夠支持著下廚，這裏備有魚、肉，只要我動手煮熟就成，只是，我從未下過廚房，不知道做出來的菜，是否能吃。」

蕭翎微笑道：「那真是苦了你啦，你應該叫我下廚才是。」

口中說話，人卻下了木榻。

南宮玉道：「聽爹爹說，你現在已經是武林中大名鼎鼎的英雄人物，如何能夠做得廚房中事，我雖然身體壞些，但究竟是女人啊！」

轉身向外行去。

蕭翎緊隨南宮玉的身後，行入了飯廳之中。

只見木桌上擺著四盤菜肴，熱氣還蒸蒸上騰。

兩人對坐而食，菜餚雖不可口，但蕭翎卻筷不停手，一餐飯畢，四盤菜餚吃得盤底朝天。

蕭翎放下筷子，道：「菜燒得很好，但你一定很累了，應該休息一下。」

南宮玉微微一笑，道：「說來也真奇怪，自從你到此之後，我的精神好像振奮起來，一點也不覺得累。」

蕭翎道：「這很奇怪啊！」

南宮玉微微一笑，道：「我想到一點奇怪的道理，不知道對是不對。」

蕭翎道：「什麼道理？」

南宮玉道：「我的病早已好了，只是身體太虛弱，爹爹這樣告訴我，我也這樣想，所以，我總是覺得自己不能勞動，也不能做事，其實，做起來還不是一樣？」

蕭翎微微一笑，道：「也許有些道理，但總是不能太過勞累的。」

南宮玉道：「好，我洗了碗筷，就去休息，你先到前廳裏坐吧！」

她言語溫柔，頗有自居爲妻的味道。

蕭翎想到答應毒手藥王的約言，三日之中，盡量使她快樂，當下微微一笑，起身而去。

五三　情深似海

三日時光，匆匆而過。

嬌弱多病的南宮玉，在歡愉的生活中，精神振奮，睡眠甚少。

蕭翎力行承諾，處處依她的心意，山前賞花，庭前對月，對她極盡愛護、惜憐。

南宮玉更是極盡溫柔，始終不肯把心中的隱秘，告訴蕭翎，而且每當蕭翎提到那日的可疑往事時，南宮玉又總是一口否認。

在南宮玉堅決的否認之下，蕭翎漸漸相信起來，感到也許真是毒手藥王留下藥物促起的幻想，使自己一直懷疑，鑄下了大恨大錯的事。

但每當他獨坐靜思時，那歷歷如繪的經過，那初試雲雨的奇特感受，都有著清晰的記憶，又覺得，不可能是藥物促起的幻念。

毒手藥王倒是言而有信，第四日清晨時分，和中州二賈，同時歸來。

商八、杜九，這三日中，一直在爲蕭翎擔心，不知毒手藥王是否會在遺留的藥物中，加害蕭翎，及見得蕭翎無恙，才放開心中之慮。

毒手藥王望望愛女，又望望蕭翎，才哈哈一笑，道：「蕭大俠，這幾日來，有勞蕭大俠照顧小女了。」

蕭翎搖頭笑道：「說來慚愧得很，這幾日中，倒是偏勞令嬡照顧在下了。」

毒手藥王奇道：「當真嗎？」

蕭翎道：「不錯，在下幾時說過謊言了。」

南宮玉微微一笑，道：「爹爹啊！女兒在這幾天中，學會了下廚做食。」

毒手藥王一伸大拇指，道：「了不得……」

南宮玉扭揑一笑，接道：「以後，用不著爹爹再下廚爲我做飯吃了。」

毒手藥王呵呵大笑，道：「好，以後讓爲父嘗嘗女兒的手藝了。」

南宮玉道：「不過，我燒的菜很難吃。」

毒手藥王哈哈一笑，道：「毒手藥王女兒燒的菜，自然是不會錯了……」

笑聲突斂，黯然一歎，道：「孩子，蕭大俠今日就要走了，你知道嗎？」

南宮玉點點頭，道：「我知道！爹要他陪我三天，如今期限已滿了。」

毒手藥王道：「蕭大俠都告訴你了？」

南宮玉搖搖頭，道：「沒有。」

毒手藥王道：「那你怎會知道？」

南宮玉道：「你的女兒，自然也該有她爹爹的才慧啊！」

毒手藥王呆了一呆，道：「不錯，不錯。」

目光轉到蕭翎的臉上，道：「蕭大俠準備幾時動身？」

蕭翎望了南宮玉一眼，道：「如是南宮姑娘不反對，在下想立時動身。」

毒手藥王道：「孩子，蕭翎既然問你了，你就據實說吧！」

南宮玉眨了一下圓圓的大眼，道：「讓他走吧！」

毒手藥王雙目盯在南宮玉的臉上，瞧了又瞧，道：「孩子，你這是由衷之言嗎？」

南宮玉道：「是的，女兒是由衷之言……」

目光轉到蕭翎的臉上，接道：「我就算能夠多留你一天，你明天也是要走，是嗎？」

蕭翎點點頭，道：「不錯。」

南宮玉微微一笑，道：「你急於離此，定然是有很重要的事情要辦，多留你一日，你心中一定很不安。」

蕭翎輕輕歎息一聲，默然無言。

南宮玉目光轉到毒手藥王的臉上，接道：「爹爹啊！送他們上路吧！」

毒手藥王道：「孩子，你再仔細想想看，現在還來得及改口。」

南宮玉道：「爹爹一世英雄，你的女兒怎能夠說了不算。」

毒手藥王苦笑一下，道：「說得是，說得是。」

轉身對蕭翎等一拱手，道：「三位慢走，恕老夫不遠送了。」

南宮玉突然轉身，快步向房中行去。
蕭翎道：「姑娘止步。」
南宮玉停下腳步，緩緩回過頭來，道：「什麼事？」
蕭翎道：「在下想和姑娘說幾句私人之言。」
南宮玉道：「這幾日來，咱們終日相處，要說的話，都已經說完了，還有什麼好說的呢？」
蕭翎道：「唉！蕭翎此番告別，後會何日，很難預料，三日相處，承姑娘諸多照顧……」
南宮玉接道：「好吧！有話到我房裏說，我很累了，需要休息。」緩步行入房中。
蕭翎回顧了毒手藥王一眼，道：「在下和令嬡說幾句告別之言，不知藥王是否見允？」
毒手藥王道：「小女如是答應了，老夫自無不允之理。」
蕭翎一抱拳，緊追南宮玉行入房中，低聲說道：「姑娘，臨別之前，在下還想請教一事……」接著又道：「在下總覺誤欺侮了姑娘……」
南宮玉臉色一整，冷冷說道：「這幾日中，你已經提過了無數次，我不知你是何用心？」
蕭翎道：「在下言出肺腑，如是我蕭翎做錯了什麼事，我蕭某絕不逃避……」
南宮玉冷笑一聲，接道：「你沒有錯啊，你知道一個女孩子的貞操、名節，對她是重逾生死，你怎能輕易破壞呢？」
蕭翎呆了一呆，欠身說道：「姑娘說得是了。」

南宮玉道：「我很感激你和我相處三日，不論你爲什麼留此三日，但對我太重要了，你使我生命中潛力迸發，勇敢地面對人生。過去，我只想死，現在我卻很想活下去。」

蕭翎道：「姑娘如此說，在下就放心了。」

南宮玉道：「你放心地走吧，咱們若有緣，上天自會替咱們，安排再見的機會。」

蕭翎一抱拳，道：「姑娘保重，在下去了！」

南宮玉道：「我身體不好，恕不相送了。」

蕭翎道：「不敢有勞。」轉身大步向外行去。

中州二賈已在廳門口處相候，見蕭翎大步而出，立時低聲問道：「大哥的傷勢好了嗎？」

蕭翎道：「好了，咱們上路吧！」

中州二賈轉身對毒手藥王一抱拳，道：「藥王盛情款待，咱們兄弟感激不盡，餘情後報，就此別過了！」

毒手藥王一揮手，道：「老夫不送。」

大步向女兒房中行去。

顯然，他心中有著重重的疑問，希望能從南宮玉的口中問出一點內情。

蕭翎在中州二賈擁護下，出了茅舍。

他雖早覺真氣已癒，只是這幾日一直和那南宮玉守在一起，沒有機會試驗拳腳，此刻既有機會，立時放腿向前奔去。

中州二賈也放腿疾追。

蕭翎一口氣奔行了十餘里，回首已不見中州二賈，才停下腳步休息。

足足過了一刻工夫之久，才見中州二賈喘著跑上來。

商八道：「恭喜大哥神功盡復。」

蕭翎突然想起南宮玉來，長長嘆息一聲，默然不語。

商八、杜九目睹蕭翎臉色一片沉重，是以也不敢再多言接口，相互望了一眼，緊隨在蕭翎的身後而行。

由晨至暮，蕭翎一直微鎖劍眉，一語不發，太陽下山時分，三人已出了九宮山，到了一片客棧打尖。

商八忍了又忍，仍是忍耐不住，說道：「大哥，你有心事？」

蕭翎苦笑一下，道：「不錯，我一直在懷疑一件事。」

商八道：「懷疑什麼？」

蕭翎怔了一怔，半晌說不出話來。

原來他三思之後覺著茲事體大，不便輕易告人，只好搖搖頭，道：「或許小兄多慮了。」

蕭翎這不著邊際之言，只聽得商八、杜九，相顧茫然。
商八輕輕咳了一聲，道：「大哥，你在說些什麼？」
蕭翎答非所問地道：「咱們如若兼程而進，幾時可以趕到長沙？」
商八道：「一路奔走，總還要二日夜的時光。」
蕭翎道：「兩兄弟累不累？」
商八道：「不累。」
蕭翎道：「好！夜間行人稀少，咱們可以放腿奔走，不知兩位兄弟意下如何？」
商八道：「好啊！」
當先放腿向前奔去，蕭翎放步疾追。
三個人施展開輕功提縱法，一路急奔。
這一陣奔行，疾逾閃電，直跑得中州二賈氣喘如牛，蕭翎才放緩腳步。
三人兼程急趕，不一日就回到了長沙。
這時，雲集的天下英雄，大都已散去，只有宇文寒濤和馬文飛、楚崑山、司馬乾、唐元奇、陸魁章等一班人，還留在那裏等候蕭翎。
群豪迎蕭翎行入一座靜室。
馬文飛當先問道：「兄弟，病勢如何？」
蕭翎一抱拳，道：「多承諸位關心，兄弟病勢已癒。」

馬文飛道：「這毒手藥王的爲人雖不算正派，但他的醫道當真是曠絕古今，天下第一。」
宇文寒濤道：「蕭大俠，天下英雄大都已分批出動，追殺那百花山莊的餘孽，希望能不再勞動蕭大俠。」
蕭翎神情嚴肅，望著宇文寒濤緩緩問道：「孫老前輩呢？」
宇文寒濤道：「孫老前輩協同那丐幫幫主同出，臨去之際，曾告訴在下，要你等他回來，他多則七日，少則三天，定可趕回！」
蕭翎道：「百里冰呢？」
宇文寒濤道：「百里姑娘告訴在下，她練一種武功，要靜坐七日，不能受任何干擾，因此，兄弟替她闢了一處靜室，並爲她布下了重重的防範。」
蕭翎點點頭，道：「宇文兄的思慮，總是周密得很。」
宇文寒濤目睹蕭翎，微微一笑，道：「蕭大俠也似是更上一層樓了。」
兩人對答之言，在場之人，大都聽不明白，但蕭翎和宇文寒濤，卻是心照不宣。
原來，蕭翎讚揚宇文寒濤的思慮周密，並非是說他爲那百里冰布下了重重的防範，而讚揚不肯說出百里冰靜坐之處。
馬文飛起身說道：「蕭兄弟千里趕回，想必已甚爲疲累，好好休息一下，明日小兄設宴，爲蕭兄弟慶賀。」
蕭翎道：「多謝諸位兄台。」

群豪紛紛告退而去。

蕭翎低聲說道：「宇文兄，請留住片刻，兄弟還有事請教。」

宇文寒濤依言留步，其他群豪卻紛紛告退，連中州二賈也退出了靜室。

靜室中，只餘下宇文寒濤和蕭翎兩人。

蕭翎目光轉注到宇文寒濤的臉上，緩緩說道：「宇文兄，沈木風是否已死？」

宇文寒濤搖搖頭，道：「照兄弟的看法，他沒有死，他雖能逃得性命，但已受了重傷，然就事推論，他必須有一段不短時間的療養，在此一期間，他就無法指揮屬下的行動，因此，在下才和各大門派的掌門人研商，分頭追殺百花山莊的屬下，以免這一股龐大、邪惡的勢力，死灰復燃，如若百花山莊中的餘孽黨徒，全部被殺之後，那沈木風縱然重出江湖，但他死黨餘孽，全都死亡，一個人武功再強，也難以有所作爲了。」

蕭翎點點頭，道：「沈木風的事，暫時不用談了，兄弟別有一事，向宇文兄請教。」

宇文寒濤似是感覺到事情很嚴重，沉吟了一陣，道：「蕭大俠什麼事？」

蕭翎滿臉嚴肅地道：「宇文兄，請仔細瞧瞧在下，和上九宮山以前，有何不同之處？」

宇文寒濤仔細在蕭翎的臉上瞧了一陣，道：「蕭大俠和過去並無不同之處。」

蕭翎淡淡一笑，道：「毒手藥王替我療傷時，從中又暗下毒手，要不然，他不會只在短短一日工夫中，就療好我的傷勢。」

宇文寒濤道：「這話可從兩方面說，往好處說是，他在療傷時留了一半，故意不把你傷勢完全療好，自然，也可能是他暗中又下了毒手。」
蕭翎道：「毒手藥王先用金針過穴之法，把我傷勢療好，然後，就和中州二賈一齊離開他去，留下了兄弟和南宮姑娘。」
宇文寒濤神情嚴肅地點點頭，默然不語。
蕭翎不聞宇文寒濤回答之言，接口說道：「南宮玉替我拿了一碗煎好的藥吃……」
話到此處，突然頓住，雙目盯注宇文寒濤臉上瞧著。
宇文寒濤輕輕咳了一聲，道：「吃了那藥物之後，有些什麼反應？」
蕭翎道：「吃了那碗藥之後，人好像陷入暈迷之中，像做了一場惡夢。」
宇文寒濤道：「醒了之後呢？」
蕭翎道：「記憶猶新。」
宇文寒濤道：「記憶什麼呢？」
蕭翎道：「好像和南宮姑娘有關。」
宇文寒濤凝目沉思了良久，道：「蕭大俠，你可是覺得自己做了什麼錯事？」
蕭翎道：「是的，我覺得做了一件很大的錯事！」
宇文寒濤道：「南宮姑娘說些什麼？」
蕭翎道：「南宮姑娘一口否認，她說並沒有發生過一點事情。」
宇文寒濤沉吟了一陣，道：「南宮姑娘既然否認，想來不會有什麼事了。」

蕭翎道：「但在下卻記憶得十分清楚。」

宇文寒濤道：「這件事情，在下未見到南宮姑娘之前，此事難下斷語。」

蕭翎道：「這麼說來，宇文兄還要到九宮山一行了？」

宇文寒濤道：「那倒不用了。」

蕭翎道：「你若不去，又如何能夠見到南宮姑娘呢？」

宇文寒濤道：「這些事情，毒手藥王定比在下更留心了，如是真的發生了什麼事情，南宮姑娘放你走，毒手藥王也不會放你走了。」

蕭翎點點頭，道：「宇文兄說得也有道理。」

宇文寒濤站起身子，道：「蕭大俠還有什麼事嗎？」

蕭翎道：「沒有事了。」

宇文寒濤道：「蕭大俠先行休息一下，過一陣子在下再來帶蕭大俠一起去看百里姑娘。」

蕭翎點點頭：「在下不送了。」

宇文寒濤一抱拳，退出靜室。

但他未自回房，卻直奔中州二賈的住處。

商八和杜九正在低聲談話，似是討論一樁很機密的事情，目睹宇文寒濤進門，雙雙起身，說道：「宇文先生，蕭大俠和你談些什麼？」

宇文寒濤道：「正是在下要和兩位商量的事。」

商八道：「什麼事？」

宇文寒濤隨手掩上房門，緩緩說道：「請兩位把九宮山中發生的事，告訴在下，愈是詳細愈好。」

商八略一沉吟，道：「好！」

當下把九宮山中所遇之事，很仔細地說了一遍。

宇文寒濤聽得很用心，聽完後緩緩站起身子，道：「在下知道了，兩位請好好休息吧！」

商八一皺眉頭，道：「宇文兄，我家蕭大哥和你談些什麼？宇文兄把經過之情問得如此詳細，想來必有原因了。」

宇文寒濤略一沉吟，笑道：「蕭大俠懷疑他在九宮山中，造下了什麼大恨大錯的事。」

商八一皺眉頭，道：「可能嗎？」

宇文寒濤道：「照在下的看法，大有可能。」

商八道：「不管如何，這似乎是毒手藥王有意的安排。」

宇文寒濤道：「兩位只管安心休息，希望以後不要再提起九宮山中的事。」

商八點頭道：「好！我等記下就是。」

宇文寒濤離開了商八和杜九的臥房，心中愁慮更深了，就蕭翎和中州二賈所言，他心中已經有所了然。

蕭翎在九宮山中，十、九鑄下大錯，心中不解的是，毒手藥王爲何要做此安排？

毒手藥王愛女情深，天下英雄無不知曉，他不肯在江湖上逐鹿爭霸，大部原因都是被那位多病的女兒拖住了，難道他設計在陷害自己的女兒不成？

還有那南宮玉，一個終年纏綿病榻的少女，怎肯甘心受此屈辱，而不作片言抗議，反而挺身消滅去所有能留下的痕跡，巧言遮蓋，使蕭翎誤信身歷夢境，果真如斯，這位多病的姑娘真是人世間最重情愛的人。

一向多智的宇文寒濤，對此事，卻也想不出一個妥善的辦法。

照毒手藥王平日爲人，絕不會眼看愛女吃大虧，而不作報復，此事，不發作也還罷了，一旦發作，必將是石破天驚，使武林一代奇俠，滿懷正義的蕭翎，跌入萬丈深淵之中。

在自己和中州二賈嚴密防護之下，毒手藥王縱然有過人之能，也未必能殺了蕭翎，但這殘酷的精神打擊，定然使蕭翎心灰意懶，自責自咎，生生地毀去一代奇人。

只覺各種事端，紛至遝來，湧上心頭，苦苦思索，難得良策。

一宵易過，次晨，天色一亮，蕭翎竟然親來宇文寒濤住宿之室造訪。

宇文寒濤開啓房門，迎蕭翎進入室中，笑道：「蕭大俠起得好早。」

蕭翎淡淡一笑，道：「驚擾宇文兄的好夢了。」

宇文寒濤道：「在下也起床好久了。」
蕭翎道：「有勞宇文兄，帶在下去瞧瞧百里姑娘。」
宇文寒濤笑道：「在下忘懷了此事，倒有勞蕭大俠親來相問，咱們立刻就去。」
原來，宇文寒濤一直在思索南宮玉的事情，忘了帶蕭翎去探望那百里冰了。
宇文寒濤站起身子，道：「在下帶路。」
大步向前行去。
蕭翎緊隨身後，宇文寒濤帶蕭翎行入了一後園之中。
這是座很廣大的花園，但因少人打掃，長滿了亂草。
宇文寒濤伸手往那花園正中一座破爛的瓦舍一指，緩緩說道：「百里姑娘就在破爛瓦舍之中，蕭大俠想不到吧！」
蕭翎一皺眉頭，道：「這地方雖然出人意外，但她練功期間，神馳物外，萬一有人入侵，她如何能夠防到外來的襲擊呢？」
宇文寒濤笑道：「在下已經有了佈置，不勞蕭大俠費心。」
蕭翎道：「什麼佈置？」
宇文寒濤高舉雙手，互擊三掌，但見人影閃動，花園亂草之中，突然現身四個勁裝大漢。
蕭翎微微一笑，道：「很嚴密。」
宇文寒濤揮揮手，那四人又隱入了草叢之中。

宇文寒濤笑對蕭翎道：「這四人並不知舍中是百里姑娘，我只是要他們嚴密監視著瓦舍，除我之外，其他人一律擋駕，白晝隱在亂草叢中，夜晚時相互來往梭巡，在下每夜，也來查看幾次。」

蕭翎道：「宇文兄安排實在周密。」

宇文寒濤道：「蕭大俠過獎了。」

蕭翎緩步向瓦舍行去，雙手托著破舊的木門，輕輕推開。

只見瓦舍一角，鋪著一條白色的棉被，那百里冰正盤膝坐在棉被之上，雙手交叉，放在膝上，前胸起伏不定，似是正在運氣。

宇文寒濤輕輕掩上木門，和蕭翎並肩而立，望著百里冰。

兩人站了足足半個時辰，才見百里冰緩緩睜開雙目。

百里冰眨動了一下大眼睛，一躍而起，撲向蕭翎，道：「大哥幾時回來的？」

蕭翎雙手伸出，輕輕托住了百里冰的嬌軀，笑道：「冰兒，你剛剛坐息完畢，不可跳躍太烈。」

百里冰望了宇文寒濤一眼，羞赧一笑，道：「宇文先生見笑了。」

宇文寒濤道：「蕭大俠昨夜歸來就問起姑娘，在下怕驚擾你練功，今晨才來看你。」

蕭翎看見瓦舍中雖破爛，但室內卻打掃得很乾淨，輕輕咳了一聲，道：「你練的什麼武功啊？」

百里冰道：「移穴神功。」

蕭翎道：「移穴神功，沒有聽說過啊？」

宇文寒濤道：「百里姑娘家學源淵，這移穴神功定然是北海奇技了。」

百里冰搖搖頭，道：「不是，這武功源出天竺，藏於少林。」

宇文寒濤聽得莫名所以，「啊」了一聲，未再多問。

蕭翎微微一笑，道：「是了，你從無爲道長那裏，取得了那幾頁記載武功的經文。」

百里冰笑道：「不錯啊！大哥上了九宮山，我整日無事，就讀那上面記載的武功，看到了這移穴神功，覺著很好玩，而且有內功基礎的人，練習這武功，用時不多，一時好奇，就練了起來。」

蕭翎道：「有些成就嗎？」

百里冰道：「那上面記述得很詳明，只要照著練習，一定會有成就，如是我練得沒有成就，那就是上面的記述有誤了。」

蕭翎道：「你很自負啊！」

百里冰道：「豈敢，豈敢，跟著大哥，我如沒有一點信心，豈不是要丟了你的臉嗎？」

蕭翎淡淡一笑，道：「還有幾日可以練成？」

百里冰道：「照上面記載的進度，大約需要七日時間，但我看，也許會提前一、兩日……」

語聲一頓，接道：「我學這武功，只是爲了好玩，因爲它不能傷人，對敵搏鬥之間，也無大用，如是大哥有事，我就不練它了。」

蕭翎道：「你既然練了，就把它練好吧，我等你幾天也不要緊。」

百里冰緩緩地伸手，從身邊摸出經文，和彈指神功、流雲劍法的秘錄，交給蕭翎。道：「大哥行動匆忙，很少有機會休息，無爲道長把這些交給我時，告訴我一句話。」

蕭翎道：「什麼話？」

百里冰道：「無爲道長說，希望大哥能找個時間，很仔細地把這些武功秘錄看看，他說，大哥也許有用它之日。」

蕭翎緩緩接過，放入懷中，道：「冰兒，你練武吧！我不驚擾你了。」

百里冰搖頭微笑，道：「不要緊，你這次到九宮山中，可曾會到了毒手藥王，療好了傷勢？」

蕭翎道：「那毒手藥王，醫道上確有人所難及之處，我的傷勢，已經全好了。」

百里冰道：「那很好，你好好地休息兩日，等我練好移穴神功，就動身離此。」

蕭翎原想她定然會問起南宮玉，哪知百里冰卻是略過不提，蕭翎只好自己接道：「我還見到了南宮玉。」

百里冰微微一笑，道：「南宮姑娘好嗎？」

蕭翎道：「她很好，身體似是比過去健康些，精神也好了很多。」

百里冰道：「唉！那南宮姑娘也當真可憐得很，生下來就纏綿於病榻上，她父親雖然是世間第一名醫，也是一樣無法療好她的病勢。」

蕭翎覺得再無話可說，拱拱手，道：「冰兒，你練功吧！我們去了。」轉身向外行去。

百里冰道：「大哥啊！記著看看那經書上記載的武功。」

蕭翎道：「記下了，你好好練功吧！」

口中答話，人卻和宇文寒濤並肩離開了破爛的瓦舍。

宇文寒濤把蕭翎送入房中，卻又匆匆行入了後園瓦舍之中。

百里冰也似是正等待著宇文寒濤，起身說道：「宇文先生有何見教？」

宇文寒濤笑道：「姑娘果然聰明，竟然瞧出了在下手勢的原意。」

百里冰輕輕歎息一聲，道：「我知道先生定然有著很重要的事情。」

宇文寒濤道：「姑娘練功時間，在下不便多留，長話短說，在下有兩件事情請教，第一樁是關於無爲道長……」

百里冰道：「無爲道長怎麼了？」

宇文寒濤道：「無爲道長離此之時，行色匆匆，只告訴在下有事離此，不能等候蕭大俠，要在下代他向蕭大俠問好，但適才聽姑娘所言，似是那無爲道長離此之時，和姑娘有過一番長談。」

百里冰點點頭，道：「他只告訴我幾句話，要我轉告大哥！」

宇文寒濤道：「姑娘請仔細地想想，無爲道長和你談話時的神情、語氣，以及他說些什麼？姑娘要想清楚，不能漏掉一句。」

百里冰眨動了一下眼睛，道：「這些很重要嗎？」

宇文寒濤道：「很重要。」

百里冰凝目思索了片刻，道：「他說他已看過那幾頁經文，似乎是一種武學綱領，但他無法深入研究，希望蕭大俠能夠仔細瞧瞧。」

宇文寒濤點頭應道：「還有嗎？」

百里冰道：「他還說奉一位前輩之召，趕往晉謁，不能等候蕭大俠了。」

宇文寒濤道：「他奉誰之召？」

百里冰道：「這個，他未說清楚，我曾問過他，但他卻答非所問，似是有意逃避，我自然也不好再追問了。」

宇文寒濤道：「還說些什麼？」

百里冰道：「就是這幾句話了。」

宇文寒濤道：「他可曾告訴過姑娘幾時再見？」

百里冰搖搖頭，道：「沒有。」

宇文寒濤沉思了一陣，點點頭，道：「好！現在，在下想奉勸姑娘幾句話。」

百里冰道：「什麼事啊！聽起來，似是很嚴重？」

宇文寒濤道：「關於姑娘和蕭大俠的事！」

百里冰道：「大哥怎麼了？」

宇文寒濤打量了百里冰一陣，道：「蕭大俠負擔太重了，他的聲譽和成就，超越了他年齡和經驗太多……

「雖然他有超人的才慧，如是江湖上沒有大亂，不論他武功成就如何，無法在這短短幾年中，成爲江湖人人崇拜的英雄……

「沈木風造成的混亂，固必須蕭大俠這樣的英雄才能平復，但沈木風也促成蕭大俠成名，他在武林的功業，前無古人，區區且可斷言，三百年之內，後無來者，但他太年輕了……」

百里冰顰起了柳眉兒，道：「宇文先生，你可否說明白些，我聽了半天，還是聽不明白你的用心何在？」

宇文寒濤道：「我是說年輕人，經驗不足，難免受人算計。」

百里冰道：「但有你呀！以宇文先生的博學多才，幫助我大哥，還會有什麼差錯不成？」

宇文寒濤道：「我不能整日裏守著他，所以，還要仰仗姑娘。」

百里冰道：「我武功才能，都不如他，對他能有些什麼幫助呢？」

宇文寒濤道：「記著一件事，別和他鬧氣、爭論，以免他心浮氣躁，行入極端，記著他年紀輕，做錯了什麼事，你要柔言勸慰，免他一錯再錯……

「就算你發覺了無法容忍的事，也不要輕易發作，希望姑娘能和在下商量一下，如是在下不在身邊；那就要姑娘多多忍耐一、二。」

百里冰道：「大哥會有什麼事，叫我無法容忍，宇文先生太多慮了。」

宇文寒濤微微一笑，道：「但願如此，姑娘練功吧！在下告辭了。」

宇文寒濤回到房中，靜坐片刻，越想越覺得無爲道長走得太過倉促、蹊蹺，其間必然大有內情。

但他爲人思慮精密，心知這難得的幾日平靜，正是蕭翎武功更上一層樓的重要關頭，必須使他心無雜念，才能專心求進。

因此，他忍下了心中的疑慮，從不和蕭翎提起無爲道長的事。

兩日後，百里冰已練會了移穴神功，但蕭翎卻又爲經文上所載的武功吸引，開始練習。

宇文寒濤和馬文飛半宵深談之後，說服了馬文飛，把蕭翎父母重又安置在一處隱秘的所在，暫時不讓他們父子相會。

他費盡了心力，替蕭翎安排了一段平靜的日子，使蕭翎在無憂無慮的日子裏，專注於練習經文上的武功。

時光匆匆，不覺間，過了近兩月的時光，已是秋末冬初的時分。

兩月中，蕭翎沉醉於習武之中，不覺而過，但宇文寒濤卻是有著度日如年的感覺。

他分遣出甚多人手，查看江湖上的動靜，每三日，都有一次回報，又要嚴密防護那蕭翎的安全。

幸好，馬文飛、唐元奇、陸魁章、楚崑山、司馬乾等一班人，都留在此地，爲其助力，減少了宇文寒濤不少的負荷。

思慮縝密的宇文寒濤，從各方見聞的回報，料到江湖上正在變動，雖然各大門派聯合派出的高手，追殺百花山莊中漏網之人，時有斬獲，但一直沒有沈木風的消息。

宇文寒濤默默承受了精神負擔，隱秘起江湖正在醞釀的一場風暴。

他心中知曉，只要自己洩露出心中之秘，立時間，即將傳入了蕭翎的耳中。

這日，突然刮起了強勁的西北風，一夜寒風，送來了滿天烏雲。

濃密的雲層，使白晝也變得一片陰暗。

就在這密雲不雨的天氣中，展葉青突然不速而至。

宇文寒濤把展葉青迎入密室，展葉青一面取絹帕擦拭著臉上汗水，一面問道：「蕭大俠在嗎？」

話說出口，人還未沾座位，顯然，他有迫不及待的急事。

宇文寒濤輕輕咳了一聲，道：「蕭大俠正在練習兩種武功，不便驚擾，展兄有事，可否先行告訴在下？」

展葉青望了客室中侍茶童子一眼，才緩緩說道：「宇文先生一直沒有離開這座馬家莊嗎？」

宇文寒濤道：「紫金刀馬莊主，把這座莊院，撥作天下英雄會聚之所後，就舉家他遷，不知去向，蕭大俠由九宮山回來後，又練習幾種武功，因此，區區和馬文飛、楚崑山等一直留在此地。」

揮手對那侍茶童子說道：「你下去吧！」

那童子應了一聲，欠身而退。

展葉青道：「楚老前輩等哪裏去了？」

宇文寒濤道：「蕭大俠練習武功，引起了留此之英雄的豪興，相約互以絕技傳授，每日聚集後園之中，練習武功。」

展葉青目睹童子去後，低聲說道：「宇文先生，在下奉師兄之命而來，有要事奉告。」

宇文寒濤道：「可是關於那沈木風的消息？」

展葉青微微一怔，道：「宇文先生早已知道了嗎？」

宇文寒濤道：「在下只不過是猜想而已。」

展葉青道：「猜得不錯，沈木風沒有死。」

宇文寒濤道：「令師兄見過他嗎？」

展葉青點點頭，道：「見過，好的是他還未發覺敝師兄。」

宇文寒濤道：「沈木風現在何處？」
展葉青道：「就在雪峰山中，據敝師兄所見，他步履矯健，似是傷勢已癒。」
宇文寒濤道：「各大門派追殺百花山莊餘孽的高手，是否也到過雪峰山中？」
展葉青道：「沒有見到，除了我們武當派外，雪峰山中再無其他門派中人！」
宇文寒濤低聲說道：「但此訊目前還不能告訴蕭大俠！」
展葉青道：「為什麼？」
宇文寒濤道：「蕭大俠正在練習幾種武功，在他的武功尚未習成之前，這消息最好是暫時別讓他知道。」
展葉青道：「敝師兄的用心，剛好與宇文先生相反！」
宇文寒濤道：「無為道長有何高見呢？」
展葉青道：「敝師兄的意見，趁那沈木風傷勢初癒，還未來得及聚集星散的屬下之前，設法圍殲於他，但天下高手中，只有蕭大俠能對他構成心理上的威脅，只要蕭大俠往雪峰山中，敝師兄已決心盡我武當門下全力，先打頭陣。」
宇文寒濤輕輕歎息一聲，道：「這是見仁見智的看法，就事而論，令師兄的見解，確有道理，只不過，在下的看法，就有些不同了。」
展葉青道：「宇文先生有何看法呢？」
宇文寒濤道：「在下之意，那沈木風傷勢既然痊癒，蕭大俠也正在練習武功，急也不在一時，不如等蕭大俠練好武功之後，再去打那沈木風不遲。」

展葉青略一沉吟，道：「在下奉命到此之前，敝師兄再三地告訴我，要我無論如何，請去蕭大俠，但宇文先生看法和敝師兄大不相同，倒叫在下為難了。」

宇文寒濤淡淡一笑，道：「展兄的意思呢？」

展葉青道：「在下對宇文先生的智略，向極敬服，不過，在下來此之時，奉有敝師兄的嚴令，無論如何，要請蕭大俠趕往雪峰山去。」

宇文寒濤道：「令師兄遣你來此之時，可曾要你和我談談？」

展葉青點點頭，道：「是的，敝師兄說，如若遇上宇文先生，就和宇文先生詳細地研商一下。」

宇文寒濤道：「這就是了，令師兄既然要你和我研商一下，那就是說，對在下的意見，十分重視了。」

展葉青道：「先生可是堅持不讓蕭大俠去？」

宇文寒濤道：「令師兄遣你來此之時，可曾說過，要你不管在下意見如何，非要請蕭大俠趕往不可？」

展葉青道：「這話倒是沒有說過，不過，他交代在下，催促蕭大俠早些趕去。」

宇文寒濤輕輕歎息一聲，道：「展兄，在下已仔細地想過了，此刻，如若要蕭大俠趕往雪峰山中，不但影響蕭大俠練武的成就，而且對今後武林大局，也將極為不利……」

展葉青道：「擊敵於無備之下，一舉而殲，對我們會有什麼不利的影響呢？」

宇文寒濤道：「蕭大俠練習的什麼武功，在下雖然不知，但我猜想那定是一種極爲深奧的武功……

「月來，他已完全沉醉於習武功之上，已達習武人極爲難得的渾然忘我之境，如若此刻沈木風出現雪峰山的消息告訴了他，他定然要急急趕去，此後，只怕再很難得靜下心來，練習武功了。」

展葉青長長吁一口氣，道：「先生之意呢？」

宇文寒濤淡淡一笑，道：「忍耐一時，展兄請回覆令師兄，轉告在下之言，最好不要和沈木風衝突，只在暗中監視他的行動。」

語聲一頓，接道：「如若在下的推斷不錯，沈木風在雪峰山中，定然有一個藏身之地，以沈木風爲人的狡猾，豈只經營一處百花山莊。」

展葉青略一沉吟，道：「宇文先生說得是。」

宇文寒濤道：「還有一樁事，如若在下告訴展兄，展兄也不會強要蕭大俠此刻趕入雪峰山中了！」

展葉青道：「什麼事？」

宇文寒濤道：「那位傷在蕭大俠劍下，也同時擊傷蕭大俠的和尙，極可能和沈木風同在一起。」

展葉青點點頭，道：「不錯，如是那和尚也在那裏，而且傷勢已好，就算蕭大俠趕去了，也難是兩人之敵。」

宇文寒濤道：「正是如此，但如拖過一段時光，蕭大俠武功練成，那就不用怕他們了……」捋髯沉吟一陣，道：「在下有幾句話，問得也許不當，是否願回答在下，展兄自作決定就是！」

展葉青道：「什麼事？」

宇文寒濤道：「令師兄率領你們武當高手，趕往雪峰山中，是奉人之召，是嗎？」

展葉青道：「不錯。」

宇文寒濤道：「什麼人？展兄知曉嗎？」

展葉青搖搖頭，道：「實情兄弟不知，只知是一位武林前輩，敝師兄對我等一向極信任，不論何等計畫，都會先對我等說明，但對此事卻不肯先說明白。」

宇文寒濤道：「你們見過那位武林高人了嗎？」

展葉青搖搖頭，道：「目下爲止，還未見到。」

宇文寒濤道：「你們去的時間不短了。」

展葉青道：「是啊！那人指點了一處地方，要我們等候，我們已等兩月有餘了。」

宇文寒濤道：「令師兄既然如此，心中定有把握，展兄請回去吧！如是蕭大俠的武功，近日有成，在下當陪他到雪峰山中一行。」

展葉青道：「在下歸見師兄之時，如何回覆呢？」

宇文寒濤道：「你照直而言，把在下的話原意轉告。」

展葉青雙眉聳動，良久不語，顯然，心中大感爲難。

宇文寒濤淡淡一笑，道：「展兄不用爲難，在下相信，展兄據實轉告了在下之言後，令師兄定會諒解。」

展葉青無可奈何地說道：「好吧！先生如此堅持，那也是沒有法子的事情，不過，在下希望先生能夠答允一個期限，在下歸見師兄時，也好有個交代。」

宇文寒濤道：「這個，兄弟也很難說了，蕭大俠幾時能夠練成武功，區區也無法確定……」略一沉思，道：「不過，在下想來不會太久，至多再等一個月。」

展葉青吃了一驚，道：「一個月？」

宇文寒濤道：「不錯，我想不會超過一個月的時間。」

展葉青搖搖頭，道：「太長了。」

宇文寒濤道：「也許只有幾天，練武的時間長短，如何能夠控制。」

展葉青輕輕歎息一聲，道：「那是說宇文先生無法訂出一個期限了？」

宇文寒濤看他一直追問不休，心中暗暗忖道：看來那無爲道長令諭極爲森嚴，如若蕭翎在此，非要他把蕭翎叫往雪峰山中不可，看來，只好給他一個肯定答覆了。

心中念轉，口中說道：「展兄儘管請回，半月之內，在下由此動身，趕往雪峰山去，展兄請留下個會面之地，先行回山，去回覆令師兄。」

展葉青緩緩從懷中摸出一個封好的密套，交給了宇文寒濤，道：「敝師兄已把形勢圖案，繪在這密套之內，先生依圖索驥，就不難找到我等了。」

宇文寒濤接過封套，藏於懷中，道：「展兄請上路吧！令師兄也許翹首盼望你早日歸去。」

展葉青一抱拳，道：「在下告別了。」轉身向外行去。

宇文寒濤送到大門口處，道：「展兄一路順風，恕兄弟不遠送了。」

展葉青道：「不敢有勞。」放步向前奔去。

宇文寒濤目睹展葉青去遠之後，才長長吁一口氣，回到莊中。

原來，他心中明白，只要蕭翎聽到此訊，必然會趕往雪峰山中，勢必放棄習武之事。

展葉青在這莊院多停留一刻時光，就多一刻讓蕭翎知曉的機會，展葉青離去之後，才算消去爲蕭翎知曉此訊的危險。

但宇文寒濤原本沉重的心情，此刻又加重了一重負擔。

他仰臉望著滿天烏雲，緩步行回室中。

抬頭看去，只見蕭翎端坐在客室木椅之上，不禁爲之一呆，道：「蕭大俠來多久了？」

蕭翎道：「剛剛進門。」

宇文寒濤暗暗叫了兩聲僥倖，忖道：如是他早來一步，那就正好碰上展葉青了。

心中念轉，人卻在椅上坐下，道：「蕭大俠的武功練成了嗎？」
蕭翎搖搖頭，道：「還未全部貫通，大約還要三七時光。」
宇文寒濤暗道：三七二十一日，那是半月以上了。
口中笑道：「蕭大俠專心練習武功，目下江湖上十分平靜，用不著蕭大俠費心。」
蕭翎道：「唉！近日中可有沈木風的消息？」
宇文寒濤道：「蕭大俠練武之時，最好不要分心旁騖。」
蕭翎點點頭，道：「我那孫老哥呢？」
宇文寒濤道：「行蹤杳然，一直未得到他的消息。」
蕭翎道：「適才在下想到一件事，假如不問個明白，很難安心練武了。」
宇文寒濤道：「什麼事？」
蕭翎接道：「孫老前輩離去之時，定然和你談過，他們要行向何處？」
宇文寒濤點點頭，道：「說過。」
蕭翎道：「他可是去找岳姑娘？」
宇文寒濤道：「不錯，他已由丐幫要到四名弟子相助，追尋岳姑娘的下落。」
蕭翎道：「還未找到嗎？」
宇文寒濤歎道：「這個在下還未得到消息，不過，以丐幫耳目的靈敏，如若也無法找到岳姑娘，只怕天下難以有找到岳姑娘的人了！」

蕭翎道：「會不會是孫老前輩已經找到了岳姑娘？」

宇文寒濤搖搖頭道：「這個不會吧，如是那孫老前輩找到了岳姑娘，早已傳回消息了。」

蕭翎道：「如若有消息，希望宇文兄即刻告訴在下。」

宇文寒濤道：「好！一有消息，在下就告訴蕭大俠……」

他語聲微微一頓，又接道：「難得江湖上這一刻平靜，希望蕭大俠能夠借此時間，苦練成幾種武功。」

蕭翎點點頭，道：「我知道。」

宇文寒濤道：「就在下的看法，目下江湖上這一刻平靜，只不過是一場大風暴前的片刻安靜，一場更大武林紛爭，即將展現於江湖之上。」

蕭翎道：「還是那沈木風掀起的風暴嗎？」

宇文寒濤道：「在下有此感覺，卻無法說出是什麼人能掀起這場武林波濤。」

蕭翎沉吟了片刻，道：「宇文兄，你有話瞞著我嗎？」

宇文寒濤道：「這個在下怎敢，不過有很多瑣瑣碎碎的事，在下未敢驚動蕭大俠罷了。」

蕭翎點點頭，道：「好，我該去練習武功了。」舉步向外行去。

宇文寒濤目睹蕭翎去後，長長吁一口氣，緩步退回室中，焦急地等待中過去七日，雖只七日時間，宇文寒濤此刻卻有著度日如年之感。

一向多智的宇文寒濤，此刻心中有著無比重負，他極力保持從容和鎮靜，不願把內心中的憂鬱流露出來。

馬文飛等群豪，互以武功相授，一個個都覺著興高采烈，誰也沒有注意到宇文寒濤內心的沉重負擔。

時光匆匆，不覺又過了七日。

宇文寒濤心中暗自盤算，和那展葉青相約的期限，只有明日一天了，必需在今夜動身，明日也許能趕上和無爲道長等約會的時間。

心中念轉，人卻緩步行入後園之中。

這時，楚崑山正把自己賴以成名的子母鐵膽，傳授群豪。

宇文寒濤心中忖道：楚崑山肯把子母鐵膽絕技，傳授群豪，他們這場互傳武功之會，當可使參加之人，學得不少絕技，個個都獲益匪淺，武林中，會打子母鐵膽的，除了楚崑山之外，原本再無別人，但今日之後，陡然間多出了很多會打子母鐵膽的武林高手了。

心中念轉，人卻緩步行向商八的身前，低聲說道：「商兄。」

商八回目一顧宇文寒濤，急急站起身子，道：「宇文兄……」

宇文寒濤低聲接道：「咱們不要妨礙別人練武，旁邊談吧！」

五四　異事迭現

商八隨在宇文寒濤身後，行到花園一角，低聲說道：「宇文兄有何見教，我們園中與會人無一藏私，各以絕技傳人，個個全力以赴，忘去向宇文兄請安了。」

宇文寒濤道：「商兄言重了……」

輕輕咳了一聲，接道：「在下有點事，想在今晚離開……」

商八吃了一驚，不待宇文寒濤的話說完，急急接道：「宇文兄要走了？」

宇文寒濤道：「只是暫時離開數日，多則四天，就可回來了。」

商八雙目盯在宇文寒濤的臉上瞧了一陣，道：「先生意欲何往？」

宇文寒濤忖道：中州二賈事事不瞞蕭翎，我如據實而言，此事必將很快為蕭翎所知，說不得只好說幾句謊言了。

當下說道：「會一個多年未見的朋友，目下江湖上一片平靜，一時之間，還不致有何麻煩，兄弟在此與否，都無關緊要，何況，我去去就來，絕不超過四日。」

商八道：「先生和我家蕭大哥談過嗎？」

宇文寒濤道：「蕭大俠和諸位一般，正沉醉在習武中，在下之意，不用驚動他了。」

商八點點頭，道：「先生的決定，自是不會錯，但江湖大局仰仗尚多，我家大哥，仍需先生絕世的才華輔佐，希望先生能如約而歸。」

宇文寒濤道：「我年近花甲，得蕭大俠賞識提攜，慶幸能得爲武林正義一盡綿薄，今生極願追隨蕭大俠，得效微勞，商兄儘管放心……」

長長吁一口氣，接道：「不過，兄弟去後，要商兄和杜兄多費心了。」

商八道：「什麼事，先生只管吩咐！」

宇文寒濤道：「目下江湖，雖然是一片平靜，這馬家莊更是雞犬無驚，但咱們不能太大意，在下去後，商兄可以照顧蕭大俠爲由，退出這互傳武功之會，馬家莊周圍三十里，兄弟都派有眼線，如若有強敵大批來犯，他們隨時可早傳驚訊，但如來的是一等高手，他們就未必能夠發覺了。」

商八點點頭，道：「我明白，先生只管放心，但望早去早回，也好讓在下早日除此重擔。」

宇文寒濤道：「我盡快回來就是，在下離此之事，商兄最好能夠暫保秘密，不用告訴別人。」

商八聽他口氣，不禁動了懷疑之心，一皺眉頭，道：「宇文兄離此，當真只是爲了去會見一個朋友嗎？」

宇文寒濤道：「詳細內情，待在下回來之後，再告訴商兄不遲。」

言罷，轉身而去，不再理會商八。

直回室中，收拾了一下簡單的行囊，立時動身，他計算時間，必須要連夜趕路，才能趕上明日之約。

行約六、七里，已是太陽下山時分。

宇文寒濤回顧無人，就道旁一棵大樹下，取出展葉青送來的密封。

拆封望去，只見密函上寫著：「七星潭，雙松岩下」，短短兩語。

宇文寒濤看完之後，探手從懷中摸出火摺子，燃起密函。

這當兒，突見人影一閃，由樹頂直撲而下，抓向那燃燒的密函。

事出意外，宇文寒濤大爲驚駭，左臂一抬拍出一掌，右手卻急急把燃燒的密函，轉過一邊。

但見那撲下的人影一仰身，向後退出五步，笑道：「宇文先生。」

宇文寒濤凝目望去，不禁一呆。

原來，來人竟然是百里冰。

百里冰道：「那上面畫的是什麼秘密，先生要這等謹慎？」

宇文寒濤答非所問地道：「姑娘到此作甚？」

百里冰道：「我奉命監視先生……」
宇文寒濤道：「奉誰之命？」
百里冰道：「自然是蕭大哥了。」
宇文寒濤道：「蕭大俠要姑娘監視在下什麼？」
百里冰尷尬一笑，道：「我說得太急了，不是監視先生，而是要我保護先生……」
宇文寒濤接道：「不管是監視、保護，只是措詞不同而已，那是說蕭大俠已經對在下不信任了。」
百里冰急道：「先生不要誤會，蕭大哥不但對先生信任有加，而且對先生關心無比，他告訴我，說先生為了怕他分心旁顧，不能專志習武，所以，有很多事，都忍在心中，不告訴他。」
宇文寒濤點頭一笑，道：「蕭大俠的觀察力，似是愈來愈強了。」
百里冰接道：「因此，大哥要我注意宇文先生的舉動，想不到真被他猜對了。」
宇文寒濤略一沉吟，道：「多承蕭大俠如此關心，在下感激不盡，敬請上覆蕭大俠，就說在下去會個多年未見的朋友，多則七日，少則四天，定可趕回。」
百里冰搖搖頭，道：「蕭大哥說不能讓你一人涉險。」
宇文寒濤道：「在下只是去會個朋友，無險可涉，姑娘只管去覆命就是。」
百里冰道：「不行，來的又不是我一個人。」

宇文寒濤呆了一呆，道：「還有什麼人？」

百里冰道：「先生一向料事如神，猜猜看來的是誰？」

宇文寒濤略一沉吟，道：「可是蕭大俠本人嗎？」

百里冰回頭望著樹頂笑道：「大哥，下來吧！人家宇文先生早已知是你了。」

但見人影閃動，蕭翎由枝葉密處一躍而下，笑道：「我覺得宇文兄瞞著我，果然被我猜對了。」

宇文寒濤道：「蕭大俠的思慮，也是越來越縝密了。」

百里冰道：「宇文先生，你一個人走得這等秘密，定然是有著很重要的事了？」

宇文寒濤目光轉到蕭翎的臉上，道：「蕭大俠既然能猜在下有事要離開此地，那就索性再猜猜看，在下爲了什麼事，要離開此地。」

蕭翎道：「在下沒有宇文先生之才，只怕很難猜對了。」

宇文寒濤道：「猜猜不妨。」

蕭翎沉思了一陣，道：「可是無爲道長有了消息？」

宇文寒濤哈哈一笑，道：「猜得很準，在下正是要去會那無爲道長。」

蕭翎道：「無爲道長現在何處？」

宇文寒濤道：「雪峰山中。」

蕭翎道：「他遣人來請先生嗎？」

宇文寒濤道：「他遣人來請蕭大俠，但在下知曉蕭大俠正在練習武功，因此，不便驚擾，和他定下了半月之約，約期已至，在下不得不去通知無爲道長，以免有愧信義。」

蕭翎道：「那無爲道長遣人找我，定有什麼大事故？」

宇文寒濤道：「在下想先行請問蕭大俠一件事。」

蕭翎道：「什麼事？」

宇文寒濤道：「希望蕭大俠能夠據實回答在下，你的武功練成了沒有？」

蕭翎道：「雖然未達精熟之境，但已勉可用作對敵。」

宇文寒濤道：「記得蕭大俠告訴在下，需要三七二十一日，才能有成是嗎？現在，才過了二七十四日。」

蕭翎道：「所以才未練純熟，不過，這等武功，只要一入門徑，隨時隨地都可以練習，那倒用不著非要固守在馬家莊中了。」

宇文寒濤道：「既是如此，在下倒不便再瞞蕭大俠了，那無爲道長發覺了沈木風，在雪峰山中出現。」

蕭翎呆了一呆，道：「有這等事？」

宇文寒濤道：「是的，據展葉青告訴在下，那沈木風似是已傷勢痊癒。」

蕭翎道：「宇文先生，準備如何對付呢？」

宇文寒濤道：「老實說，在下覺得這其間定然有著很多內情。」

蕭翎道：「所以，宇文先生想去查看一下。」
宇文寒濤道：「正是此意。」
蕭翎道：「先生一人前去，不覺得太過危險嗎？」
宇文寒濤道：「一則為那無為道長做後援，再者，在下此番前去，和他們鬥智不鬥力，旨在查看一下內情。」
蕭翎微微一笑，道：「宇文兄可否帶我們兩人同去呢？」
宇文寒濤道：「蕭大俠離開了馬家莊，領導無人，萬一有了什麼變故，豈不是要亂得一團糟了。」
蕭翎搖搖頭，道：「在下離去之後，已經留下了一封書信，如若有了變故，勞請那馬總瓢把子，代為照顧，以楚崑山和司馬乾，從旁為輔。」
宇文寒濤略一沉吟，道：「蕭大俠既然來了，只怕在下難再有勸回之力……」
蕭翎道：「你不肯驚動我，只是為了怕驚擾我練習武功，但在下已經說過了，不會妨礙，如若宇文先生還能說出不讓在下同行的道理，在下倒也不敢勉強。」
宇文寒濤淡淡一笑，道：「只要蕭大俠肯答允在下，未得同意之前，不隨便出手，那就成了。」
蕭翎道：「好！咱們一言為定。」
宇文寒濤道：「我已和展葉青約好，以暗記聯絡相會，一切都要暗中行事，那是要改裝易容了，蕭大俠已是天下武林同道，人人敬重的大英雄，只怕不屑此爲。」

蕭翎道：「不要緊，只要我們心存正義，這方法，倒是不用苛求了。」

宇文寒濤道：「百足之蟲，死而不僵，何況那沈木風還沒有死掉，如若那展葉青說得不錯，在下猜想他也許已知曉咱們的停身之處，如要求行動隱秘一些，最好現在就易容而行。」

蕭翎道：「好！一切都照宇文兄的計畫而行。」

三人計議已定，立時改裝易容而且分頭而行。

宇文寒濤爲了使身分隱秘，不惜剪下了一半美髯，扮作一個富商。

蕭翎單獨行動，扮作了一個村夫，和宇文寒濤保持十丈距離而行。

這等扮裝分派，就算那沈木風精明過人，也無法猜想到，百里冰和宇文寒濤同行，而蕭翎卻獨走一路。

需知一個人的易容術，不管高明到什麼程度，縱然能把容貌改變，卻無法改變那原有的氣度。

沈木風對蕭翎和宇文寒濤，自然特別留心，只要計畫中稍有破綻，就可能引起對方的懷疑。

三人一路行去，不徐不疾，和常人一般，直到入夜後，才放腿趕路。

一夜兼程奔行，五更時分，到了一座山谷旁邊。

宇文寒濤指著道旁的密林，道：「七星潭已距此不遠，咱們天亮趕路，午時可到，如若沈木風真在七星潭附近，再向前走，他們布下耳目更多，咱們要小心。」
蕭翎道：「宇文兄說得是。」
三人在道旁林中坐息一陣，天亮之後，才動身趕路，奔向七星潭。
又行十餘里，過了一個三岔路口，只見行人漸多，車馬時見。
又行五里左右，到了一座淺峰下，只見那峰前廣大的草地上，停有數十輛馬車，和近百匹的健馬。
原來，上七星潭要登矮峰，車馬到此，卻已無法再進。
百里冰回目望去，只見蕭翎遠在十餘丈，緩緩而行，低聲對宇文寒濤道：「先生，這裏很熱鬧！」
宇文寒濤一面舉步而行，一面答道：「這地方為人發現，雖已在百年以上，但遊人群集，還是近十幾年中事，山中道路修整之後，遊人更多，在下十年前來過一次，但看場中車馬，似是比過去更熱鬧一些。」
舉步登上矮峰，眼下景物突然一變。
只見峰後里許外，一片廣大的盆地上，遊人如織，不下數百，七星潭分佈成北斗七星形，中有一道溪水連起。
宇文寒濤低聲說道：「百里姑娘，小心戒備，不要多言。」

大步向前行去。
百里冰知他料事之能，向無差錯，也不多言，暗中提聚真氣，緊追在宇文寒濤的身後而行。
漸漸地行近了七星潭。
只見潭水碧綠，每一座星潭，占地在五畝以上。
靠北的一面，崖壁聳立，長滿青草，望去一片翠色。
無數的梭形小舟，間雜一、兩艘小型的畫舫，穿梭往來於那一溪碧水連接的群潭之中。
宇文寒濤站在潭畔，沉思片刻，舉手一招，一艘小舟馳了過來。
宇文寒濤登上小舟，道：「我們雇你小船，自己划。」
掏出一錠銀子遞了過去，那船夥計看那錠銀子，足有四兩多，再造一艘新船，也用不了如許多的銀子，心中大喜，接過銀子，一語未發就上岸而去。
百里冰隨後上了小舟。
宇文寒濤道：「運槳馳舟，繞道七星潭走上一周。」
百里冰也不多問，雙手運槳，小舟沿那一溪碧水，緩緩馳去。
七星潭奇怪處就在那一條天然溪道，連接起了七個各不相同的水潭，那溪道雖然貫連七星潭，但彎曲回轉，極造物神奇之妙。
穿過了兩座水潭，溪道突然折轉向正南方聳立的崖壁下。

百里冰雙手運槳，小舟輕靈地划在靜靜的溪水面上。
宇文寒濤目光轉動，很留心地看著四周的景物。
突然間，宇文寒濤一揚手，道：「快些靠岸。」
百里冰抬頭看去，只見兩株連身而生的松樹，聳立岸上。
一塊巨大的岩石，矗立在樹旁。
宇文寒濤低聲說道：「在下如若沒有招呼，不論發生什麼事，姑娘都不用上岸相助。」
百里冰心中雖然疑竇重重，但卻點頭應允。
宇文寒濤舉步登岸，緩緩向前行去。
百里冰好奇之心大動，側身而坐，暗中留神著宇文寒濤的舉動。
只見宇文寒濤在那雙身松樹之下，繞了一周，行入大岩之後。
百里冰等了足足有一刻工夫，卻仍不見宇文寒濤由岩後行出，心中大奇，忖道：難道他遇上了暗算不成？
正待舉步跨上岸去，突然又想到宇文寒濤吩咐之言，強自忍了下去。
又過了半炷香的工夫，仍不見宇文寒濤繞出石岩，百里冰再也忍耐不住，縱身上岸，直向那巨岩後面行去。
凝目望去，哪裏還有宇文寒濤的影子，不禁大吃一驚，暗道：糟了，他定是受了人的暗算，爲人俘獲而去了。

宇文寒濤的武功不弱，怎的一點聲息未發，就這般失去了蹤影，那暗算他的人物，實是不可輕視。

回頭望去，但見潭中舟舫往來，蕭翎也不知身在何處。

她生性聰慧，心知此刻必須鎮靜從事，才可應付這詭變莫測之局。

她暗暗提聚真氣，抬頭向那枝葉茂密的樹身望了一眼，突然一提真氣，直衝而上。右手探出，抓住一根粗枝，一個大翻身，人已坐在一根粗幹之上。

目光轉動，看樹上確無埋伏，才疾疾躍上樹頭。

居高臨下，向外望去。

只見十餘丈外，緊依崖壁之下，有一座青色的房屋。

百里冰心中暗作盤算，道：如若那宇文寒濤被人擄去之後，正南方人多眼雜，那人絕不會帶著一個無法行動的人奔走，必是趕向北方，那座綠色的房屋很奇怪，和山崖上的樹木，顏色一般，不留心很難看出，那是有意地混淆耳目了。

心中盤算了一陣，躍下樹身，直向綠屋奔去。

行近之後，才看清楚，那是一幢農舍，上面爬滿了青藤，藤葉密集，望去有如綠屋。

竹籬大開，房門未掩，分明是一座有人居住的農舍。

百里冰重重咳了一聲，舉步行入籬門，道：「有人在嗎？」

只聽室中傳出一個熟悉的聲音，道：「冰兒，進來吧！」

這聲音正是百里冰最愛聽的，當下叫道：「大哥也在嗎？」

只見那室中幾個竹椅上，分坐著蕭翎和無爲道長、展葉青、雲陽子等四人。

無爲道長微一欠身，道：「姑娘請坐。」

百里冰不見宇文寒濤在座，顧不得向無爲道長還禮，急急說道：「大哥，宇文先生不見了。」

蕭翎點點頭，道：「我正和道長研究此事。」

百里冰奇道：「怎麼？你們早知道了？」

無爲道長道：「看著他被人帶走。」

百里冰道：「他如肯叫我上岸，也不致孤身無援，被人擄走了。」

說話之間，人卻行到蕭翎身側坐下。

蕭翎回顧了百里冰一眼，道：「冰兒不用焦急，據無爲道長說，他並非是落在沈木風的手中。」

百里冰吃了一驚，道：「怎麼？那是說這裏除了沈木風之外，還有其他的敵人了？」

無爲道長道：「是一股很強大的力量，和咱們是敵是友，目下還無法明白。」

百里冰道：「他們怎麼會擄走了宇文先生呢？」

無爲道長道：「宇文兄和貧道訂下了半月約期，今日最後一日了，前些日，都有我幾位師弟，輪流守望，貧道料他可能在最後一日趕來，故而稍作佈置……」

百里冰接道：「你們那約晤之地，可就是雙身松樹之下嗎？」
無爲道長道：「不錯，那地方很清靜，甚少有入去，而且高樹、巨岩，也好藏身，但今日貧道趕去之後，竟然已有一個人先在！」
百里冰道：「什麼人？」
無爲道長道：「不認識，他帶了一本書，坐在那兒閱讀，看起來，似是也要在那裏等人一般，貧道雖想逐他離開，但卻想不出好的方法。」
百里冰道：「以後呢？那個人是何許人物，道長怎能斷言，他不是沈木風的屬下？」
無爲道長淡淡一笑，道：「以後貧道覺出事非尋常，就傳諭我武當門下，截住你們，到此相晤，哪知，你們易容改裝得太像了，使他們無法辨認，糟的是，我們爲了逃避沈木風的耳目，也都改裝易容，再加上展師弟歸來相告說，來的只是宇文先生一人，這就使我們錯中加錯……

「情勢逼人，貧道不得不抹去易容藥物，以真正面目在潭畔行動，幸好遇上了蕭大俠，經蕭大俠說明經過，我們只好又匆匆趕來，但仍然是晚了一步，宇文先生已然爲人擄去。」
百里冰奇道：「你們看見了？」
無爲道長道：「看到了。」
百里冰道：「爲什麼不追呢？」
蕭翎緩緩從懷中取出一個形如蝙蝠之物，接道：「被這一種奇形暗器逼退，我和無爲道長追到了崖下之時，那人已挾持宇文先生登上崖間林木之中，打出此物，幸好是我走在前面，憑仗千年蛟皮手套，接得此物。」

百里冰看蕭翎和無爲道長述說經過時，毫無焦慮之情，心中暗道：宇文寒濤是何等重要之人，他們卻是全無驚慮之情。

心中大感奇怪。

但聞無爲道長說道：「那人見蕭大俠手接蝙蝠鏢，竟然無傷，心中對蕭大俠極是佩服，約定今晚初更在崖下相見。」

百里冰道：「道長相信他的話嗎？」

無爲道長道：「這懸崖上的密林，只有兩條可通之路，貧道已遣人把守，蕭大俠也已和他們約定，如是今夜初更，他們不肯履約，我們就放火燒山，這片密林，足足有五里方圓，草藤濃密，都是可燃之物，如是放起一把火，山上之人，絕難有存身之法。」

百里冰想到沈木風放火燒自己的慘景，不禁爲之一呆，口中輕輕歎息一聲，道：「那些人是何身分？」

無爲道長道：「目下還無法知曉，今夜之中，就可見他們之面了。」

百里冰望望蕭翎，道：「大哥，他們一定會來嗎？」

蕭翎道：「我已和無爲道長再三研究，覺得他們絕不會甘冒咱們放火燒山之險。」

百里冰道：「大哥又如何能確知，那些人不是沈木風的屬下呢？」

蕭翎道：「不論是何人，如若他們定要和我們作對，其心必在謀我，我既來了，他們豈肯放過。」

無爲道長接道：「還有一點，使貧道可確定他們不是沈木風的屬下！那就是他們早已和我等照面，如是沈木風的屬下，早就對貧道等下手了……」

話到此處，突然見一個船夫模樣的大漢，急急跑了進來，欠身對無爲道長一禮，道：「稟告師父，雙松岩下，又出現一人。」

無爲道長道：「什麼樣個人物？」

那船夫樣的大漢道：「一個輕袍緩帶的老者，因相距過遠，弟子沒有看清他的面貌。」

無爲道長回顧了蕭翎一眼，道：「咱們的推斷不錯，這是一次誤會，此刻出現之人，才是他們要等的人。」

蕭翎霍然起身，道：「既是如此，在下得去看看了。」

無爲道長道：「貧道覺得那計畫太危險了，蕭大俠已和他們訂下今晚之約，何不多……」

蕭翎接道：「不入虎穴，焉得虎子，道長請依計行事，在下去了。」

回身向百里冰說道：「你留這裏，聽無爲道長吩咐。」

百里冰低聲道：「近來我武功進境很大。」

蕭翎笑道：「我知道，但也不用兩人涉險，我已和無爲道長研商好了對敵之策，你聽從無爲道長吩咐行事，決然不會有錯。」大步向外行去。

無爲道長道：「這蝙蝠口中，含有毒針，如是不知內情的人，不論伸手去接，或是用兵刃封擋，都將激動這毒針外射，如非蕭大俠搶先出手，貧道勢必要傷在這毒針之下了。」

百里冰望著蕭翎遠去的背影，輕輕歎息一聲，回頭對無爲道長道：「道長，咱們可要去接應我大哥？」

無爲道長笑道：「不用，我有過一次之失，哪裏還能再有第二次，貧道已然分別在各處要道之中，安排了人手，不論他從哪一個方向逃走，都無法逃過我們的監視。」

百里冰道：「如若他傷了我大哥呢？」

無爲道長道：「以蕭大俠武功之高，世間能夠傷他之人，實還不多。」

百里冰道：「他們如若憑藉武功，絕難傷我大哥，但江湖中人，詭計多端，他們也可能在暗中下手。」

無爲道長心中暗道：她這般磨難我，看來是非去不可了。心中念轉，緩緩說道：「姑娘既然不放心，在下倒有一個法子。」

百里冰道：「什麼法子？」

無爲道長道：「屋後有青牛一頭，姑娘扮作一個牧童模樣，跨牛而行，當不致引起蕭大俠和那人的懷疑。」

百里冰喜道：「道長的方法，果然高明，我立刻改裝。」

片刻之後，百里冰化作一般牧牛童子，跨上牛背，緩緩向連身雙松下行去。

且說蕭翎直奔到雙松岩下，果然見一個白髯垂胸，身著青袍的老者，靠在大岩之上，流目四顧，似是在眺望四外的景物。

蕭翎一直行到那大岩之旁，那老者卻仍是毫無所覺，連頭也不抬一下。

這老人出奇的鎮靜，反使蕭翎提高了警惕之心，故意放重了腳步。

那老人回過臉來，望了蕭翎一眼，又緩緩轉到別處，神情間一片冷漠。

這時，蕭翎正戴著一張人皮面具，遮去了臉上的尷尬之容。

強自忍下心中怒意，緩緩說道：「老前輩……」

那老人不待蕭翎的話說完，立時轉過身子，冷冷說道：「你可是跟老夫講話嗎？」

蕭翎道：「老前輩可是在此等人？」

白髯老人道：「哼！你是？」

蕭翎道：「晚輩奉命而來……」

白髯老人道：「你奉何人之命？」

蕭翎早已和無為道長研商過應對之法。

當下一笑，道：「約老前輩到此相會之人。」

那白髯老人冷哼一聲，道：「那人現在何處？」

蕭翎道：「在那綠屋之中，請老前輩移駕一行如何？」

白髯老人怒道：「他為何不來看我，反要老夫去看他，我千里迢迢跑來此地，他好像完全地忘懷了，是嗎？」

蕭翎道：「這是兩位長者的事，在下不敢妄自置喙，兩位見面之後，自己談吧！」

白髯老人點點頭，道：「好，老夫去見他！」

正待舉步而行，瞥見一條人影，疾如流星一般，激射而來。

眨眼之間，那人已到了蕭翎身前，攔住了去路。

蕭翎抬頭望去，只見來人大約有四旬左右，中等身材，長褲短衫，打扮得很俐落，目閃精芒，分明是內外兼修的高手。

但聞白髯老人冷冷說道：「你是什麼人？」

那大漢望了蕭翎一眼，口中卻答道：「在下邊度，老前輩可是在此等人嗎？」

白髯老人望了蕭翎一眼，道：「這是怎麼回事？」

蕭翎早已藉機打量了那白髯老人，只覺他精華內蘊，是一位身懷絕技的高手，心中暗道：這人及時而來，只怕很難騙他進入那山邊茅舍，看此老武功，實非等閒，一動上手，只怕很難在短時中分出勝敗了，何況還有這位邊度，看來也非等閒之輩。

他心中念頭打轉，也就不過是眨眼之間，說道：「這個在下也不清楚。」

邊度望了蕭翎一眼，道：「這位不是老前輩帶的人嗎？」

白髯老人冷冷說道：「他是奉命來接老夫的人，哼！你們究竟在鬧什麼把戲？」

蕭翎心中明白，此刻一言錯出，立時將露出破綻，事情既是無法兩全，只有設法在一舉間把兩人制服，然後，再查明內情。
他心中主意暗定，靜靜地站在一側，等待機會。
那邊度也是個老謀深算的人物，雖然覺得事情不對，但並未立刻發作，只是冷冷一笑，道：「閣下是何許人物？」
蕭翎道：「在下嗎？奉命而來，迎接這位老前輩……」
邊度冷冷接道：「你可知曉這位老前輩是何許人物？」
蕭翎暗道：看來，今日非要動手不可了，當下反問道：「在下知道是知道，但卻不能奉告。」
邊度怒道：「胡說八道！」突然躍起，一掌攻向蕭翎。
蕭翎左掌一抬，硬向那邊度掌上迎去，口中冷冷說道：「閣下出手傷人，是何用心？」
但聞雙掌接實，響起了一聲大震。
邊度被震得向後退了一步，呆在當地。
那白髯老人突然哈哈一笑，道：「你們打吧！哪一個打勝了，老夫就跟哪一個走。」
蕭翎心中大感奇怪，暗道：好啊！這位老先生，並無是非之心，倒是看起熱鬧來了。
但聞那白髯老人叫道：「打啊！打啊！你們怎不動手了？」
邊度在那老人催迫之下，欺身而上，揮拳搶攻。
蕭翎揮掌迎擊，兩人展開了一場惡鬥。

那邊度武功不弱，攻勢猛惡至極。

但蕭翎此時武功，已近超凡入化之境，掌指揮彈之間，輕描淡寫地化解開邊度猛惡的攻勢。

那邊度一口氣攻出二十餘招，盡爲蕭翎化解開去。

白髯老人眼看蕭翎只是封架，不肯還手，忍不住叫道：「你怎麼不還手？」

蕭翎微微一笑，回手反擊，第三招已點中邊度穴道。

白髯老人滿臉驚奇之色，目光盯注在蕭翎的臉上，道：「閣下究竟是何許人物？」

蕭翎微微一笑，道：「在下蕭翎！」

白髯老人雙目盯注在蕭翎的臉上，打量了一陣，道：「你就是目下江湖上，人人敬重的蕭翎？」

蕭翎道：「正是區區在下。」

白髯老人搖搖頭，道：「不像，不像，我聽說那蕭翎生得英俊瀟灑，豈是你這樣一副尊容？」

蕭翎拿下人皮面具，道：「老前輩聽說的蕭翎，可是如此嗎？」

白髯老人望了蕭翎一眼，道：「這就有些像了……」

臉色一變，接道：「好啊！你是應那老和尙之邀，爲他助拳？」

蕭翎搖搖頭，道：「不是，晚輩和雙方都不相識，自然談不上爲誰助拳，不過，事情牽扯到區區身上，區區是不得不出面了。」

白髯老人道：「此言何意？」

蕭翎道：「在下一個朋友，和人相約，但對方卻誤為是老前輩，把他擄了去，因此在下不得不插手此事了。」

那白髯老人哈哈一笑，道：「原來如此！」

聲音突然轉變得十分冷漠，接道：「聽說你進了禁宮？」

蕭翎微微一怔，道：「不錯。」

白髯老人道：「那禁宮的建築如何？」

蕭翎聽他忽然扯上禁宮，心中大是奇怪，但仍然應道：「建築奇幻，巧奪天工。」

白髯老人道：「嗯！老夫的手藝還不錯吧！」

這一句話，字字如鐵鏈一般，擊打在蕭翎的心上，不禁仔細打量了那老人一眼，道：「閣下是……」

白髯老人道：「那是老夫的手筆啊！」

蕭翎大吃一驚，道：「老前輩是巧手神工包一天？」

白髯老人道：「不錯，正是老夫！」

蕭翎道：「老前輩沒有死在禁宮嗎？」

包一天道：「你幾時見過一個人自己修築的墳墓，把自己埋在其中？」

蕭翎歎息一聲，道：「老前輩花盡心血，修築了那座禁宮，只是想一網打盡十大高手……」

包一天道：「你錯了，不是十個人，連那長眉和尚，一共十一個人，只是武林以訛傳訛，知曉十人罷了……」

臉上突然泛現出黯然神情，道：「老夫只是想考考他們的才智，因此，留有出路口，想他們必然能找到出路，逃出禁宮，哪知竟然大都死於其中……」

蕭翎道：「大都死於其中，那是說，還有人逃出來了。」

包一天道：「不錯，逃出一個長眉和尚。」

蕭翎沉吟了一陣，道：「老前輩，加上長眉大師，那是說有兩個人不在禁宮之中，但就晚輩記憶所及，我們似是見到了十具屍體。」

包一天道：「不錯，有一位是老夫的弟子，替老夫死於禁宮之中。」

蕭翎道：「這就對了，老前輩逃出禁宮之後，數十年未在江湖出現，此番到此，定有作爲了？」

包一天道：「老夫設下禁宮，一舉間埋葬了和老夫齊名的十大高手，心中確有著無比歡暢，想想此後武林，是老夫一人天下，再也無人和老夫爭雄江湖，卻不料，正當老夫興高采烈之際，那長眉和尙陡然出現江湖，找上了老夫！」

蕭翎道：「你們動過手？」

包一天道：「不錯，他罵老夫心黑手辣，不算英雄人物，他要為活葬禁宮的九大高手報仇，一番惡鬥之後，兩敗俱傷……」

蕭翎搖搖頭道：「我不信。」

包一天道：「你小小年紀，我們動手之時，你還未在人世，為何不信老夫之言？」

蕭翎道：「我生得晚，未趕上那場大會，但就晚輩所知，那長眉大師，在你們十一人中，是武功最強的一位，他精通天竺文字，已得到達摩祖師武功真詮，他在你們幾場比試之中，不肯太露鋒芒，用心只有維持武林的均衡，有你們號稱十大高手的比武之爭，使武林宵小不敢妄動，保持了一種平衡的均勢，也使九大門派和包老前輩這等江湖奇人，心有所專，意不旁鶩，才使武林中有一段很長時間的平靜日子。」

巧手神工包一天聽得呆了一呆，道：「你這娃兒小小年紀，倒是很有見識，這些話，是別人告訴你的，還是你自己想出來的？」

蕭翎道：「半由晚輩在禁宮觀察所得，半由晚輩推想出來的結論。」

包一天道：「你很聰明，老夫和長眉和尚那番動手相搏，老夫確然是敗在了他的手中沒錯，不過，不過，不過……」

他似是有著難言之隱，不過了半天，說不出個所以然來。

蕭翎緩緩說道：「老前輩暗施詭計，也傷了那長眉大師，是嗎？」

包一天雙目圓睜，望著蕭翎道：「你猜得不錯，老夫在重傷之下，乘那長眉大師不備之際，以一把毒粉，陡起反擊，傷了長眉大師……」

蕭翎歎息一聲，道：「那長眉大師指責老前輩心狠手辣，看來果然是不錯。」

包一天道：「那長眉大師身中毒粉之後，轉身狂奔而去，但老夫也傷得很重，養息數年之久，才逐漸康復，在那幾年歲月之中，我一面養傷，一面思索所作所爲，不禁是愧憾交集，悲痛莫名，但大錯已鑄，悔恨何及，我想到死，但又擔心那長眉大師身中毒粉之後，以他絕世功力，還有生存之機，我身懷解藥，只要能找到他存身之地，就可療好他的毒傷……」

他自我解嘲地苦笑一下，接道：「也許是我不想死，找出這樣一個理由，來爲自己解脫，但我傷好之後，確也花了數年時光，走遍了天涯海角，去找尋那長眉大師，但我失望了，那長眉大師有如沉海沙石，聽不到一點消息。」

凝目沉思片刻，又道：「老夫失望之餘，就爲自己建了一座孤獨之屋，準備終老那房舍之中，永不再踏入江湖一步，我想一個人孤處一室，定然是寂寞難耐，很快地會憂鬱而死，哪知我卻大反常情，在那暗室中，住了幾十年，不但沒有死，身子反而更爲健朗起來，就老夫感覺之中，也覺出我的武功，大有進境。」

五五　紅樓秘會

蕭翎道：「老前輩這番離開孤獨之屋，意欲何為呢？」

包一天道：「去年老夫接到了長眉和尚一封信，約老夫今日到此一晤，老夫悶在那孤獨之屋中數十年，接到了這封信，心中一想，反正要離開那孤獨之屋，早離開一天也好，接信七天後，就離開孤獨之屋，眼看江湖上的劫難風雨，使老夫回憶到當年那些風平浪靜的日子，也知曉了你蕭翎的名字。」

蕭翎心中暗道：這老人大約是在那孤獨之屋住得太久了，人也變孤僻了，不可以常情推斷他的作為，必須要問個明白才好。

心中念轉，口中問道：「老前輩此番見了那長眉大師之後，準備如何？」

包一天捋鬚沉吟了一陣，道：「老夫一手活葬了武林九大高手，又用詭計傷了那長眉大師，就算把老夫亂刀分屍，那也是罪有應得，不過，老夫這幾十年來，武功精進不少，在死亡之前，想一證我心中所思。」

蕭翎心中暗道：話雖說得婉轉，但卻是軟中帶硬，那是他要和長眉大師動手一分生死了。

但聞包一天長長吁一口氣，道：「老夫是想求證數十年靜悟而得的武功，放眼當今之世，除了長眉大師之外，又有何人能爲老夫試手呢？」

蕭翎道：「聽老前輩話中之意，那是說要和長眉大師動手一搏了？」

包一天道：「也可以這麼說吧！不過，老夫只是想求證我心中所想，不論我是勝，是敗，老夫都會自絕了斷。」

蕭翎心中暗道：他的想法卻是孤芳自賞，常人無法測度。

忖思之間，只見一個牧童騎牛而來，望了蕭翎幾眼，又帶轉牛頭而去。

包一天雙目盯注在那牧童身上，瞧了一陣，道：「那牧童是武林中人所裝扮。」

蕭翎已隱隱認出那是百里冰，聞言不由一驚，忖道：這老人好厲害的一雙眼睛，那牧童是冰兒，萬一他要對冰兒一試身手，那可是一樁大爲麻煩的事，必得分他心志，改變主意才成。

主意暗定，緩緩說道：「目下老前輩已知在下身分，我和此事無關，這位邊度兄，才是真正來迎接老前輩的人物。」

包一天道：「不錯，老夫替他解開穴道。」

伏身拍活邊度的穴道。

邊度人雖被蕭翎點倒，但他有耳可聞，有目可睹，自把兩人對答之言，聽得極是清楚，已知兩人身分，是以穴道被解之後，反而不知如何開口，呆呆站在一側。

蕭翎道：「老前輩準備去見那長眉大師嗎？」

包一天道：「不錯。」

蕭翎道：「晚輩有一個不情之求，不知老前輩肯否答允？」

包一天道：「什麼事，你先說說看？」

蕭翎道：「老前輩會見長眉大師時，晚輩和幾位朋友，也想隨行一往，拜見一下前輩高人。」

包一天略一沉吟，道：「老夫可以答允，但那長眉大師是否願見你們，那就非老夫能夠決定了。」

蕭翎道：「只要老前輩答允帶我們同去，如果那長眉大師不肯相見，晚輩再自行退回就是。」

包一天道：「你有幾個朋友，都是些什麼身分？」

蕭翎道：「晚輩除外，還有武當掌門人無爲道長及其師弟雲陽子、展葉青，及北天尊者的女公子百里冰等四人。」

包一天略一沉吟，道：「好吧！老夫可以試試，如是那長眉大師不肯和爾等相見，那是和老夫無關了！」

蕭翎心中大喜，提高了聲音，道：「冰兒，快轉回來。」

只見已在數十丈外的騎牛牧童，突然躍下牛背，疾奔而來，片刻間，已到蕭翎等身前。

包一天目注蕭翎，緩緩說道：「這人是誰？」

蕭翎道：「百里姑娘，在下剛才已對老前輩提過了！」

包一天望著百里冰，道：「令尊北天尊者，和老夫很熟識！」

蕭翎接道：「這位是包老前輩，快來見禮。」

百里冰應了一聲，躬身對包一天行禮，道：「見過老前輩。」

包一天笑道：「昔年令尊曾和老夫動過一次手，我們搏鬥千招無法分出勝敗，彼此心中都明白無法再勝對方，相對一笑，盡消前嫌，老夫曾勸令尊參與十大高手比武定名之爭，但令尊執意不肯，以後就未見過面了，不知他近況如何？」

百里冰道：「托老前輩的福，家父母身子都很健壯。」

包一天哈哈一笑，道：「老夫一生中，很少朋友，和令尊雖然談不上有何交往，但彼此都十分敬慕對方的武功。」

目光轉到蕭翎的臉上，接道：「咱們可以走了嗎？」

蕭翎道：「老前輩答允過，要帶無爲道長等三人同往一行。」

包一天道：「他們現在何處？」

蕭翎道：「前面綠屋之中，老前輩請入綠屋之中待茶，休息片刻再去不遲。」

包一天道：「不知長眉大師是否有此耐心……」

目光轉到邊度的臉上，道：「你可是奉那長眉大師之命，來此接老朽嗎？」

邊度道：「是的，晚輩是奉命來此迎接老前輩的。」

包一天道：「那長眉大師居住之地，離此多遠？」

邊度道：「距此不足五里，上山就到了。」

包一天道：「老夫被他們拖住，你是親眼看到了？」

邊度道：「是的，晚輩看到了。」

包一天道：「那很好，老夫晚去片刻時光，不要緊吧！」

邊度道：「這個嘛，在下不知。」

包一天道：「你如心中害怕，那就不妨先行設法回去，告訴那長眉大師一聲，就說我老人家被人拖住了，隨後就到，如是你不放心，那就跟著老夫一起走。」

邊度略一沉吟，道：「在下還是跟著老前輩吧！」

包一天道：「好，咱們走吧！」當先舉步，向那綠屋中行去。

蕭翎帶路入室，只見無爲道長等正在廳中坐著等候。

蕭翎急行一步，低聲說道：「道長，這位就是建築那禁宮的包一天，包老前輩了。」

無爲道長道：「這麼說來，他是巧手神工了？」

蕭翎道：「正是此人。」

目光轉到包一天臉上，一抱拳，道：「失敬，失敬！」

巧手神工包一天笑道：「好說，好說，咱們素不相識，你不認識老夫，那也是應該的事。」

望望蕭翎，又道：「還有什麼人？」
蕭翎道：「就是我等五人。」
原來，那展葉青和雲陽子都在室中。
包一天道：「那長眉大師已找了我幾十年，定下今日之約，老夫如是去得晚了，定然會使他心焦得很。」
一揮手，對邊度說道：「你帶路。」
邊度應了一聲，大步向外行去。
蕭翎低聲對無爲道長道：「道長等願意去瞧瞧嗎？」
無爲道長道：「自然想去，但不知那包老前輩是否見允。」
蕭翎道：「晚輩已和他說好了，雲陽道兄和展兄亦可同往。」
無爲道長道：「那很好。」起身向外行去。
邊度帶路，依序是包一天、蕭翎、百里冰、無爲道長三位師兄弟。
步行片刻，已到崖下。
蕭翎抬頭看去，只見那一片懸崖，陡如牆，十分光滑，心中暗道：不論何等高明的輕功，也無法一舉間攀登懸崖，看來要施壁虎功游上去了。
奇怪的是，這光滑石壁兩側，都生滿了矮松，如是要攀壁而上，應該是走旁側生有矮松之處，才好借力。

忖思之間，突聞邊度撮唇一聲清嘯。

嘯聲甫落，那懸崖上，突然垂下了一根粗繩。

邊度道：「咱們要借繩力登壁，在下先行帶路。」

手抓繩索向上攀去。

群豪緊隨邊度身後，攀索而上。

這幾人，都是一流身手，片刻之間，登上崖壁。

抬頭看去，只見那林木掩映間，露出一角紅樓。

包一天望著那紅樓，笑道：「就在那紅樓中嗎？」

邊度道：「不錯。」加快腳步而行。

包一天、蕭翎等緊隨邊度身後，繞過一片密林，到了那紅樓門前。

邊度回顧了包一天一眼，道：「老前輩請留步片刻，在下入內通報一聲。」

包一天一揮手，道：「你去吧！」

邊度轉身行入門內。

這是一座紅磚砌成的瓦舍，依據著山勢形態，建築而成，寬不過一丈，但卻很深長，曲轉在密林之中。

目力所及處，一片淒冷，除了那進去的邊度之外，再無其他之人了。

蕭翎回顧了無爲道長一眼，低聲說道：「道長在這裏停留了很久時間，可知這座紅樓？」

無爲道長道：「說來慚愧，貧道在此雖然停留了很久時間，但對周圍的形勢，並未了然，也從未登過此山，如非隨同蕭大俠一齊登山，還不知這山頂密林中，有這樣一座紅樓。」

蕭翎道：「這房子建築得很怪，不似一般人家的住宅。」

但聞包一天自言自語地說道：「好一座活人安居的陰宅。」

蕭翎心中一動，暗道：我說這建築有些奇怪，原來這院子深長，很像一具棺材。

心中念轉之間，只見那邊度快步行了出來。

包一天道：「長眉大師在嗎？」

邊度道：「正在恭候大駕。」

蕭翎道：「我等可否隨同入內？」

邊度道：「蕭大俠後起之秀，老禪師已吩咐在下，代他奉邀。」

蕭翎道：「言重了，在下不敢當……」

目光一掠無爲道長，接道：「這幾位都是武當門下……」

邊度點頭接道：「在下已然代爲稟明，一併請入內相見。」

一欠身道：「諸位請吧！」

包一天當先而入，蕭翎、百里冰、無爲道長等魚貫隨行而入，邊度走在最後。

穿過了兩重狹窄的院落，到了後面廳中。

這座廳房，是全院落最後一幢房舍，也是整座院落中最大的一座廳房。
只聽廳房中傳出一個莊重的聲音，道：「是包施主嗎？」
包一天哈哈一笑，道：「大師別來無恙。」緩步行入廳中。
蕭翎緊隨入廳，抬頭看去，只見靠後壁一張蒲團之上，盤膝坐著一個身著袈裟、緊閉雙目的老僧，兩道入鬢的長眉，垂遮於雙目之上。
在那老僧身後，站著一個三十六、七歲的青衣人，右側卻坐著宇文寒濤。
長眉大師緩緩說道：「蕭大俠、包施主，都請隨便坐吧！」
包一天首先在一座木凳上坐下，蕭翎、無爲道長等也各自落座。
蕭翎目注宇文寒濤，道：「宇文兄好嗎？」
宇文寒濤微微一笑，道：「托蕭大俠之福，區區因一番小小誤會，反而因禍得福了，得晤老禪師，受到不少教益。」
長眉大師歎息一聲，道：「也使老衲知曉了目下江湖中的情勢。」
蕭翎對這位前輩異人，內心中有著無比的崇敬，因而對他十分留心，只見他長眉覆目，盤坐間，白鬍子觸地，兩頰上各有一塊傷痕，似是用刀子，生生把兩頰之肉，割一塊下來，談話時，兩目一直沒有睜動。
包一天突然長長吁一口氣，道：「包某人期待此日久矣，老禪師今番相召，想必有處置我包某的成算了。」

長眉大師道：「老衲本該稍盡地主之誼，但包施主如此匆急，老衲只好省略了。」

包一天道：「江山易改，本性難移，在下這數十年中，依然故我，還是一副急性子，老禪師還是坦然說出召在下的用心吧！」

長眉大師道：「老衲愧對我佛，無邊的佛法，竟無法化解我胸中塊壘。」

包一天道：「我知道，在下數十年來，也一直爲此惶惶不安，本該自作了斷，但在下又知曉了老禪師還在人間，只好留下待罪之身，恭候老禪師的召見。」

長眉大師道：「唉！老衲和宇文施主一番深談，才知曉目下江湖上，諸多變化，如非莊山貝、南逸公、柳仙子，合力造就出一位蕭大俠，如非蕭施主具有絕世才慧，目下江湖，是一幅何等悲慘的景象，究其原因，禍起於數十年前包施主太過好強之心。」

話聲稍頓，似在追思往事，良久之後，才緩緩接道：「包施主也許心中明白，十大高手比武，本早該分出高下了，但他們始終保持著一種微妙的平衡，才使那比武爭名，維持不墜，因爲他們永遠無法分出勝負，每個人，都有著強烈的信念。」

包一天聽了長眉大師對十大高手比武難分勝負之原因的分析，道：「不錯，在下此刻，還有很多地方想不明白，有一次，我本該傷在張放的簫下，但他落勢忽偏，授我可乘之機，使我又得以維持不敗。」

長眉大師道：「老衲相信，十位參與比武的人，大都有此經驗，唉！每人的體質、所學，都不會相同，偶爾一、兩次，比一個平分秋色，還可說得過去，如是連番比試之後，仍能保持不分勝敗，應該是使人無法相信的事……」

包一天連連點頭，接道：「我明白了，我明白了，這都是大師暗中相助之功了，唉！其實，那時我們十人，心中都已承認你是武功最好的一位，只不過，大家都沒有說出口來罷了，化身老人帥天儀，只說我們『十大高手』，那是有意把你除外了。」

長眉大師道：「老衲不願在比試中取勝，得那天下第一高手的榮譽，用心就是要那比武之事，永遠地繼續下去，因為十大高手比武爭名的舉動，對整個江湖而言，都有著一種震懾作用，使宵小斂跡，邪惡之輩不敢妄動，但想不到包施主因一念好勝之心，建築了禁宮，一舉間而封閉死九大高手……」

包一天接道：「大師，不用再說下去了，包某已然知罪。」

提高了聲音，接道：「大師準備如何對付包某人，還請直接了當地說出來吧！」

長眉大師道：「施主準備如何呢？」

包一天道：「在下待罪之身，但憑大師吩咐！」

長眉大師道：「包施主之意，那是憑人屠戮了。」

包一天略一沉吟，道：「在下確有此心，不過，在下有一件心願，希望大師賜允。」

長眉大師道：「包施主請說。」

包一天道：「這些年來，在下自覺武功成就，突破了一個人的體能極限，放眼天下，只有大師是在下心目中的勁敵，在下並無有逃避之心，只望大師答允在下一試身手，如是在下不幸落敗，傷於大師之手，大師替他們報了仇，萬幸在下勝了，在下亦將自作了斷，謝罪一死，不知大師意下如何？」

蕭翎心中暗道：包一天口氣托大，充滿著狂傲，真正用心何在？倒是叫人難測……

但聞長眉大師說道：「包施主之意，是想和老衲比武了。」

包一天目光轉動，掃掠了蕭翎和無爲道長一眼，道：「在下和大師印證武功，諸位最好能走遠一些，免遭池魚之殃。」

蕭翎道：「不妨事，我等集於大廳之一角，看兩位印證武功，兩位未分勝負之前，我等絕不出手干擾。」

包一天哈哈一笑，道：「小小年紀，口氣這般狂大，需知老夫和長眉大師這番比試，不同於旁人，就老夫而言，你們如若坐在一丈之內，就可能爲我的拳風所傷了。」

蕭翎舉手一招，無爲道長、雲陽子、展葉青、宇文寒濤等，全都行了過來。

蕭翎也站起身子，行到廳室一角，盤膝坐下，接道：「拳腳無眼，晚輩等心中明白，萬一被老前輩等拳風所傷，那也是命中注定了，我們絕不後悔。」

包一天道：「希望你們多多珍重。」

目光轉到長眉大師的臉上，道：「大師，咱們如何一個比試之法？」

長眉大師白眉微微聳動，冷冷說道：「自然由你選擇了。」

蕭翎突然想到，自從進入這大廳之後，就未見過那長眉大師睜開過眼睛……

只聽包一天大聲叫道：「大師的眼睛有病嗎？」

長眉大師道：「瞎在你毒粉突襲之中，老衲這臉上疤痕、失明雙目，說起來，都是你包施主所賜了。」

包一天道：「對昔年之事，在下心中實有著一份很深的愧疚，大師既雙目失明，無法見物，那這場武功，也不用印證了。」

長眉大師冷肅地說道：「這數十年來，老衲已學會聽風辨位之術，自信可以對付你包施主。」

包一天道：「如此說來，那是在下白擔憂了。」

蕭翎心中暗作盤算，道：包一天如此狂傲，自非全無所恃，這長眉大師雙目失明，動手時吃虧極大，萬一長眉大師不支落敗，我蕭翎是否要出手助他呢？

此念在心中反覆轉動，但卻是無法決定。

但見長眉大師舉起右手一揮，低聲說道：「你去吧！萬一我身遭不測，你們不用替我報仇，帶他們離開此地。」

站在長眉大師身後的青衣人，長歎一聲，緩步向室外行去。

那青衣人離去之後，長眉大師才長長吁一口氣，道：「包施主，你可以出手了！」

包一天道：「大師雙目失明，在下怎的還能搶佔先機，還是大師請吧！」

長眉大師道：「老衲恭敬不如從命了。」

突然輕輕一揮右手，拍向包一天。

這時，兩人相距，大約有四、五尺的距離，長眉大師出掌既緩，而且掌指也無法搆到包一天。

只是那虛空的一擊。

包一天卻神色凝重，右掌迅快推出，迎向長眉大師拍來的掌勢。

兩人掌勢同時停在空中，相距有尺許距離。

相持片刻，突見包一天身著長袍波動，有如水中蕩起的漣漪。

長眉大師兩道白色的遮目長眉，也無風自動。

宇文寒濤低聲說道：「蕭大俠，兩人在比拚內力，是嗎？」

蕭翎端然而坐，雙目瞪注在包一天和長眉大師的身上，卻未理宇文寒濤相詢之言。

宇文寒濤側顧蕭翎一眼，知他也凝聚全身功力，已到蓄勢待發之境，也就不再多言。

原來蕭翎經過了一番思索之後，覺得包一天這人，潛意識中，有著天生的叛逆性格。

他雖未必是不守信譽之人，但他如真在這場比試之中勝了長眉大師，只怕他突然又會想到自己武功，恐怕已經是天下第一，轉念之間，再發奇想，說不定，又改變了以死謝罪的主意。

一個沈木風，已然把武林鬧得天昏地暗、日月無光，如若再加上這個行事不講準則的包一天，那就更難對付了。

因此，蕭翎決定在包一天勝了長眉大師後，立時全力出手，以迅雷不及掩耳的舉動，制服包一天。

但見兩人虛空相對的手掌，突然抖動起來。

包一天突然長歎一聲，收回掌勢，道：「大師武功高強，我敗得心服，在下雖是一死，但死得瞑目。」

突然，揚起右掌，自向天靈要穴拍下。

但聞長眉大師急急地說道：「包施主，快請住手。」

敢情兩人比拚內力，已然分出勝敗。

包一天停下手，哈哈一笑，道：「大師還有什麼吩咐？」

長眉大師道：「包施主當真要自絕謝罪嗎？」

包一天道：「不錯，在下這數十年中，一直在反覆思索此事，想得十分清楚。」

長眉大師道：「你建築禁宮，活埋了九大高手，老衲相信，你在進行這龐大工程時，還不知有多少人死於那工程之中，論你造孽之多，那是死有餘辜，不過……」

包一天接道：「不過什麼？」

長眉大師道：「你在死去之前，為何不替武林做上一件好事再死，一則可稍減你造下的罪孽，再則，也好留給武林一點去思。」

包一天道：「什麼事呢？」

長眉大師道：「適才老衲和那宇文施主談論目下江湖中事，知曉那沈木風和另一位佛門叛徒金光大師，以絕世武功爲害江湖，包施主如肯以數十年的修爲，搏殺兩人之後再死，必可留下武林中一些去思。」

包一天笑道：「大師還活在人間，此事只怕用不著在下吧！」

長眉大師道：「我已雙目失明，行動不便，這兩人又以行動詭異著稱，天涯遼闊，老衲雖有除害之心，但卻無法尋得他們的蹤跡。」

包一天略一沉吟，道：「好！在下答允大師。」

長眉大師莊嚴的臉上，泛起一絲笑意，道：「老衲代天下武林同向包施主致謝了。」當下合掌一禮。

包一天抱拳還了一禮，道：「不敢當……」

輕輕咳了一聲，接道：「但天下之大，九州十島，區區又如何去尋找兩人呢？」

長眉大師道：「包施主歸隱已久，和江湖隔絕數十年，要你追查兩人行蹤，自然是一樁十分爲難的事了，老衲已然爲包施主借箸代籌，不過要委屈包施主一下。」

包一天道：「在下既然答應了，還怕什麼委屈。」

長眉大師道：「那很好，包施主請和蕭大俠等同行，沈木風和金光和尚的行蹤，由他們負責追查，找出了他們存身之處，自會通知包施主，你只要臨場對敵，搏殺巨凶就是。」

包一天目光轉到蕭翎的臉上，笑道：「那是說，要老夫聽你之命了。」

蕭翎道：「老前輩誤解了，長眉大師之意，是要我等借仗老前輩的神功，以除江湖大凶，只是瑣事不敢有勞，我等代爲盡力而已。」

包一天哈哈一笑，道：「你倒是很會講話啊……」目光又轉到長眉大師的臉上，接道：「好，在下答應了，大師儘管放心，搏殺沈木風和金光大師之後，在下就自絕而亡，區區就此告別。」

站起身子，一抱拳，轉身向外行去。

長眉大師道：「恕老衲不送。」

但聞包一天的聲音遙遙傳來，道：「不敢有勞。」

宇文寒濤低聲對蕭翎說道：「咱們得追上他。」起身向外奔去。

蕭翎、百里冰隨後急追，無爲道長、雲陽子、展葉青三人，卻未隨後追出，留在廳中。

五六 圖窮匕現

包一天一口氣奔出紅磚瓦舍，陡然停了下來，回目望了緊隨而出的蕭翎和宇文寒濤等一眼，道：「那沈木風現在何處？」

宇文寒濤淡淡一笑，道：「老前輩，沈木風行蹤詭秘，很少有人知曉他落足之處……」

包一天接道：「那老夫如何找他？」

宇文寒濤道：「所以，老前輩要耐心地等待機會……」

包一天冷哼一聲，道：「你們連沈木風的行蹤都無法查得出來，還有何能和人爭論勝負。」

宇文寒濤笑道：「如是那沈木風和金光和尚，是極爲好相與的人物，那也用不著麻煩您老前輩了。」

包一天聽得大感受用，哈哈一笑，道：「你們追查他的行蹤，找到他們時，告訴老夫一聲就是。」

宇文寒濤道：「老前輩請下山休息半宵，至遲我們明日可以動身。」

包一天笑道：「到哪裏？」
宇文寒濤道：「長沙馬家莊，我們派在天下的眼線，不分日夜地把消息送往那裏。」
蕭翎心中暗道：那無為道長不是已遣展葉青特往奉告，那沈木風就在左近嗎？咱們回馬家莊去，那是捨近求遠了。
但他素知那宇文寒濤智謀過人，這番話必另有用心，也未多問。
幾人回到山下茅舍，自有武當弟子分別獻上香茗。
宇文寒濤舉起茶杯，道：「老前輩喝杯茶，請到靜室休息，養精蓄銳，專以對付沈木風和那金光和尚，其他的事，不敢有勞了。」
包一天舉起茶杯一飲而盡，道：「老夫雖然答應了那長眉大師，助你們一臂之力，不過，此事不能無限期地拖延下去，老夫決定等候一個月，如是一月之內，你們仍然無法找出那沈木風和金光和尚的下落，老夫就不再等待了。」
宇文寒濤道：「就依老前輩的吩咐，我們盡一月時光，查出兩人下落就是。」
起身接道：「老前輩請入室坐息，晚輩等立刻行動。」
包一天微一頷首，起身自入靜室。
宇文寒濤目睹包一天入內室之後，低聲對蕭翎說道：「無為道長等，決非自願留在紅樓，留那裏必是長眉大師的授意，咱們該等到他們回來之後，才能有所行動。」

蕭翎道：「在下亦是覺得奇怪，長眉大師留下武當門人，不知是何用心？」

宇文寒濤道：「就在下推想，無爲道長不肯留在馬家莊，大概也是奉那長眉大師之召而來。」

蕭翎道：「長眉大師出身在峨嵋，如若他有事需人相助，也該召來峨嵋弟子才是，不知何以會找上了無爲道長？」

宇文寒濤道：「那長眉大師雖然已數十年未在江湖露面，但他對武林中事，仍然極爲熟悉，放眼看各大門派這一代掌門人物，不論才氣、品德，那無爲道長，都應是首屈一指，如若能捐棄門戶之見，在下如是長眉大師，也會將重大之事，托於那無爲道長。」

蕭翎道：「宇文兄分析極是，無爲道長等回來之後，定然有驚人的消息相告。」

宇文寒濤道：「也許那沈木風的行蹤，早已在長眉大師的監視之下了。」

蕭翎道：「但願如此，能一鼓而殲沈木風，在下也可以早歸故里，承歡膝下，退出江湖了。」

宇文寒濤笑道：「只怕天下武林同道，不會答允蕭大俠退出江湖。」

蕭翎奇道：「爲什麼？大敵已去，在下既未開宗立派，亦無組會之幫，殺伐已消，蕭某人的進退，似是和武林無關了吧！」

宇文寒濤道：「蕭大俠中流砥柱，力挽狂瀾，使武林中度過了最暗淡的日子，這彪炳功業，不朽英名，已使你隱隱之間，成了武林中的領袖人物，此後，不論你是否退隱，但江湖上如若有風吹草動，天下武林同道必將是登門拜訪，恭請卓裁，豈能安息田園，不受困擾。」

百里冰笑道：「我們藏起來，不讓他們找到就是。」

幾人雖在談笑，但內心之中，卻都在焦急地等待著那無爲道長歸來。

足足等了兩個時辰之久，才見無爲道長帶著展葉青、雲陽子，匆匆行了回來。

無爲道長合掌說道：「有勞兩位久候了。」

蕭翎道：「不要緊，在下正和宇文兄談得興高采烈。」

無爲道長點點頭，道：「不錯，貧道正有很多事，奉告兩位。」

緩緩坐了下去，目光轉動，望了守在門口的武當弟子一眼，道：「你們退回去。」

兩個守在門口的武當弟子，應了一聲，轉身而去。

雲陽子、展葉青互望一眼，自動退了出去。

無爲道長神色嚴肅，緩緩說道：「包老前輩呢？」

宇文寒濤道：「現在靜室休息。」

無爲道長道：「長眉大師完了他最後心願，已然圓寂歸天了。」

這句話，字字如鐵錘一般，擊打在蕭翎和宇文寒濤的心上。

兩人同時呆在當地，望著無爲道長出神，半晌說不出一句話來。

無爲道長輕輕歎息一聲，道：「那長眉大師圓寂之前，告訴了貧道幾件事……」

聲音突然放得更低，接道：「第一樁事，他要蕭大俠和貧道代他做一件事。」

蕭翎道：「什麼事？」

無爲道長道：「他要蕭大俠和貧道監視著那包一天，如若他殺了那沈木風和金光和尚之後，還不肯自絕而死，那就由蕭大俠和貧道一齊出手，取他之命。」

蕭翎又是一怔，道：「如若他能搏殺沈木風和金光和尚，咱們如何能是他之敵？」

無爲道長道：「所以，那長眉大師要咱們突起發難，並起施襲。」

蕭翎道：「暗施算計？」

無爲道長道：「長眉大師這麼交代貧道，貧道只好據實轉告了！」

蕭翎皺皺眉頭，不發一語。

無爲道長道：「貧道已想到此事使蕭大俠爲難，不過，那長眉大師告訴貧道，如若那包一天知曉了他死去的事，決然不會自殺，就算殺了沈木風和金光和尚，也同樣爲江湖留下了一大禍害……」

蕭翎道：「怎麼，包一天爲人很壞嗎？」

無爲道長道：「照長眉老前輩之言，那包一天並非是無惡不作的壞人，如若他真的是壞人，數十年前，就死在長眉大師的手中了……」

宇文寒濤突然插口說道：「我瞧咱們不用再談此事了。」

蕭翎心中了然，那包一天在別室休息，以他深厚莫測的功力，幾人談話的聲音雖小，也有被他聽到的可能。

當下說道：「道長，咱們以後再談這件事！」

用手沾茶，在桌上寫道：「果真如此，只有遵照長眉大師遺言行事。」

但聞展葉青的聲音，傳了進來，道：「老前輩，請入室中坐吧！」

但聞包一天的笑聲，傳了進來，道：「看來令師兄似是正在商討什麼大事，老夫進去，只怕不大方便吧！」

蕭翎心中暗道：這人果然是多疑得很。

展葉青似是早已想好了回答之言，急急說道：「敝師兄正要請老前輩，但又恐驚擾老前輩，故而猶豫不決。」

包一天道：「是這樣嗎？」

說話之間，人已行入室中。

無爲道長、蕭翎、宇文寒濤齊齊站起身子，抱拳說道：「見過老前輩。」

包一天微微頷首，道：「諸位請坐。」

當先在首位坐下來。

目光轉到無爲道長的臉上，接道：「老夫在江湖上走動之時，你還沒有接武當掌門之位。」

無爲道長道：「那時貧道還在學藝之時。」

包一天哈哈一笑，道：「放眼當今之世，和老夫同在江湖走動的人，實是屈指可數了。」

無爲道長道：「老前輩德高望重，晚輩們敬慕萬分，今日有幸，得能會晤。」

包一天微微一笑，道：「但望你是由衷之言。」

蕭翎心中暗道：這人果然是好大喜功。

但見包一天舉手一捋長髯，接道：「長眉和尙支派要老夫先行一步，想來，定然有事和道長等商討了。」

無爲道長智謀過人，微微一笑，隨口應道：「長眉老前輩指示晚輩說，萬流同宗，如若想要今後江湖再無事端，必得設法消除門派之見。」

包一天歎道：「長眉和尙心存濟世之願，比老夫自然是高明得多了……」

無爲道長接道：「長眉大師對老前輩十分推崇。」

包一天道：「他如何談說老夫？」

無爲道長道：「大師說老前輩俠膽仁心，既然答應了他，定可搏殺沈木風和金光和尙。」

包一天道：「這個老夫已經答應了，自然是義無反顧，不過，老夫心中卻有一點想不明白。」

無爲道長道：「什麼事？」

包一天道：「長眉武功，比老夫高明甚多，不知何以不肯出手，去搏殺那沈木風和金光和尙，卻千里迢迢，把老夫召來此地。」

無爲道長道：「長眉老前輩胸懷禪機，不是晚輩等能夠預測了。」

蕭翎突然接道：「老前輩和長眉大師相識數十年，對長眉老前輩的了解，定然比我等要深刻，個中原因，想必不難猜中了。」

包一天哈哈一笑，道：「昔年十大高手，老夫都對他們性格十分了解，唯獨對長眉和尚，有些猜測不透，他身懷世無匹敵的武功，擊敗十大高手，並非難事，不知何故，他不肯下手。」

蕭翎道：「既然老前輩都無法猜透那長眉大師的用心，晚輩等自是無能知曉了。」

包一天兩道目光轉注到蕭翎的臉上，瞧看了良久，道：「就老夫此番出山，在江湖上聽聞所得，你是目下武林最受人敬重的人物，照老夫的想法，你至少該有五十歲的年紀才是，想不到你竟然是不及弱冠的童子。」

口氣中一派老氣橫秋。

蕭翎淡淡一笑，道：「老前輩過獎了。」

這時，展葉青平托木盤，緩步而入，送上了一杯香茗。

包一天取過茶杯，喝了一口，放下茶杯後，道：「據說，你是目下唯一敢和那沈木風動手之人，是嗎？」

蕭翎道：「晚輩只憑一股豪壯之氣，其實，並非那沈木風的敵手！」

包一天嗯了一聲，道：「你和他相搏過幾次？」

蕭翎略一沉吟，道：「大約是四、五次吧！」

包一天道：「這就奇怪了。」

蕭翎道：「什麼事？」

包一天道：「你既非他敵手，又和他動手數次，怎的還活在人間？」

蕭翎道：「晚輩的運氣好，每次都死裏逃生。」

包一天道：「運氣一事，豈可常恃。」

蕭翎道：「所以，長眉老前輩才請包老前輩，搏殺沈木風和金光和尙，因他知曉晚輩無此能耐了。」

包一天點頭道：「說得有理。」

目光又轉至無爲道長的臉上，接道：「那沈木風現在何處，老夫不能等得太久！」

無爲道長道：「晚輩已派人追覓沈木風的下落，也許三、五日就有消息。」

包一天道：「好，咱們以一月爲限，過了限期，老夫就不再等待了。」

無爲道長道：「好！就照老前輩的吩咐，咱們以一月爲限，如是我等無法在一月之內，查出那沈木風的下落，任憑老前輩的去留，晚輩等絕不敢挽留。」

包一天目光轉動，四顧了一眼，道：「這一月時光之中，老夫就住在這茅舍，等候消息嗎？」

無爲道長道：「此地過於簡陋，貧道等已和蕭大俠商量好了，準備移住長沙近郊馬家堡。」

包一天略一沉吟，道：「好！咱們幾時動身？」

無為道長道：「宇文先生已遣人備置幾味佳餚、美酒，等他們送到之後，老前輩進過飲食，咱們就立時動身。」

包一天點頭笑道：「安排得很好，老夫也不想多在此地停留。」站起身子，向外行去。

無為道長道：「老前輩意欲何往？」

包一天道：「老夫想遊賞一下七星潭的風光。」

無為道長道：「貧道想遣雲陽師弟，奉陪前輩。」

雲陽子應聲行了過來，道：「貧道為老前輩帶路。」舉步向前行去。

包一天只好舉步隨在雲陽子身後而行。

無為道長目睹二人去遠，低聲對展葉青道：「你守在門口處，見你二師兄和包前輩回來時，盡快告訴我等。」

展葉青應了一聲，轉身而去。

無為道長接道：「小心一些，包老前輩很多疑，不可讓他瞧出痕跡。」

展葉青道：「小弟記下了。」

無為道長回顧蕭翎、百里冰和宇文寒濤一眼，道：「我們回房裏談吧！」

宇文寒濤道：「道長說在下遣人去辦酒席……」

無爲道長接道：「這個，貧道已然著人去辦了，用不著宇文兄費心。」

緩步行到木椅旁，坐了下去。

宇文寒濤低聲說道：「道兄似是有著很沉重的心事。」

無爲道長道：「三位請坐，貧道三思之後，決定把心中一點隱秘，提早說出，雖然那長眉大師已然事先告訴過貧道，要貧道選擇一個適當的時機說出，而此時，並非適當時機。」

宇文寒濤道：「先說出來，不妨事嗎？」

無爲道長道：「貧道覺得，以蕭大俠和宇文先生的才慧，也許有助於早日解決此事。」

宇文寒濤道：「什麼事，這等嚴重？」

無爲道長道：「貧道想先簡明地說出經過，或有助三位了解全盤內情。」

蕭翎道：「我等洗耳恭聽。」

無爲道長道：「貧道離開馬家莊，到七星潭來，就是奉了長眉大師諭召……」

宇文寒濤道：「道長在我等之前，可曾見過長眉大師嗎？」

無爲道長道：「沒有。我到此之後，長眉大師一直未召見我等師兄弟，貧道爲了表示對他的敬重，也就一直居此等候。其間，自然也有等得不耐之處，但我們終於還是忍了下來，直到今日，見到長眉大師，才得他說明內情。」

宇文寒濤道：「那長眉大師爲什麼遲至今日，才和諸位相見呢？」

無爲道長道：「唉，說起來，倒是一樁十分悲痛的事，那長眉大師受了很重的內傷，但他憑藉著數十年精深的內功，勉強壓著傷勢，不讓它發作，等到今日這場心願得償，才撒手而去。」

宇文寒濤道：「他從禁宮受傷，到現在，相隔了數十年，傷勢才發作嗎？」

無爲道長搖頭說道：「不是，就是他召請我等來此的第二個晚上，和人動手受傷。」

宇文寒濤吃了一驚，道：「這是近日中的事了？」

無爲道長道：「不錯，不足半月時光。」

蕭翎道：「什麼人知曉他在此地，又有什麼人能和他對手呢？」

無爲道長道：「聽那長眉大師說，似是一位天竺高僧，在兩人一場動手相搏中，對方被長眉大師擊斃，但長眉大師也受了傷，而且傷得很重，他原準備召請貧道等師兄弟在此，利用和一天會面前的一段時日，指點我們劍術的計畫，不得不改變了，因爲，他要保留所有的精力，來設法延長自己的性命，以踐今日之約。」

蕭翎道：「原來如此。」

無爲道長緩緩從衣袖中，取出一軸白絹，道：「蕭大俠拿去瞧過。」

蕭翎接在手中，卻未即時打開，問道：「這是什麼？」

無爲道長道：「長眉大師留下的劍招，也就是準備傳我們師兄弟的劍法！」

蕭翎道：「這個在下如何能夠瞧看？」

無為道長道：「蕭大俠劍法精絕，也許能為我等講解出不解之處。」

蕭翎略一沉吟，打開絹軸，瞧了兩眼，道：「只有三招劍法？」

無為道長道：「那就不錯，長眉大師告訴貧道說，這上面記載的劍法，乃是武當太極慧劍中的三記絕學，他只是把我們的武當劍法，還於我們門下。」

蕭翎道：「這位長眉大師果然是一位有心人了，不知他在何處找到貴門中的三劍絕學？」

無為道長道：「來自禁宮中，貧道師長之手。」

蕭翎道：「這就是了。」緩緩把白絹交還無為道長，道：「這個道長保存著吧！日後，道長如有不解之處，在下極願和貴兄弟一同研究。」

無為道長接過白絹，藏入懷中，道：「據那長眉大師道，這三招劍法歸入太極慧劍之後，當使那太極慧劍的威力，增長數倍，因為這三劍，才是那套劍法中的精華。」

蕭翎道：「在下向道長恭喜了。」

無為道長淡淡一笑，道：「但是，這就是和蕭大俠有關的事了。」

蕭翎吃了一驚，道：「和在下有關？」

無為道長道：「長眉大師提到了岳小釵，那不是和蕭大俠有關嗎？」

蕭翎道：「岳小釵怎樣了？」

無為道長道：「長眉大師雖然很少在江湖走動，卻經常遣人打聽江湖中事，所以，他知曉的事情不少……」

蕭翎心中惦念岳姊姊，忍不住接道：「我那岳姊姊怎樣了？她在何處？」

無爲道長道：「那長眉大師提到岳小釵時，又提到洗心茅舍，但貧道費盡心智，想不出那洗心茅舍是一處什麼所在。」

蕭翎沉吟了一陣，道：「那長眉大師可是說，我那岳姊姊在洗心茅舍？」

無爲道長道：「是的，岳姑娘暫時寄居於洗心茅舍，那長眉大師並未說得很清楚，但貧道的推斷所得，那長眉大師告訴我等的用心，似是說，如若咱們無法對付那包一天時，去求那洗心茅舍主人，長眉大師並賜我半截玉簪，告訴我說，如是那洗心茅舍主人，不肯答允時，就要貧道拿出這半截玉簪……」

宇文寒濤道：「拿出這半截玉簪，那洗心茅舍主人就一定會答應了？」

無爲道長道：「大概如此吧！那長眉大師也未說得很清楚，貧道自然也不便追問。」

宇文寒濤道：「洗心茅舍，這地方倒是從未聽人說過。」

蕭翎口中喃喃自語道：「洗心茅舍，一點不會錯了……」抬頭望了無爲道長和宇文寒濤等一眼，道：「我知道。」

無爲道長道：「蕭大俠知道就好了，如若情勢必要時，咱們只好去找那洗心茅舍的主人。」

蕭翎腦際間浮現出，寄存岳雲姑遺體時所見的老嫗，心中暗道：難道那白髮蕭蕭的老嫗，也是一位息隱江湖中的奇人不成？

但聞無為道長接道：「那長眉大師告訴貧道，如若咱們能夠對付了包一天，那就用不著去驚動洗心茅舍的主人。」

宇文寒濤道：「那半截斷去的玉簪呢？」

無為道長道：「找一處隱秘之地，把它埋起來，或則棄投於水潭江河之中。」

宇文寒濤道：「這半截玉簪，能使那洗心茅舍的主人，答允出戰強敵，自非平常之物了，豈可隨意把它棄去。」

無為道長道：「貧道亦作此想，而且問過那長眉大師。」

宇文寒濤道：「大師如何解說？」

無為道長道：「他說這半截玉簪，本是普通之物，其價值在人，而且也只是局限於一、二人的身上，歲月逐雲，年華似水，甚至對一、二人的價值，也將於若干年後消失。」

宇文寒濤道：「這是一件信物，而且和長眉大師及那洗心茅舍的主人有關。」

無為道長道：「大概是如此了。」

蕭翎道：「道長，那沈木風的行蹤，是否還在道長監視之下？」

無為道長搖頭道：「那沈木風魔影一現之後，就未再露面。」

蕭翎道：「那是說他已經離開此地了。」

無為道長道：「照貧道的看法，他可能還在附近，並未離開。」

蕭翎道：「這附近山高林密，如若咱們沒有線索，總不能勘過所有的山林幽谷。」

無爲道長道：「貧道推斷，那沈木風在此經營有一處分舵，人數不會太少，長沙他們已不敢去，食用之物，大都在此採辦，除非他們已發現貧道等行蹤，但貧道相信他沒有發現。」

蕭翎接道：「沈木風乃是最善佈置暗樁的能手，道長怎知他在這七星潭附近未設暗樁，也許道長的行蹤，早已落入那沈木風的眼中了。」

宇文寒濤默不作聲，靜靜地看兩人論辯。

蕭翎道：「願聞高見。」

無爲道長道：「這七星潭，只不過是大山中，一處風景區，武林人物極少來此，沈木風雖然智計過人，但貧道也料他謀不及此，在此等之地，布上暗樁……」

語聲微頓，接著道：「何況，貧道到此之後，已命我十名武當弟子，化裝作行商、漁樵，分佈在七星潭四周，監視著行跡可疑之人，據他們回報，一直未發現可疑的人物。」

蕭翎沉思良久，道：「道長如此說，想必甚有把握了，但不知道長準備在幾日時光中，找出那沈木風的下落？」

無爲道長道：「很難說，貧道計算他們上次採辦之物，已該用盡，三、五日內，應該有跡象可尋，至遲不會超過十日。」

蕭翎輕輕歎息一聲，欲言又止。

無爲道長道：「蕭大俠似是有很多心事？」

宇文寒濤接道：「蕭大俠可是希望趕往那洗心茅舍一行？」

蕭翎道：「是的，在下希望趕往洗心茅舍，一則會晤岳姊姊，二則拜拜雲姨的遺體。」
無為道長道：「蕭大俠是否計算過，由此趕往洗心茅舍，往返需得幾日？」
蕭翎道：「如若沒有什麼變故，七至十日，足可往返，但如遇上變故，時間就無法控制了。」
無為道長心中大感為難，目光轉注到宇文寒濤的臉上，道：「宇文先生，對此事有何高見？」
宇文寒濤道：「在下心中有兩事不明，故而無法作出主意。」
無為道長道：「什麼事？」
宇文寒濤道：「一是那包一天是否真的會遵從長眉大師之言，和沈木風、金光和尚動手，二是那包一天的武功，是否能和沈木風及金光和尚抗拒，這兩件問題解決之後，就可決定那蕭大俠的去留了。」
無為道長道：「如論那包一天的武功，乃數十年前武林中出類拔萃的高手之一，沈木風和那金光和尚，都受創不久，照貧道的看法，勝得兩人，並非難事。」
宇文寒濤道：「如若那金光和尚和沈木風聯手而攻呢？」
無為道長道：「這個貧道也曾想到，果真如此，貧道準備和兩位師弟，合力出手接鬥一人，待那包一天殺死一人之後，再回頭對付另一人。」
宇文寒濤道：「包一天肯聽從道長的安排嗎？」

無爲道長道：「貧道自然不會先行說明，臨敵之際，有備無患，自然促成水到渠成之局。」

宇文寒濤道：「道長有此計略，如那包一天肯合作，蕭大俠留此與否似已無關緊要了。」

無爲道長道：「照那長眉老前輩的說法，只要包一天不知他已圓寂歸天，他答應的事，決然不致有變，但如他知曉了長眉大師已歸西天，那就很難說了……」

手拂長髯，接道：「不過，長眉老前輩的圓寂，出人意外，諒那包一天，在一月之內，也無法察覺。」

宇文寒濤道：「包一天多疑善嫉，又喜愛受人奉承，因此，他隨時很可能因一個極微小的變化，而改變主意，這一點道長要特別小心才是，長眉大師說他不是壞人，那是實言，但一個善嫉多變的人，比壞人更爲可怕，唉！如是那包一天是一位很壞的人，也未必能製造出禁宮慘局了。」

蕭翎道：「宇文先生說得不錯，如是那包一天惡跡卓著，在未入禁宮之前，人人都對他有了戒備，他千辛萬苦築造的禁宮，就未必能誘人上當。」

無爲道長道：「貧道擔心那包一天，在搏殺沈木風和金光和尚之後，貧道一人之力，無法降服他。」

蕭翎道：「爲什麼定要取他之命，何不勸他回歸故居，終老林泉？」

宇文寒濤道：「如若長眉大師未死，他或可安分守己，重歸林泉，但如知曉長眉大師已死，這位包老前輩就像脫韁野馬，出柵猛虎，不知道他會做出什麼怪事來，這種人，如果一步失錯，將會誤盡天下蒼生。」

無爲道長道：「長眉老前輩慎重交代，必是三思之後的決定，因此，不容貧道不信。」

宇文寒濤目光轉注到蕭翎身上，道：「蕭大俠心急似箭，必也急欲趕往那洗心茅舍了。」

蕭翎道：「在下權衡了一下輕重，覺得應該趕往洗心茅舍一行才是。」

宇文寒濤道：「就目下情形而言，搏殺沈木風，似已暫不用蕭大俠出手，對待包一天，鬥智重過鬥力，在下留此，蕭大俠和百里姑娘，趕往洗心茅舍一行，不知道長的意下如何？」

無爲道長道：「宇文兄智略絕世，留此必有大助，蕭大俠去意已決，貧道也不便強留。」

蕭翎起身一抱拳，道：「在下等就此別過，如是洗心茅舍沒有變化，當盡快趕回此地。」

宇文寒濤道：「蕭大俠不用重回此地，不論有何變化，在下都將把消息送回馬家莊去。」

蕭翎道：「諸位珍重。」

帶著百里冰轉身而去。

無爲道長、宇文寒濤，快步追出門外，蕭翎和百里冰，已然行到兩丈開外了。

無爲道長望著蕭翎的背影，低聲對宇文寒濤道：「希望那糾結的情網，不致於把一個武林中傑出的人才俠士毀去。」

宇文寒濤略一沉吟，道：「毀去倒還不會，但那等顛簸的情海風波，已經夠他受了。」

五七　煙消雲散

且說蕭翎和百里冰，兼程趕路，第二天日落時分，已到了洗心茅舍。

原來，那洗心茅舍也在湖南境內，距離七星潭不過二百餘里。

這是一片很少人跡的荒涼所在，遠山凝翠，峰嶺起伏，不遠處一叢修竹中，露出來一間茅舍。

蕭翎六年前隨著岳小釵來過此地，但那茅舍老嫗的冷漠神態，卻深印在他的腦際。舊地重遊，勾起了沉澱於腦際間的回憶，記得那老嫗說過的一句話，洗心茅舍中，從沒有三尺童子涉足。

心中念轉，回頭望了百里冰一眼，道：「冰兒，那洗心茅舍的女主人，不允男子入內，等一會兒，你進去替我辦事。」

百里冰點點頭，道：「什麼事？」

蕭翎道：「到了那洗心茅舍再說，如是那女主人想法變了，也許會答應我進去瞧瞧。」

百里冰道：「那茅舍女主人，是老婦，還是年輕的人？」

蕭翎道：「又老又怪，而且對人冷漠，等會兒你要多忍耐。」
百里冰嫣然一笑，道：「和大哥在一起，我幾時不忍耐了。」
蕭翎不再多言，舉步向前行去，繞過翠竹，到了那茅舍前面。
只見柴扉關閉，一片寂然，依舊是六年前一般模樣。
落日餘暉透過叢竹照射在柴扉之上，更增加不少荒涼之感。
蕭翎舉手在柴扉上叩了三下，肅然而立。
足足過了盞茶工夫，才聞那茅舍中傳出一個蒼老低沉的聲音，道：「什麼人？」
蕭翎輕輕咳了一聲，道：「晚輩蕭翎。」
茅舍中又傳出那低沉蒼老的聲音，道：「洗心茅舍不見外客，閣下請去吧！」
蕭翎回顧了百里冰一眼，苦笑一下，說道：「晚輩來此尋人，萬望老前輩破例延見。」
只見柴扉呀然而開，一個白髮蕭蕭，手握著竹杖，枯瘦如柴，一臉皺紋，緊閉雙目的老嫗，當門而立。
百里冰抬頭瞧了那老嫗一眼，不覺間，由心底泛起了一股寒意。
但聞那老嫗冷冷地說道：「找什麼人？」
百里冰道：「找岳小釵姑娘。」
那老嫗緊閉的雙目，霍然睜開，兩道冷電一般的目光，逼注在那百里冰的臉上，冷冷地道：「你是什麼人？」

百里冰打了一個冷顫，道：「晚輩百里冰！」
那老嫗又緩緩閉上雙目，道：「不在這裏。」
砰的一聲，關上了柴扉。
百里冰道：「在下知曉她在此地，老前輩為何要這般拒人於千里外……」
柴扉又開，那老嫗仍站在原處，冷冷說道：「老身說不在就是不在。」
蕭翎道：「我那雲姨的遺體呢？」
白髮老嫗道：「岳雲姑的屍體？倒是在此。」
蕭翎道：「可否讓晚輩進去拜拜我雲姨的遺體？」
白髮老嫗道：「洗心茅舍，從無男子涉足，你想要老身破例？」
蕭翎一抱拳，道：「雲姨恩義深重，晚輩已近七年未能一睹遺容，但得老前輩破例賜允，晚輩是終生感激不盡。」
白髮老嫗道：「老身不能破例。」
蕭翎怔了一怔，道：「除了獲得賜允之外，是否還有別的法子，進入茅舍？」
言下之意，那無疑擺明了，縱然不得賜允，也要進入茅舍。
白髮老嫗道：「方法倒有一個，但不知你是否有此能耐？」
蕭翎道：「請教高見。」
白髮老嫗道：「憑仗武功，闖入老身自劃的禁地。」

蕭翎道：「晚輩怎敢……」

白髮老嫗道：「知難而退，不失上策。」

「砰」的一聲，又把柴扉關上。

蕭翎一提真氣，道：「如是只此一途，晚輩就放肆了。」

右手一抬，劈在柴扉之上。

但聞砰的一聲，柴扉碎裂，散落一地。

只聽一聲陰森的冷笑，道：「好大的膽子。」

隨著冷笑聲，一股強猛絕倫的暗勁潛力，直逼了過來。

蕭翎右手抬起推出，硬接下一掌。

只覺那湧來的暗勁，有如排山倒海一般，身不由己地被撞向後退了兩步，心中暗暗震駭道：瞧不出這老嫗竟有著如此內功。

這時，落日餘暉已盡，四周的景物沉落暗夜中，隱隱約約無法看得清楚。

蕭翎接下一掌，並未還擊，運足目力，向前看去。

只見那老嫗緊傍叢樹而立，右手中仍然握著竹杖，顯然那一掌威猛絕世的掌力，是由左手發出。

那老嫗發出一掌之後，也未出手攻擊，靜靜地依樹而立。

蕭翎一抱拳，道：「老前輩掌力雄厚，晚輩心中十分敬服。」

白髮老嫗淡淡一笑，道：「你這點年紀，竟然能接下我一記掌力，倒是大出老身意料之外。」

蕭翎原想免不了一場凶惡的搏鬥，想不到竟有如此之變。

心中甚喜，恭恭敬敬行了一禮，道：「晚輩能有今日，皆爲雲姨所賜，晚輩已數年未拜過雲姨的遺容了，還望老前輩破格賜准，允許晚輩一拜雲姨遺容。」

白髮老嫗輕輕歎息一聲，道：「好吧！你能接下老身一掌，已有能闖入洗心茅舍，老身允許你停留半個時辰，到了時限，要立刻離此，如是藉故拖延，那就別怪老身手下無情了。」

蕭翎心中所想，只希望拜了雲姨遺容之後，回頭就走，卻不料竟然能得半個時辰的停留機會，心中大喜，欠身說道：「多謝老前輩恩允，但晚輩還有一個不情之求。」

白髮老嫗冷哼一聲，道：「小娃兒，不可得寸進尺。」

蕭翎道：「晚輩不敢，但晚輩有一個同伴隨來，她是女兒之身，不知是否可隨晚輩一同入內，一拜雲姨遺容？」

白髮老嫗道：「女娃兒？」

蕭翎道：「是的，她是女兒之身，否則，晚輩也不敢強求了。」

白髮老嫗皺皺眉頭，道：「蕭翎，你認識很多女孩子，是嗎？」

蕭翎怔了一怔，道：「不多啊！」

白髮老嫗冷冷說道：「跟你來的女娃兒，是你什麼人？」

蕭翎道：「她是北天尊者之女。」

白髮老嫗怒道：「我問她是你什麼人，誰管她是什麼人的女兒了。」

蕭翎道：「是晚輩生死相共的一個同伴。」

白髮老嫗道：「你們很好嗎？」

蕭翎道：「情同兄妹。」

白髮老嫗道：「你對岳小釵好嗎？」

蕭翎道：「好！」

白髮老嫗道：「怎麼一個好法？」

蕭翎道：「視她如姊，敬重萬分。」

白髮老嫗點點頭，道：「好吧！也准那女娃兒進來，不過，你們兩人同入老身這洗心茅舍，我要扣除你留此的時間，兩個人同時留此，不得超過一頓飯時光，到時老身自會告訴你們。」

語聲微微一頓，道：「岳雲姑的遺體，就在西廂之中。」

言罷，轉身直向正廳行去。

蕭翎道：「多謝老前輩的恩典。」

白髮老嫗不再理蕭翎之言，快步行入正廳不見。

蕭翎回身舉手一招，道：「冰兒，快進來。」

百里冰急步行了進來，道：「我在外面等你也是一樣，減少了你留此的時間。」
蕭翎輕輕歎息一聲，道：「我要你跟我一起拜拜雲姨的遺容，小兄能有今日，全是雲姨的恩賜。咱們時間不多，要快些行動，你帶有火摺子嗎？」
百里冰點頭一笑，道：「有，宇文先生告訴我，出門時多帶應用之物。」
蕭翎道：「那很好。」
舉步行近西廂，舉手推開木門。
百里冰隨著晃燃了火摺子，凝目望去，只見一個松木靈台，緊靠後壁而放，兩邊是黃色的垂簾。
百里冰道：「這裏有燈。」
伸出火摺子，燃起了木案旁側的油燈。
蕭翎道：「這垂簾之後，定是雲姨的遺體了，唉！我已經數年沒有拜見了。」
伸手掀起垂簾。
只見岳小釵一身白衣，緩緩行了出來。
蕭翎呆了一呆，道：「岳姊姊？」
岳小釵點頭一笑，道：「是我，你好嗎？」
蕭翎道：「小弟還好。」
百里冰急急奔了過來，道：「姊姊，想煞小妹了。」

盈盈拜了下去。

岳小釵伸手扶住百里冰，道：「冰姑娘，快起來，我如何敢當這等大禮。」

蕭翎凝目望去，只見岳小釵白衫、白裙，頭上也用白綾包起，形貌似有改變，但蕭翎又說不出哪裏改變了。

百里冰站起身子，道：「姊姊，大哥和我，都很想念你。」

岳小釵道：「多謝你們了。」

話說得十分客氣，但蕭翎聽入耳中，卻似被人在胸上打了一拳。

但聞岳小釵接道：「咱們已經見過了，你們可以走啦！」

蕭翎心中暗道：好啊！見面僅交談一語，就下起逐客令了，不知她是何用心。

心中念轉，口中卻問道：「那靈台之內，可是放著雲姨的法體嗎？」

岳小釵搖搖頭，道：「不是，我已把你雲姨的遺體移走，你心已到，不用真的拜見了。」

蕭翎只聽得大感奇怪，道：「姊姊，此地主人告訴我，雲姨法體放在此室，我不信她會騙我。」

岳小釵道：「她沒有騙你……」

蕭翎道：「那是姊姊騙我？」

岳小釵道：「我也沒有騙你。」

蕭翎道：「這就奇了，此地主人和岳姊姊都講的實話，那雲姨的法體會自行登天不成？」

岳小釵道：「我把你雲姨遺體移離西廂，而洪老前輩並不知道。」

蕭翎啊了一聲，道：「原來如此。」輕輕歎息一聲，道：「姊姊把雲姨的遺體移向何處？可否帶小弟去一拜遺容。」

岳小釵道：「你心香早燃，又何用面拜你雲姨遺體，你們該走了，走！姊姊送你們出門。」

蕭翎聽她三番兩次下達逐客令，心中又氣又怒，忍不住冷笑一聲，道：「姊姊三番五次地下令小弟離此，不知用意何在？」

熊熊的燈火下，岳小釵第一次看到了蕭翎臉上爲自己泛起怒意。

以往，蕭翎對待岳姊姊，簡直是百依百順，從不似今夜，臉上泛出怒氣。

岳小釵望著蕭翎眉宇間升起的怒意，先是一怔，繼而淡淡一笑，道：「你已經成人長大了，姊姊一直還把你看成昔年的孩子，我該給你說明白內情才是。」

蕭翎緩緩垂下頭，道：「姊姊請說，小弟洗耳恭聽！」

岳小釵道：「我已蒙洪老前輩答允收留，承她衣缽，此後要長住於這洗心茅舍。」

蕭翎聽得怔了一怔，道：「姊姊不是要爲雲姨報仇嗎？」

岳小釵道：「我已從洪老前輩口中知曉了內情，昔年害死我爹爹的仇人，都已死在你雲姨手下，她雖然受了重傷，但卻報了大仇。」

蕭翎道：「那長碧湖中的血舟，是雲姨報仇，誅殺的仇人了。」

岳小釵點點頭，道：「姊姊得洪老前輩說明內情，才知道那是母親一番有計劃的安排。她故意把身懷禁宮之鑰的事，傳揚出去，召來了仇家，然後，誘他們集中於一艘巨舟之上，母親又故意把我遣開，孤身登舟，血戰群凶。她雖然受了重傷，但她心願全償，替先父報了仇。」

蕭翎道：「這位洪老前輩，怎知曉得如此清楚呢？」

岳小釵道：「她是當今之世中，唯一知曉內情的人，因為，那天晚上她也在場，如非她暗助一臂之力，你雲姨只怕很難盡殲群敵，唉！你雲姨焚舟以沉，用心也就在毀去痕跡。」

蕭翎點點頭，道：「原來如此，姊姊此後，也不用再存為雲姨報仇之願了。」

岳小釵道：「是的，我早該來洗心茅舍，求問內情，如是早知內情，姊姊也不用奔波江湖，招惹來重重煩惱，早就在這洗心茅舍中安居下來了。」

蕭翎道：「恭喜姊姊心中愁鎖已開，從今不再為此煩惱了。」

岳小釵道：「江湖上恩恩怨怨，報復不息，姊姊清白女兒身，既不存爭霸江湖之心，亦不願再混跡江湖之中，你雲姨遺書，要我全心待你，如今，你已經成人長大了，而且是天下知名的英雄人物，上一代的恩怨，也已在你雲姨手中清結，姊姊我心願已了，再無牽掛之事……

「紅塵十丈，煩惱萬千，從今之後，姊姊再也不願意離這洗心茅舍一步，洗心革面，重新為人，我要常伴你雲姨法體，了此一生……

「兄弟青雲有路，俠名已著，今日見後，姊姊此心已死，從此古井無波，望兄弟善待百里妹妹，不用再來探望姊姊了……」

百里冰急急叫道：「岳姊姊，讓小妹說幾句肺腑之言好嗎？」
岳小釵微微一笑，道：「相聚無多，分手在即，你有什麼話，快些說吧！」
百里冰道：「蕭大哥視姊姊有如天人，我知他心中愛慕姊姊很深，卻不敢形諸口舌……」
岳小釵接道：「兄弟，有冰妹妹這般可愛的玉人陪著你，你應該心滿意足了。」
蕭翎道：「小弟……」
百里冰接道：「姊姊聽我說，十個百里冰，也無法代替姊姊，你既知上一代恩怨已結，胸中再無牽掛，爲什麼又要避世獨居，棄去蕭大哥和小妹不再置理？姊姊在長沙靈堂前，已表明心中之願，天下英雄，都已知姊姊是蕭大哥的情侶，小妹是親耳聽聞，言猶在耳，姊姊難道已不認帳了嗎？」
岳小釵道：「此一時也，彼一時也，蕭兄弟如是真的死去，姊姊當遵照家母遺命，以蕭夫人的身分出面，替他料理未完和身後之事。既然他還活著，那就只好委屈百里妹妹，代我照顧他了。」
百里冰道：「不行，就算蕭大哥肯答應，我也不肯答應。」
岳小釵道：「你要怎樣？」
百里冰道：「我要姊姊答應嫁給蕭大哥，你們早已有婚約，而且是姊姊的母親遺命，鐵案如山，豈容反悔。」
岳小釵道：「你自己呢？準備如何自了？」

百里冰垂首說道：「在姊姊面前，小妹也不用說假話了，我對大哥，情深萬斛，要我離開大哥，那還不如要我死去的好，但並不妨礙姊姊和大哥的婚約，姊姊能容得我，小妹甘居妾位，姊姊不能容我，小妹爲婢亦成，只要常和姊姊、大哥相見，小妹此生心願已足了。」

岳小釵歎道：「冰妹多情如斯，我亦代蕭兄弟慶幸，姊姊我已立志繼承洪老前輩的衣缽，不能再爲人婦，但我心田腦際，當永遠留有你們兩人的影子，這麼吧！洗心茅舍，原本是不准男子涉足，但如姊姊繼承了洪老前輩衣缽，我就爲你們一年開放一日，那時，你們儷影雙雙，來此盡一日之歡，咱們細語一年中事，那也是人生一大樂事了。」

蕭翎輕輕歎息一聲，道：「姊姊執意如此，小弟也不敢勉強了，不過，天下安定之前，還有一陣大亂，姊姊避居於此，只怕也無法逃過這場紛爭，置身世外。」

岳小釵道：「這個我知道，洪老前輩傷了玉簫郎君，只怕又要引出老夫人……」

蕭翎怔了一怔，道：「說不定連我那師父，也要被引出來了。」

臉色黯然，長歎一聲，道：「說不定連我那師父，也要被引出來了。」

蕭翎怔了一怔，道：「洪老前輩知曉此事嗎？」

岳小釵道：「知道。」

蕭翎道：「洪老前輩對此事看法如何？」

岳小釵道：「她立過誓言，絕不離開這洗心茅舍周圍百丈，所以，不論江湖上發生多大的變化，多麼嚴重的紛爭，只要離開這洗心茅舍百丈以外，那都和她無關，但如進入她百丈範圍之內，她就可能出手干預。」

蕭翎低聲說道：「洪老前輩，對引起這番爭執，沒有責備姊姊嗎？」

岳小釵沉吟了一陣，道：「沒有。」

蕭翎道：「如若張夫人率領高手來犯，可要小弟相助一臂之力？」

岳小釵道：「我看不用了，那洪老前輩大約有應付之能。」

但聞一個蒼老的聲音，遙遙傳來，道：「你們限留時間已到，可以走了。」

蕭翎高聲地說道：「在下還有幾句話未曾說完，老前輩可否寬限一點時間？」

只聽那冷漠聲音道：「不行，老身一向說一不二，兩位如不即刻退出，不要怪老身翻臉無情了。」

蕭翎苦笑一下，抱拳對岳小釵道：「姊姊保重，小弟就此告別了。」

岳小釵道：「你們不要再捲入這場是非中了，快些離開此地吧！」

蕭翎道：「小弟自有主意，不勞姊姊費心。」

轉身向前行去。

岳小釵望著蕭翎向外行去的背影，忽覺一股莫名的傷感，自心底泛了上來，熱淚湧出，趕快轉過身去，不敢再看蕭翎。

就在她轉過身子的同時，蕭翎正好回頭望去，眼看岳小釵行入靈後，望也不望自己一眼，心中亦不禁泛現出無比的感傷，長長歎息一聲，快步行出了洗心茅舍。

百里冰緊追蕭翎身後而出，低聲說道：「大哥，你生氣了？」

蕭翎苦笑一下，道：「沒有，我很好。」

百里冰歎息一聲，道：「大哥，你不用騙我，我看得出來，你心裏很難過。」

蕭翎道：「其實也沒有什麼難過，岳姊姊就是這種性格。」

百里冰道：「你可是覺得那岳姊姊對你太過無情嗎？」

蕭翎歎息一聲，道：「岳姊姊待我們不能算錯，但我覺得她神態太過冷漠。」

百里冰道：「會不會和我有關？」

蕭翎奇道：「和你有何關係？」

百里冰道：「她覺得你已經有了我，所以就不再理你。」

蕭翎搖搖頭，道：「岳姊姊是個孝女，她不願違背母親的遺命，所以，她在別人面前，和我那靈位之前，當眾說出是我的妻子，事實上，她從未對我說過什麼，她心中，早已想好了要走的路，不論我是生是死，都無法阻攔於她。」

百里冰道：「但你要諒解岳姊姊，以她處境，實難免有些失常。」

兩人談話之間，已然行出了環繞茅舍的竹叢。

只聽一陣銅鑼之聲，傳入耳際。

蕭翎臉色一變，道：「神風幫。」

百里冰道：「他們到此作甚？」

談話之間，瞥見一個高大的人影，遙遙行了過來。

蕭翎劍眉一聳，肅立在路中不動。

百里冰看蕭翎滿臉肅容，心中大爲奇怪，低聲說道：「大哥，你要幹什麼？」

蕭翎道：「神風幫在江湖之上，裝神弄鬼，自非什麼好路道，今天我要設法找出真相，拆穿他們的真正內情。」

這時，那鑼聲已經停了下來，兩條人影，當先而至。

蕭翎凝目望去，隱隱識得那當先兩人，正是神風幫壇前開道二鬼，鐵判左飛，冤魂方橫，左飛手執狼牙棒，方橫雙手握住喪門杖。

八個大漢抬著恐怖高大的神像，就在兩人身後兩丈左右處跟進。

那高大神像的前後左右，大約有七、八個護從的黑衣人。

蕭翎回顧百里冰一眼，道：「冰兒，這地方離那洗心茅舍，是否有百丈距離？」

百里冰道：「百丈以外。」

蕭翎道：「那很好，咱們就在此處對付神風幫。」

百里冰看他滿臉肅殺之色，心中雖然疑惑重重，卻也不敢多問。

這時，開道二鬼，已然行到蕭翎身前，看蕭翎當路而立，有如泰山之石，不禁一愣，停下腳步。

蕭翎不待二鬼開口，搶先說道：「兩位如若想多活幾日，快請通報貴幫主一聲，告訴他不要裝神弄鬼的駭人，要他出來和我相見。」

左飛呆了一呆，道：「閣下口氣很大。」

方橫接道：「如此口氣，定非無名之輩了，閣下請報個姓名上來。」

蕭翎冷笑一聲，道：「咱們見過幾面，想不到兩位竟是如此的健忘。」

左飛道：「咱們見過的武林同道很多，如何能都記在心中。」

蕭翎冷哼一聲，道：「好！告訴你們幫主，就說蕭翎要他行出神像相見。」

方橫怔了一怔，道：「閣下是蕭翎，蕭大俠？」

蕭翎道：「不錯。」

左飛道：「蕭大俠可是由洗心茅舍出來？」

蕭翎心中滿是憂忿，哪裏有耐心和他多言，怒聲喝道：「兩位既是不肯通報，在下只有自己闖過去了。」大步向前行去。

左飛一揮手中狼牙棒，道：「蕭大俠。」

蕭翎右手疾出，快速絕倫地抓住了左飛手中的狼牙棒，抬起一腳，踢中左飛的小腹。

但聞左飛「媽呀」一聲，滾出了七、八尺遠，半晌爬不起來。

方橫眼看蕭翎出手投足，一舉間就把左飛打出七、八尺外，心中又驚又急，猛揮手中哭喪杖，掃出一招。

蕭翎縱身閃避，正待回手還擊。

卻不料百里冰欺身而上，出手一掌，拍中了方橫的背心。

這一掌落勢甚重，打得方橫一個嘴啃泥，摔倒地上。

蕭翎低聲說道：「你守在這裏，不要跟那神風幫主接近，也免得有什麼變化時，措手不及。」

百里冰道：「大哥也要小心。」

蕭翎大步直行到那神風幫主面前，望了那高大猙獰的神像一眼，冷冷說道：「閣下也不用這般的裝神扮鬼了，需知這等行徑，駭不倒人。」

神風幫主那高大的恐怖形象之下，站了不少黑衣佩刀人，不知是震於蕭翎的威名呢，還是未得神風幫主之命，刃雖出鞘，但卻肅立不動。

只聽那猙獰的高大神像之內，傳出一個嬌若銀鈴似的聲音，道：「你是蕭翎？」

蕭翎道：「不錯，咱們見過幾次了。」

神風幫主道：「閣下已是目下江湖上人人敬重的英雄了。」

蕭翎道：「好說、好說，幫主躲在那高大的神像之內，不覺氣悶嗎？」

但見那猙獰神像的雙目中，紅光一閃，兩道明亮的光線，直對蕭翎照射過來。

蕭翎一縱身閃避過去。

神風幫主咯咯一陣大笑，道：「你不要怕，我只是想瞧清楚你。」

蕭翎冷冷說道：「幫主爲什麼不肯以真面目和在下相見？」

神像中又傳出那女子聲音，道：「我生長於此，將來也要死於此。」

蕭翎一皺眉頭，道：「難道你也是生在那神像之中嗎？」

神風幫主道：「我十四歲繼承幫主衣缽，已在這神像之中，住了十二年了。」

蕭翎呆了一呆，道：「你吃不吃飯？」

神風幫主道：「我是人啊，爲什麼不吃飯呢？」

蕭翎道：「你住在神像之中，如何進食？」

神風幫主道：「你看到了那大口嗎？他們從口中送下飯菜，我就可以取用了。」

蕭翎本還想問，你拉屎、拉尿也在那神像之中不成？

但忽想到對方聲音嬌脆，分明是女子口音，是以忍下未言，改口說道：「幫主是不願出來呢？還是不能出來？」

神風幫主笑道：「你問得那麼清楚幹嘛？」

不待蕭翎答話，接道：「一個人在這神像中，一住十幾年，誰又不願出來瞧瞧呢？」

蕭翎道：「那是說你不能出來了？」

只聽一個粗豪的聲音說道：「幫主不能洩露咱們幫中之秘。」

蕭翎目光一轉，只見說話之人，正是神風幫壇前護法招魂手常明。

立時冷笑一聲，道：「只看你們神風幫這種排場，這等裝束，幫中弟子，都非好人。幫主被困於神像之中，不能出來，想必都是這些人物作祟，讓在下先代貴幫主清除障礙。」

也不待那神風幫主答話，立時欺身搶攻。

但見刀光閃動，六、七個黑衣人，一起圍擊而來。

蕭翎早已有備，戴上了蛟皮手套，不畏刀劍，出手一掌，已擊倒了一個黑衣人。

他此刻武功，何等高強，出手快速無比，片刻工夫，七、八個黑衣人，不是身受重創而逃，就是被點中穴道，倒摔在地上。

幾個抬轎的大漢，也被蕭翎掌、指所傷。

蕭翎一口氣清除了那神風幫主從人，目光轉到那神像身上，冷冷說道：「幫主從人，都已爲在下清除，目下區區一走，幫主就要被棄置於此，活活餓斃了。」

神風幫主道：「本幫中人手很多，那些逃走的也可以去而復返，絕不會棄我而去。」

蕭翎道：「但此刻已經無人保護幫主，在下相信，在你的援手趕到之前，在下可以取你之命。」

神風幫主道：「我存身的神像，堅硬無比，你如何一個傷我之法？何況，你根本無法近我一丈範圍之內。」

蕭翎道：「爲什麼？」

神風幫主道：「這巨大神像，四面都可以放射暗器，而且所有的暗器，都是極爲細小的淬毒之物，中人必死，而且一發數十支，防不勝防。」

蕭翎心中暗暗忖道：她這般先行說給我聽，不知是何用心。

心中念轉，口中說道：「幫主先行示警，心在威嚇在下了。」

神風幫主道：「不信你行近身側試試？」

蕭翎冷冷說道：「那些毒針未必能傷得了我。」

暗中運氣，罡氣滿布全身，緩緩向神風幫主行了過去。

只聽一陣細微的破空之聲，星空下一蓬銀芒，由那神像口中激射而出。

蕭翎一伏身，不退反進，直向神像衝了過去。

他動作迅快，一蓬銀芒，盡皆落空。

就這一眨眼間，蕭翎已然衝到那神像之下，砰的一掌，拍在那神像之上。

那巨大的神像被蕭翎一掌震倒，砰的一擊，摔在地上。

只聽一陣卜卜之聲，那巨大神像四周，突然放射出很多暗器、毒針、毒煙，分向四面八方射出。

星光下，只見塵土飛揚，有很多暗器，射入地下。

蕭翎一仰身，退開了兩丈多遠，心中暗道：這巨大的神像構造如此之巧，如若沒有防備，不論武功如何高強，只怕要傷在神像發出暗器的襲擊之下。

足足過了有一盞熱茶工夫之久，那神像中射出的暗器，才自動停了下來。

百里冰悄然行到蕭翎身側，低聲說道：「那神風幫主，躲在神像之中，自己不能出來，如是她的屬下生了背叛之心，棄她不顧而去，她豈不是要活活餓死在神像之中嗎？」

蕭翎道：「咱們如何能夠完全相信她說的話。」

百里冰微微一笑，道：「大哥說得是，現在，咱們要如何對付她。」
蕭翎道：「我去告訴她，要她自己出來，如若她還要裝模作樣，只好設法對付她了。」
百里冰道：「大哥要如何對付她？」
蕭翎道：「很容易，她如若再不出來，我就告訴她，架起大火，燒那座神像。」
百里冰道：「這辦法很厲害，她如能夠出來，非被你嚇出來不可了！」
蕭翎道：「唉！那高大神像裏面，既然能藏有很多暗器，必也可能藏有他物，咱們還是小心一些的好，你站在遠處接應我！」
百里冰知他用心，怕自己涉險，點頭一笑，道：「大哥小心。」
蕭翎應了一聲，大步行近神像，高聲說道：「在下沒有時間和幫主多費口舌，你的屬下除了死傷之外，都已棄你而去，如是你能夠自啓門戶出來，讓在下一見你廬山真面，從此解散神風幫，在下或可饒你一命，如若還再故作神秘，不肯離那座神像，那就別怪在下下手毒辣了。」
神像中，傳出一個嬌脆的聲音，道：「要施下什麼辣手？」
蕭翎道：「我要在這巨大神像的四周，架起乾柴，生生把你燒死。」
大約蕭翎這方法，已把神風幫主唬住，神像中傳出柔柔細音，道：「我已經告訴過你，我不是不願出去，而是無法出去。」
蕭翎道：「我不信。」

神風幫主道：「那我沒有法子，你把我燒死吧！」
蕭翎沉吟了一陣，道：「如若助你破去神像外殼，你可願出來？」
神風幫主道：「這神像外殼，堅逾精鋼，除了本幫中一位長老之外，誰也無法開它。」
蕭翎道：「我能。」
探手從懷中摸出短劍，緩步行近神像，暗運內力，悄然把短劍插進神像之中，由神像頭上直劃及小腹。
這短劍本有削鐵之利，加上蕭翎深厚的內力，悄無聲息中，劃開了神像堅硬的外殼。
蕭翎劃開神像之後，向後躍退兩丈，高聲說道：「我已用利劍劃開了神像外殼，幫主只要用力震開神像外殼，就可脫身而出了。」
神風幫主道：「這話當真嗎？」
蕭翎道：「幫主不信，何妨一試？」
但聞轟然一聲，那高大、猙獰神像的外殼，突然一震而開。
一個身著青衣，長髮及腹的少女，緩緩由那破開的神像行了出來。
夜色幽暗，蕭翎無法看清那少女臉色，約略所見，那是一位很美的姑娘。
只見那神風幫主長吁一口氣，望著蕭翎停身之處，緩步行了過來。
蕭翎暗中運氣戒備，肅立不動。
那長髮少女行近蕭翎五尺時，停下腳步，一欠身，道：「多謝蕭大俠。」

蕭翎雙目盯注那長髮少女，打量了一陣，道：「姑娘就是神風幫的幫主了？」

長髮少女長長歎息一聲，道：「這一幫之主的尊榮，被囚於神像之中，這幫主幹與不幹，也不大要緊了。」

蕭翎一皺眉頭，道：「姑娘這神風幫充滿著一種恐怖與神秘，不知姑娘如何登上這幫主之位？」

長髮少女道：「可是覺得我這幫主之位，得來的很奇怪嗎？」

蕭翎道：「不錯，貴幫中人才不少，爲何要姑娘出任這幫主之位呢？」

長髮少女道：「我爹爹首創神風幫，但因他是一個殘廢之人，想出這樣一個奇怪的方法，以後，傳位於我，就把我囚入神像之中……」

百里冰突然接口說道：「你這等作法，不是太過冒險嗎？萬一幫中人生了背叛之心，他們把你棄置大山之中，不是要被活活餓死嗎？」

長髮少女道：「幫中幾位高手，生死都在我的控制之下，所以，他們不敢背叛。」

蕭翎道：「姑娘用的什麼法子控制他們？」

長髮少女道：「他們身上，都貼有一張膏藥，每隔七日，都要換一張新的，如是超過了七日不換，那貼膏藥處就自行開始潰爛，而那配方只有我一人知曉，可以在旬日之中煉製。」

蕭翎啊了一聲，笑道：「那是一種毒膏了，姑娘那神像一毀，此後作何打算？」

長髮少女道：「我本無意做幫主，但我被囚其間，身難自主，只有過一天算一天了，我發號施令，一呼百諾，實在我內心的痛苦，非人能知……

「今承相救，我感激不盡，當避居深山，不再在江湖上涉足，神風幫也從此星散江湖。」

蕭翎點點頭，道：「那很好，姑娘有此用心，在下十分敬佩，我知你們幫中定然還有很多隱秘，在下也不想多問了，姑娘請去吧！」

長髮少女一欠身，道：「蕭大俠放心，我當盡我之能，散去神風幫。」

欠身一禮，疾奔而去。

百里冰望著那長髮少女遠去的背影，輕輕歎息一聲，道：「大哥在一個時辰之內，竟使神風幫星散，從此不再為害江湖，單靠武功，決是無法完成的！」

蕭翎突然一跺腳，道：「糟了！」

百里冰道：「什麼事？」

蕭翎道：「我忘記問她來此的用心何在了。」

突聞一聲尖銳的號角聲，傳入耳際，打斷了蕭翎未完之言。

百里冰怔了一怔，道：「深夜荒郊，怎來的號角聲？」

蕭翎道：「洗心茅舍，今晚只怕要有大變，咱們藏起來瞧瞧。」

牽著百里冰，一同躍登上一棵大樹。

兩人不過剛剛藏好身子，幾條人影，已然疾奔而來。

蕭翎凝目望去，只見當先一人，白髮蕭蕭，手執竹杖，正是白雲山莊的張夫人。

張夫人身後，緊隨著一個灰衣老人，和一個藍衫金面鐵手人。

蕭翎心中暗道：這老太婆護短，只要玉簫郎君吃了虧，她就要找人報復。

忖思之間，又是一群人影，疾奔而來。

這群人很奇怪，都是二十幾歲的年輕人，身著青衫，背插長劍。

蕭翎暗中一數，竟有七人之多，大感奇怪。

這些人，不像張夫人邀來的助拳高手，不知到此何意？

五八　生死之鬥

只見灰衣老人疾快地查看了一下那破裂的神像，和地下傷亡的人。

行回到張夫人的身側，道：「是神風幫中人。」

張夫人咬牙切齒地說道：「那老乞婆立過誓，不管洗心茅舍百丈以外的事，神風幫中的人，定然是岳小釵那丫頭殺的了。」

灰衣老人長長吁一口氣，道：「夫人，若洗心茅舍主人不肯把岳小釵交出來，夫人準備如何？」

張夫人冷哼一聲，道：「果真如此，咱們就一把火燒了她的洗心茅舍。」

灰衣老人輕輕歎息一聲，道：「夫人，不是老奴多言，如若真的和那洗心茅舍的主人衝突起來，咱們的勝算……」

張夫人冷冷接道：「張成，你今年幾歲了？」

張成道：「老奴已過古稀之年。」

張夫人道：「你已過古稀，死了也不算夭壽了。」

張成一呆，道：「夫人說得是，老奴死而何惜，不過……」

張夫人道：「不過什麼？」

張成道：「自從老主人陷身禁宮之後，白雲山莊日漸式微，目下咱們集於此地的人手，可算得莊中僅有的精銳，如若在一戰之中，咱們不幸再要落敗，只怕江湖上再無白雲山莊了。」

張夫人道：「你怎知咱們一定要敗？」

張成道：「神風幫中高手不少，但在不足一個時辰內，被對方殺得片甲不留，足以證明對方的武功不弱。」

張夫人一頓手中竹杖，怒聲喝道：「你如害怕，你就逃命去。」

張成歎息一聲，道：「老奴怎敢有偷生之心，我是替白雲山莊著想。」

張夫人道：「我心意已決，你不用再多說了。」

張成長長吁一口氣，道：「希望大姑娘能夠想到老主人對她的愛護，及時趕來。」

張夫人道：「你不用想了，大姑娘目下已是世外高人，自不會來參與此事。」

張成道：「大姑娘雖然遁入空門，但她外表冷漠，內心卻很疼愛俊少爺，老主人生前，待她很好，兄妹情深，我不信她真的不管。」

張夫人冷笑一聲，道：「她如肯來，早已趕到了。」

不再理張成，大步向洗心茅舍行去。

張成低聲對七個佩劍少年囑咐數語，緊追張夫人身後而去。

七個佩劍少年並肩追在張成的身後。

百里冰低聲說道：「大哥，他們可是要找那洗心茅舍主人麻煩嗎？」

蕭翎道：「不錯，起因都爲了岳姊姊，既然被咱們撞上了，那是不能不管了，何況，那神風幫毀在了我的手中，這筆帳，他們也記在了岳姊姊的頭上。」

百里冰道：「那七個佩劍的少年，不知是何來路？不像是白雲山莊中人。」

蕭翎道：「七人衣著相同，都佩著一樣的長劍，定然是一種合力對敵的劍陣。」

目光轉動，四顧了一眼，指指另一株大樹，道：「冰兒，咱們到那棵樹上去，小心些，不要弄出聲音。」

一提氣，飄落實地，輕步行到另一株大樹之下，縱身而上。

百里冰小心翼翼地追在蕭翎身後，爬上大樹。

暗淡星光之下，只見那七個佩劍少年，一排並列在張夫人的身後。

張夫人舉起手中竹杖，在環繞洗心茅舍的竹籬上，重重地敲了兩下，道：「有人在嗎？」

但聞柴扉呀然而開，洗心茅舍的主人，執杖當門而立，冷冷道：「什麼人？」

張夫人冷笑道：「洪大姊，連我也不認識了？」

白髮老嫗冷冷道：「白雲山莊的張夫人？」

張夫人道：「我稱你一聲大姊，是尊重，你既不識故人，我也不用和你攀關係了。」

洪婆婆冷哼一聲，道：「我雖已久年不問江湖中事，但也不准許別人輕易踏入我劃下的禁地，如是我一點不爲故人留餘地，只怕早已有人死亡了。」

張夫人道：「很難說死的是誰！」

洪婆婆頭上白髮，無風自動，很顯然，心中甚爲激動，但她卻強自忍了下來，道：「你找我有什麼事？」

張夫人道：「無事不登三寶殿，我那孫兒可是你打傷的嗎？」

洪婆婆道：「死了沒有？」

張夫人道：「白雲山莊還有療傷之藥，只要他不絕氣，還可救得！」

洪婆婆道：「他能活著回去，老身已是手下留情了。」

張夫人道：「這麼說來，我還要謝你了。」

洪婆婆道：「那倒不用！」語聲一頓，接道：「老身劃下的禁地，不過百丈，令孫不但擅入禁地，而且直入我洗心茅舍……」

張夫人接道：「你如不收留岳小釵，小孫絕不會登門相犯。」

洪婆婆道：「你別忘了這是我的家，老身收留別人，誰也無法干涉。」

張夫人長長吁一口氣，道：「代小孫復仇，不算無禮取鬧吧？」

洪婆婆乾笑兩聲，道：「張夫人，令孫就是對我說話無禮，才傷在我的掌下。」

張成突然接道：「洪婆婆……」

洪婆婆道：「你有話說？」

張成道：「是的，老奴斗膽接言數語，還望洪婆婆不要見怪。」

洪婆婆道：「好！你說吧。」

張成道：「你和我家老夫人，都是相識數十年的老姊妹……」

洪婆婆接道：「哼！老身不敢高攀。」

張成歎息一聲，道：「你是長輩，就算打傷了我們小主人，那也不算什麼，我家夫人此番前來，用心是找那岳小釵……」

洪婆婆道：「老身傷了人，和那岳小釵何干？」

張成道：「那位岳姑娘和我家小主人已有婚約，想不到她竟中途變卦，才引起這場糾紛，還望洪婆婆，看在和我家主人數十年姊妹情意份上，把岳小釵交由我家夫人帶走……」

洪婆婆冷漠一笑，道：「你說得很輕鬆啊！」

張成道：「本來也沒什麼大事，兩位何苦翻臉成仇？」

洪婆婆道：「你說完了嗎？」

張成道：「說完了，還望能賞給我們白雲山莊一個面子。」

張夫人道：「咱們就算掙不回面子，那也不用別人賞給咱們。」

洪婆婆道：「看在咱們相識的份上，老身不追究你闖入禁地之事。」

砰的一聲，關上柴扉。

張夫人一揮手中竹杖，擊開柴扉，道：「站住！」

洪婆婆回身說道：「老身耐性有限，張夫人不可逼人過甚。」

張夫人道：「張家唯一的傳宗人，被你打成重傷，幾乎死去，老身如若不爲他報仇，如何對得起他那死去的祖父。」

洪婆婆道：「那要怪你家教不嚴，縱成他的驕性，老身不取他命，已替你留了情面，事情既然已過去，看在咱們昔年的情意份上，老身再忍耐最後一次，不究你破壞我的柴扉的事。」言罷，轉身向裏行去。

張夫人怒聲喝道：「站住！老身既然來了，豈能空手而回。」

洪婆婆回過頭，道：「你要怎樣？」

張夫人道：「兩條路，任你選擇一條。」

洪婆婆道：「哪兩條路？」

張夫人道：「一條是你交出岳小釵，另一條，咱們拚個勝負出來。」

洪婆婆緩緩說道：「雲姑是我的養女，岳小釵目下又是繼承我衣缽的弟子，老身和她雙重關係，要老身交出她，那是不用談了。」

張夫人道：「那你是選擇第二條路了？」

洪婆婆緩緩說道：「你可是自信一定能夠勝我？」

張夫人道：「正因我無把握一定勝你，所以才請有助拳之人。」

洪婆婆突然一瞪雙目，冷冷地掃掠了張成，和那七個穿青衣佩劍的少年一眼，道：「就是他們這七個年輕人嗎？」

張成道：「還有老奴張成。」

那鐵手金面人高聲接道：「在下也有一份。」

洪婆婆冷漠地說道：「一共十位。」

張夫人道：「你洪婆婆、岳小釵，加上她兩個婢女，一共四人，我們二對一還有餘數。」

洪婆婆突然放聲大笑一陣，道：「不，只有老身一個人對付你們！」

張夫人道：「不覺得太過誇口嗎？」

洪婆婆緩步行出室外，道：「夫人可以下令他們動手了。」

張夫人右手一揮，道：「既是非打不可，那也不用客氣了。」

七個佩劍少年，唰的一聲，齊齊抽出長劍，合圍而上。

百里冰低聲說道：「大哥，他們十個打一個，咱們可要下去助那洪婆婆一臂之力？」

蕭翎道：「咱們先瞧瞧情勢再說。」

就在兩人談話之間，場中形勢，已有了劇烈的變化。

只見洪婆婆縱身而起，手中竹杖疾擊而出。

但聞波波兩聲，挾帶著兩聲尖叫，兩個執劍人還未行近洪婆婆，已然摔倒在地上。

蕭翎低聲說道：「洪婆婆的武功，已到超凡入聖之境，如是張家再無援手趕來，那就用不著咱們出手了。」

七個佩劍少年，創成一種圍擊的劍陣，但還未出手，就被洪婆婆傷了兩人，章法自亂。

洪婆婆竹杖再舞，眨眼之間，又點傷了兩人。

張夫人似是也未料到，洪婆婆的武功如此之高，不禁爲之一呆。

就在她一呆之間，洪婆婆又點倒了餘下之人。

七個佩劍少年，劍陣還未布成，已然全傷在了洪婆婆的竹杖之下。

張夫人望了橫臥在地的七個佩劍少年一眼，輕歎一聲道：「老身錯了，把他們移開吧！」

洪婆婆點倒了七個佩劍少年之後，就停手未再搶攻。

張成和那鐵手金面人，眼看那洪婆婆武功如此高強，亦不禁呆在當地。

直待聽到張夫人的吩咐，才緩緩把倒臥在地上之人，移到一側。

張夫人緩緩行到洪婆婆的身前，接道：「我應該先行和你動手，讓他們劍陣布成之後，再把你誘入劍陣之中，唉！我忘了你流星飛雲劍法，是武林中最快的劍法。」

洪婆婆道：「可惜你發覺得晚了一些。」

張夫人道：「你把手中竹杖，當作劍用，施出流星飛雲劍法的招數，傷了他們七人。」

洪婆婆冷冷說道：「一著失錯，滿盤皆輸，你準備用來對付我的七人劍陣，已爲我所傷，未動手，你已失去一大憑仗，兆頭不好，不如回去吧！」

張夫人厲聲喝道：「除非你交出岳小釵，傷我屬下和孫兒的事，一筆勾銷不提，否則，不是你死，就是我亡。」

洪婆婆雙目眨動，冷芒連閃，冷冷說道：「夫人不要誤會，我不是怕你。」

張夫人扔去竹杖，右手取出一柄玉尺，左手取出一柄短劍，道：「咱們動手了。」

呼的一尺，迎頭劈去。

洪婆婆一閃避開。

張夫人一尺未中，左手短劍，快速絕倫地連續刺出。

洪婆婆一仰身，退後三尺，又避開一擊。

張夫人玉尺一揮，又擊出一尺。

洪婆婆又閃身避開，說道：「我已讓你三招，彼此情意已絕，我要還擊了。」

張成唰的一聲，抽出長劍，接道：「數十年前，老奴追隨老主人，曾見洪大姑娘……」

洪婆婆接道：「我已經白髮如霜，不要稱我姑娘了。」

張成道：「老奴叫順口了，一時改不過來，洪大姑娘請多多原諒。」

洪婆婆道：「你有什麼事，快些說吧！」

張成道：「我家老主人身陷禁宮，大姑娘看破紅塵，皈依我佛，白雲山莊全靠老夫人一手支撐，我家小主人，若有不是，但他是張家唯一的傳人，洪大姑娘打傷了他，難怪我家老夫人情緒激動，難以自禁，老奴生是張家奴，死爲張家鬼，還要請你洪姑娘多多擔待了。」

他久年追隨簫王張放在江湖之上走動，這江湖禮數一點不失。

洪婆婆道：「你要我擔待什麼？」

張成道：「老奴要和我家夫人聯手而攻了。」

洪婆婆歎息一聲，道：「好，你儘管出手。」

張夫人早已聽得不耐，大喊一聲，玉尺和短劍連連攻出。

張成目睹老夫人的攻勢，已知她心存拚命之意，也只好全力運劍，助長張夫人的攻勢。

洪婆婆揮動竹杖還擊，但是在張成全力相助之下，那張夫人的攻勢，顯得十分凌厲，洪婆婆只有招架之功，沒有還手之力。

蕭翎和百里冰藏身樹上，看得明白，百里冰向蕭翎問道：「他們以二攻一，洪婆婆已在劣勢，咱們可要助她一臂之力？」

蕭翎道：「不要緊，那洪婆婆雖處劣勢，但她杖法不亂，還有反擊之力。」

果然，蕭翎話剛落口，洪婆婆已然展開反擊，但見杖影縱橫，反守為攻。

惡鬥中突然聞得一聲悶哼，張成棄劍倒退五步。

原來，他被洪婆婆一杖擊中了右臂，骨折筋傷，執不穩手中長劍，棄劍而退。

張夫人失去了張成相助之勢，處境立見危惡，洪婆婆杖影山湧，把張夫人困在一片杖影之中。

忽聽洪婆婆喝道：「撒手。」

呼的一杖，擊中了張夫人的右手，張夫人右手玉尺應聲落地。

洪婆婆一招得手，未再進逼，反而收杖而退。

卻不料張夫人忍痛進襲，手中短劍一招「穿雲射月」，疾急攻至。
洪婆婆料不到她受傷之後，還能拚命搶攻。
一個失神，劍招已到前胸。
急促間一側身，短劍掠臂而過。
寒芒過處，劃破了洪婆婆衣袖，鋒芒傷到肌膚，鮮血泉湧而出。
這一劍傷得很重，片刻間，鮮血已然濕透了整個衣袖。
洪婆婆中劍後未再反擊，仰身退出五步，冷冷說道：「夠了，我打你一杖，你刺我一劍，可以回去了。」
張夫人長長吁一口氣，道：「不是你命喪當場，就是我埋骨於斯。」
短劍一揮，直衝而上。
張成急急叫道：「夫人不可。」
語聲未落，突聞一聲尖叫。
張夫人直飛而起，跌摔在六、七尺外。
洪婆婆如影隨形一般，一晃而至，手中竹杖一揚，冷漠地說道：「你既有埋骨於此之心，我就成全你了。」
只聽一聲佛號道：「杖下留情。」
凝目望去，暗淡的夜色中，陡然出現了兩個尼姑。

當先一人，月白僧袍，腰繫白僧帶，手中執一馬尾拂塵。
第二人青袍背劍，正是三絕師太。
蕭翎心中暗道；這當先老尼，想來定是張放之妹，岳姊姊的恩師了。
洪婆婆抬頭望了兩人一眼，緩緩收回手中竹杖，道：「張大姑娘。」
那當先老尼歎道：「老尼已皈依我佛數十年，法名忘情。」
洪婆婆道：「忘情卻有情，大師已數十年未離過禪院，此番佛駕突然趕來我洗心茅舍，不知為了何故？」
忘情師太道：「忘情並未斷親，特來向洪施主拜求一事，放了張夫人吧！」
洪婆婆道：「師太來得很巧，你如早來片刻，老身也不致於中此一劍了……」
語聲突然嚴厲道：「最是可惡處，短劍上竟淬奇毒，老身非要自斷一臂不可了。」
蕭翎聽得一呆，暗道：張夫人何等身分，竟然使用淬毒之劍，當真是胡作非為了。
忘情師太似是大感震駭，回頭望了張夫人一眼，歎道：「嫂嫂，你當真用的淬毒之劍？」
她一連呼叫數聲，不聞張夫人回答之言，不禁一皺眉頭，緩緩蹲下身子，伸手在張夫人前胸一探，回顧三絕師太一眼，道：「她氣血湧心，暈了過去，餵她一粒靈丹。」
三絕師太應了一聲，抱起張夫人，退到一側。
忘情師太隨手撿起短劍，迎著星光一看，臉色大變，一抖手，短劍挾著一縷尖風，直飛出數十丈，消失於夜色之中不見。

洪婆婆道：「棄去毒劍，無物可證了。」

忘情師太歎道：「洪施主不要誤會，張夫人用此等毒物，實有辱張家門風，老尼一時間情難自禁，借劍一洩胸中怒火。」

洪婆婆道：「你來了，總不能無爲而去吧？」

忘情師太肅然說道：「洪施主責備的不錯，我如真能忘情，也不會趕來此地了。」

洪婆婆道：「看來，張大姑娘不但未能忘情，而且這情意深長，尤過常人了。」

忘情師太道：「老尼不願生事，只要洪施主能夠放手不加追究，允許那岳小釵見我一面，老尼回頭就去。」

洪婆婆道：「夠了，這條件還不算苛刻嗎？」

三絕師太餵過張夫人吞下靈丹後，起身接道：「我師父對那岳小釵有傳藝之恩，見她一面如何不可呢？」

洪婆婆道：「但那岳小釵已然投在我門下，貴師徒不用費心了。」

三絕師太怒道：「這洗心茅舍是刀山油鍋？還是銅牆鐵壁？」

洪婆婆道：「未得老身允准，當今武林之世，大約還沒有人能夠進去。」

三絕師太冷笑一聲，道：「我就不信。」

忘情師太攔住了三絕師太，緩緩道：「老尼無意和你衝突，我只要見岳小釵一面就走。」

張成突然接道：「洪大姑娘，適才對我家夫人和老奴再三相讓，態度是何等謙和，怎的此刻，竟不肯對我家大姑娘稍假詞色？」
洪婆婆沉吟了一陣，道：「好吧！我要她出來，但只許見此一面，下不爲例。」
緩步行入茅舍之中。
忘情師太回顧了張成一眼，道：「你也受了傷？」
張成道：「老奴被打斷了右臂。」
忘情師太道：「你退下休息吧！」
張成應了一聲，道：「多謝大姑娘。」
口中答應，人卻不肯離開。
忘情師太回顧躺在地上的張夫人一眼，低聲說道：「張成，你怎麼不去休息？」
張成道：「老奴還支持得住。」
忘情師太黯然歎息一聲，道：「俊兒怎樣了？」
張成搖搖頭，道：「少主人身受重傷，內懷心疾，只怕很難撐下去。」
忘情師太道：「傷在何人之手？」
張成道：「洪大姑娘手下。」
忘情師太道：「心疾爲何？」
張成道：「懷念岳小釵，鬱鬱寡歡。」
忘情師太道：「天下盡多美貌淑女，你們爲什麼不給他另作安排？」

張成道：「少主人用情極深，思念岳小釵如中瘋魔。」
忘情師太歎道：「情字誤人，尤過名、利百倍了。」
張成道：「還望大姑娘體念張家這一脈單傳，設法救救少主人。」
忘情師太揮揮手，道：「你退下去，照顧夫人。」
張成應了一聲，欠身而退。
抬頭看去，只見岳小釵赤手空拳，緩步由茅舍行了出來。
三絕師太冷冷說道：「岳小釵，你的架子是越來越大了，師父到此，你也敢拒不拜見。」
岳小釵道：「小妹怎敢有此用心。」
三絕師太道：「還不拜見師父，站在那裏等什麼？」
岳小釵抬頭望了忘情師太一眼，緩緩拜了下去，道：「寄名弟子岳小釵，拜見師父。」
忘情師太一揮手，道：「你起來。」
岳小釵緩緩站起身子，道：「謝師父。」
忘情師太冷冷說道：「我不是你師父，不用這樣叫我。」
岳小釵望了忘情師太一眼，欲言又止。
忘情師太冷冷道：「不論你是誰的門下，我只問你一件事。」
岳小釵道：「弟子洗耳恭聽。」
忘情師太道：「俊兒把你引薦我處，救過你數次之命，咱們不談相處的情意，這救命之恩，你該不該報？」

岳小釵道：「該報。」

忘情師太道：「很好，他現在為你，奄奄一息，你準備如何報答他？」

岳小釵道：「我為他求取靈藥，療治重疾。」

忘情師太道：「救不了，他害的是心病，心病需要心藥醫。」

岳小釵道：「弟子盡我心力，如是醫不好張兄的病，我甘願白刃吻血，以死相謝。」

忘情師太歎息一聲，道：「你可以不死啊！」

岳小釵道：「恩情重如山，弟子活得很辛苦，生與死，弟子看得很淡。」

忘情師太正待接言，洪婆婆卻快步行了出來，道：「你已繼承了我的衣缽，如何能輕易言死。」

岳小釵回頭望了洪婆婆一眼，道：「師父，弟子很為難。」

洪婆婆道：「我知道，但你已經投入我的門下，生死難憑自主了。」

忘情師太道：「洪施主，老尼想和洪施主約法互重，免得傷了和氣，鬧出悲劇。」

洪婆婆道：「好！你說說看。」

忘情師太道：「咱們都不從中干涉，由那岳小釵自決行止。」

洪婆婆道：「很好！但師太要保證，白雲山莊日後不再來此尋仇。」

忘情師太道：「這個自然，岳小釵決定之前，咱們每人可以問她三句話，此後，就不許再言，由她自作主意，強賓不壓主，洪施主先說吧！」
洪婆婆沉吟一陣，道：「老身說什麼呢？」
忘情師太道：「增強她忠於你的信念，說些什麼，老尼不便代作主意吧！」
洪婆婆心中暗道：就算你事先有備，但岳小釵心志素堅，不信三言兩語能使她改變心意。主意暗定，點頭說道：「只許問她三句話，任她自願回答？」
忘情師太道：「正是如此！」
洪婆婆目光轉到岳小釵的身上，道：「小釵，你苦苦求我把你收歸門下，是嗎？」
岳小釵點點頭，道：「是的。」
洪婆婆道：「我已答應了你，而且要你繼承我的衣缽。」
岳小釵道：「弟子知道。」
洪婆婆道：「那很好，不論別人用什麼法子，你都不能離開此地了。」
岳小釵又點點頭，道：「弟子知道。」
洪婆婆微微一笑，道：「師太，老身已經說完了，師太可以問她了。」
忘情師太神情肅然地緩行三步，逼近岳小釵，道：「師父武功如何？」
岳小釵怔了一怔，道：「很高強。」
忘情師太道：「我不願和洪施主衝突，但這股怒氣要發在蕭翎頭上……」
岳小釵吃了一驚，接道：「蕭翎，他和此事無關啊！」

忘情師太道：「你知恩不報反作仇，都和他有關，這筆帳自然要記在他的頭上了，你們不能離開洗心茅舍……」

洪婆婆大聲接道：「你問夠了三句話。」

忘情師太倒是守約，立時住口不言。

岳小釵突然大聲叫道：「不能啊！不能啊！」

三絕師太突然接口道：「師父，那蕭翎的父母還活在世上，咱們要報仇，就下次毒手，就算日後難登極樂，那也是沒法子的事了，洪施主發過誓言，不離洗心茅舍，咱們不用顧慮洪施主了。」

岳小釵突然行前兩步，道：「師父、師姊，這和蕭翎無關，更和他父母無關，你們怎麼對這些不相干的人下手呢？何況，蕭翎的父母，又非武林中人。」

三絕師太道：「這件事，本也和洪老前輩無關，但洪老前輩卻涉足其間。」

岳小釵道：「那是因爲我繼承了她的衣缽，入她門下。」

三絕師太道：「師父雖然皈依了佛門，但她究竟是張俊的姑奶奶啊！」

岳小釵道：「師姊一向愛護小妹……」

三絕師太接道：「我三思之後，覺得這諸多事故，都是你鬧出的毛病，只因你反反覆覆，所以，才鬧出這等悲慘的結果，我縱然愛護你，也是無能爲助了。」

洪婆婆怒道：「忘情師太，你們不覺著講話太多嗎？」

忘情師太道：「老尼沒有講一句話啊！」
三絕師太接道：「貧尼並未和老前輩打賭，這講話多少，那也無關緊要了。」
岳小釵回目望著洪婆婆，道：「師父，請原諒弟子，我要和她們講清楚。」
洪婆婆長歎一聲，道：「想不到師父活了這把年紀，還上了人家的圈套。」
岳小釵目光轉到三絕師太的臉上，道：「看起來，師姊心中是恨我了？」
三絕師太道：「你靠山很硬，由洪老前輩爲你作主，就算我心中恨你，那也是沒有法子的事了。」
岳小釵正容說道：「師姊，聽小妹幾句話如何？」
三絕師太道：「好！你說吧！」
岳小釵伸手取下頭上包的白絹，道：「師姊請看。」
三絕師太轉頭看去，不禁微微一怔。
原來岳小釵滿頭青絲，已盡皆剪去。
三絕師太歎道：「師妹你……」
岳小釵搖手攔住三絕師太，道：「記得師父曾經說過，小妹不是空門中人，不許落髮爲尼，但小妹是禍水，行蹤所至，必引起很多無端的爭端，因此，小妹思之再三，覺得剪去三千煩惱絲，也許會對我好些……」
長長吁一口氣，接道：「關於張兄的事，別人不知內情，師姊最清楚了，我送還張家簫法，恩怨一次清結，如說我應該嫁人，那我應該嫁給蕭翎，我母親遺書定盟，安排了我的終身，何況，我和張兄相識之初，已和他說明了內情，他當時答應過我，說我岳小釵忘恩負義，叫小妹十分爲難，不知是否應該承認……

「姊姊感師父授藝深情，師父念親情，不忍坐視，誰都沒有錯，錯的是小妹我不該受人恩情。」

三絕師太回顧了忘情師太一眼，道：「師父，岳師妹講的也有道理。」

忘情師太長眉聳動，默然不語。

岳小釵接道：「師姊如若動我以情，小妹已斷髮明心，我不能遵從母親遺言，嫁作蕭翎妻，也不能奉侍張兄，師姊如迫我以武，小妹願伸頭就戮，以平你們心中的怒火。」

三絕師太輕輕歎息一聲，道：「師父，咱們該當如何？」

忘情師太臉色連變，仍然是默不作聲。

岳小釵緩緩由懷中取出一把匕首，道：「小妹如若有罪，那是因上蒼賜我這張臉，如若我變得醜一些，我相信張兄再不會以我爲念，小妹毀容代罪，諸位心中的怒火總可以平息了。」

舉手向臉上劃去。

只見洪婆婆手中竹杖揮動，啪的一聲，擊落了岳小釵手中的匕首。

同時，一條人影，疾如流星一般，直射入場中。

五九　浩蕩江湖

忘情師太、洪婆婆一齊轉眼望去，只見來人青衣佩劍，正是蕭翎。

岳小釵一皺眉頭，道：「你沒有走？」

蕭翎道：「沒有……」

目光轉到洪婆婆的臉上，道：「晚輩先向老前輩請罪。」抱拳一揖。

洪婆婆禮也不還，冷漠地說道：「什麼事？」

蕭翎道：「晚輩放肆，在洗心茅舍之外，和人動手相搏。」

洪婆婆道：「洗心茅舍百丈外發生的任何事故，都和我無關。」

蕭翎道：「我知道，但他們卻是衝著您老前輩而來。」

洪婆婆道：「什麼人？」

蕭翎道：「神風幫。」

洪婆婆道：「人呢？」

蕭翎道：「被晚輩傷其護法，毀其神像，餘下的都已逃竄而去。」

洪婆婆道：「神風幫和老身素無過節，為何要侵犯洗心茅舍？」

蕭翎不答洪婆婆的問話，目光卻轉到忘情師太的臉上，道：「老前輩，區區蕭翎叩見。」

忘情師太一閃身，道：「不敢當蕭大俠之禮。」

蕭翎仰天打個哈哈，道：「師太之言，在下已經聽得，不勞師太千里跋涉，找我蕭翎，區區只好獻身相見了。」

忘情師太雙目盯注在蕭翎臉上，瞧了一陣，道：「你想和老尼動手？」

蕭翎道：「師太要取我蕭翎之命，是嗎？」

忘情師太道：「不錯，我說過。」

蕭翎道：「蕭翎在此，師太準備如何，但請吩咐。」

忘情師太道：「你很狂妄。」

蕭翎道：「師太言重了……」

神情冷肅地接道：「我知道師太是有道高尼，困於親情，欲罷不能，但你既然已出面，必欲找個結果，區區卻是其中最礙事的一個，師太殺了我，一切問題，都迎刃而解，如是不幸讓區區勝了，師太也算盡了心意。」

忘情師太道：「你當真要逼老尼出手？」

蕭翎道：「師太如不和在下一戰，只怕是不甘重回庵中了？」

岳小釵大聲喝道：「蕭兄弟不許無禮！」

蕭翎呆了一呆，果然不敢再言。
忘情師太神色冷漠，叫別人瞧不出她心中想些什麼。
只見她緩緩轉過臉去，望了三絕師太一眼，一字一句地問道：「那蕭翎武功如何？」
三絕師太道：「很高強。」
忘情師太道：「和他目下的英名相比呢？」
三絕師太道：「並非倖得。」
忘情師太道：「那是說，他可以和我動手了？」
三絕師太低聲說道：「師父想出手嗎？」
忘情師太道：「如若他真如傳言，爲師倒想領教他幾招絕技。」
三絕師太黯然歎息一聲，道：「師父，蕭翎的武功很博雜，弟子和他動手時，他似乎胸中有很多所學無法施展，如今分別甚久，不知他是否又有了進境。」
忘情師太點點頭，道：「我明白了……」
目光轉到岳小釵的臉上，道：「你退開去，不關你的事了。」
岳小釵道：「師父，您不能和他動手！」
忘情師太臉色平靜異常，淡淡一笑，道：「爲什麼，怕他傷了我？還是怕我傷了他？」
岳小釵道：「不論你們誰勝誰敗，都將叫弟子心碎。」
忘情師太道：「看來，你對他用情很深了。」

岳小釵道：「他很小時，弟子帶他離家，呵護愛惜，焉能無情，但弟子爲了不傷張兄之心，決心繼承洪老前輩的衣缽，終老洗心茅舍。」

忘情師太道：「我都知道了，你下去吧！」

岳小釵知道自己已然說服了忘情師太，依言向後退了三步。

忘情師太舉手對蕭翎一招，道：「你過來。」

蕭翎挺胸昂首，大行四步，到了忘情師太身前，道：「師太有何吩咐？」

忘情師太道：「就事而論，張俊確有不對之處，但忘情並非全無情，張家只此一條根，我雖身入佛門，但仍是他的姑奶奶啊！」

蕭翎道：「親情難拋，晚輩心中明白。」

忘情師太道：「岳小釵雖屬無心，但她玩情自傷，論罪比張俊還深……」長長吁一口氣道：「就你們三人而論，你該算是個無辜的人。」

蕭翎道：「岳姊姊傷情，我應該爲她代罪。」

忘情師太道：「很英雄。論是非，老尼似不應該和你動手，但我已數十年未出庵門一步，既然難割斷親情之累，總該找個結果出來，是嗎？」

蕭翎道：「晚輩心中了然，死而無恨。」

忘情師太搖搖頭，道：「你不會死，老尼想和你談個條件。」

蕭翎一怔，道：「什麼條件？」

忘情師太道：「咱們動手，定會有勝敗之分，如是老尼敗了，我已盡了心力，無愧對張家祖宗，如是老尼勝了呢？」

蕭翎道：「師太準備如何？」

忘情師太道：「你如敗了，那就要委屈岳小釵做我們張家媳婦。」

蕭翎道：「這個在下如何能夠作主？」

忘情師太道：「你如有信心能勝老尼，爲何不敢答允？」

但聞洪婆婆冷冷說道：「岳小釵已繼承了我的衣缽，就是蕭翎和岳小釵都答應了，還有我老婆子不肯。」

忘情師太道：「你可是覺得一定能夠勝過老尼嗎？」

洪婆婆道：「我老婆子雖然傷了一臂，但自信還可和你一戰。」

忘情師太道：「慢慢來，我勝了蕭翎之後，再和你動手不遲。」

洪婆婆道：「老身爲什麼不可以在蕭翎前面和你動手？」

忘情師太道：「你如一定堅持，老尼只好從命了。」

洪婆婆道：「好！咱們先打，老身如勝了你，自是用不著蕭翎再出手了。」

忘情師太道：「如是老尼敗了，我回身就走，今生一世，再不出尼庵，也不再管張家的事，自是最好的一個結果，如是我勝了你，你要交出岳小釵。」

洪婆婆道：「老身如敗了，自然是無能再顧到她了。」

忘情師太道：「好！那你出手吧！」

岳小釵滿臉痛苦之色，想從中阻攔，又似心有所忌，踟躕不前。

忘情師太緩緩說道：「岳小釵，老尼想先對你說明幾件事……

「第一，你無能阻止這場搏鬥，你心裏大概也明白，第二，是你如想自絕一死，那只有使事情更複雜，促成流血慘劇，所以你死不得，第三，是你既自知是禍水，只有一條路走，那就是要趕快嫁人，從此相夫深閨，不要再在江湖上行走，免得招來無謂的煩惱……

「由來紅顏多薄命，更何況你天生媚骨，那該是紅顏中的紅顏，人生都比黃連苦，你苦過黃連十分。」

岳小釵雙手掩面，淚水滂沱，道：「弟子早知今日事，應早毀容做醜婦。」

忘情師太淡淡一笑，道：「老尼參禪數十年，仍難解去這親情之累，岳小釵，我還要告訴你一事，我想此事你自己還不知曉。」

岳小釵拭去臉上淚痕，愕然說道：「也和弟子有關嗎？」

忘情師太道：「不錯。」

岳小釵道：「弟子洗耳恭聽了。」

忘情師太道：「你認爲蕭翎對你如何？」

岳小釵道：「視我如姊，敬重異常。」

忘情師太道：「那是他兒時心情，但此刻他已是英俊少年了。」

岳小釵道：「他對弟子，並無異樣，依然是舊時情意兒時心。」

忘情師太道：「老尼參悟禪功，雖未通神，但自信對星卜相人之術，成就很大，我為私情離庵，不計成敗一擲，以求無愧張家祖先，但也希望能稍盡綿薄，解你們六情之網，老尼願暢所欲言，信不信由你們自決了。」

目光轉到蕭翎的臉上，瞧了一陣，道：「老尼奉贈一句話，寧為多情苦，莫作負心人。」

目光又轉到岳小釵的臉上，接道：「蕭翎並非超人，你覺得他對你的敬重，那只是幼時對你崇敬之心，十分強烈，一時間，無法把男女間那一種強烈的情愛，形諸於外罷了，其實，他內心對你迷戀之深，不在俊兒之下。」

岳小釵望了蕭翎一眼，黯然一歎。

忘情師太道：「老尼不願再說了，言盡於此，你們自作主意。」

洪婆婆一抖竹杖，道：「咱們該動手了。」

忘情師太道：「洪施主就用手中竹杖，和我過招？」

洪婆婆道：「老身用得習慣了，和兵刃一樣順手。」

忘情師太一揮手中白尾拂塵，道：「好！老尼用拂塵接你竹杖。」

洪婆婆欺上兩步，揚起手中竹杖，正待擊下，心中突然一動，道：「一動上手，咱們定要有一人受傷，老身想起一事，想先問個明白！」

忘情師太道：「什麼事？」

洪婆婆道：「神風幫和我老婆子素無過節，他們爲什麼要侵犯我洗心茅舍？」

忘情師太道：「這個老尼不知。」

洪婆婆道：「就算你知道了，也不肯講出口來，是嗎？」

忘情師太道：「老尼代你查問……」

回頭喝道：「張成，你過來。」

張成大步行了過來，道：「大姑娘有何吩咐？」

忘情師太道：「你們邀了神風幫？」

張成結結巴巴道：「老夫人不知大姑娘肯來幫忙，因而邀請了神風幫，早知大姑娘肯來，自然不會邀他們了。」

蕭翎接道：「既能邀請了神風幫，想必還有別的人了。」

忘情師太道：「張成，還邀請了什麼人？」

張成道：「這個老奴不知。」

忘情師太道：「講實話。」

張成道：「老奴，老奴的確是……」

只聽一個尖厲的聲音接道：「不要逼他，要問就請問我。」

張夫人突然挺身而起，舉步行了過來。

張成道：「老夫人，您傷得很重，雖然服下了大姑娘的靈丹，也不能太大意啊！」

張夫人冷笑一聲，道：「我這大年紀，死而何憾，辦不好俊兒的事，我也羞對張家祖宗，死了倒還安心些。」

忘情師太歎道：「嫂嫂……」

張夫人道：「難得啊！我幾十年沒有聽到這稱呼了。」

忘情師太一皺眉，道：「我的修為不夠，仍然無法袖手不管。」

張夫人冷冷說道：「大妹子，聽嫂嫂幾句話，俗話說：一人成佛，九祖升天，可見成了佛的人，也無法棄兄置嫂，不聞不問……

「大妹子，你是有道的人，也許看不慣嫂嫂的胡作非為，但你不能看著張家這一條根，也撒手不管……

「俊兒的妹妹，為了她表兄藍玉棠移情岳小釵，已傷心成瘋，醫藥罔效，起因是為了岳小釵，被我囚了起來……

「如今俊兒又重傷奄奄，也是為了岳小釵。一對金童玉女的小孫兒，都為了一個岳小釵，鬧得瘋的瘋，傷的傷……

「唉！大妹子你說吧，叫我這做嫂嫂的，如何能安靜下來，你叫我如何能不胡作非為，病急亂拉醫，人急了，難免做事欠考慮了。」

目光轉到洪婆婆的身上，接道：「奇怪的是，水性楊花、見異思遷的岳小釵，竟是到處都有人肯維護她，連我們洪大姊，也全不念昔日交情，一心坦護那丫頭，硬說已把她收列門牆，繼承衣缽，非爲她出頭不可。」
洪婆婆道：「這有什麼好奇怪，她母親是我的義女，算起來岳小釵也算是我的義孫女，你孫兒情有所鍾，那是他的事，但他追到我洗心茅舍來，苦纏不休，難道老身不能管？孫兒追不上小媳婦，你做奶奶的竟帶著人來此搶親。」
張夫人道：「搶又怎麼樣，硬扯上一個乾孫女，分明是狗拿耗子，多管閒事。」
洪婆婆冷笑一聲，道：「我已對你禮讓很多，再要出言不遜，難道我老婆子不會殺人？」
張夫人冷笑一聲，道：「你認爲你勝定了嗎？就算大妹子不插手，今宵裏也有你的好看，我要把你這洗心茅舍，踏成平地。」
洪婆婆道：「就憑你們白雲山莊幾個人嗎？」
張夫人道：「咱們等著瞧……」目光突然轉到蕭翎的身上，道：「你也來了，那很好，這叫做冤家路窄，大小恩怨一起結。」
忘情師太已聽出弦外之音，接道：「嫂嫂，你說的什麼話，難道你還請的有人？」
張夫人道：「嫂嫂不是說過了嗎？我要胡作非爲一次，是情勢逼我，不能怪我任性。」
忘情師太道：「你約的什麼人？」
張夫人哈哈一笑，道：「自然不是好人，好人如你大妹子，也不會幫嫂嫂的忙。」
忘情師太道：「神風幫是嗎？但那神風幫已毀在蕭翎手中！」
張夫人道：「我知道，不過，我不知蕭翎所爲，我還道是洗心茅舍的主人呢！」

忘情師太道：「那是說嫂嫂還約了很多人？」

張夫人道：「不錯，很多人，嫂嫂的用心，是要踏平這洗心茅舍。」

忘情師太道：「能告訴小妹嗎？你都是約些什麼人？」

張夫人道：「嫂嫂現在不便講，大妹子，只好請悶一會兒了。」

忘情師太搖搖頭，道：「嫂嫂，你不能倒行逆施啊！」

張夫人接道：「好人能如何？孫女傷心成瘋，孫兒又重傷難醫，大妹子，你是好人，但卻眼看著張家香火永絕，白雲山莊一敗塗地。」

忘情師太道：「哥哥做過幾樁內疚事，報應在兒女身上，他跟我談過，不許我日後插手白雲山莊中事，但我忍不住……」

張夫人大笑道：「但你哥哥也做過好事啊，難道好與壞，不能抵消？」

忘情師太歎道：「嫂嫂，因果報應，不能如此推斷，何況，俊兒重傷未死，或可有救……」

張夫人接道：「就算醫好了他的傷，也無法醫好他的心啊！」

忘情師太道：「嫂嫂，就算能迫服岳小釵，也只是征服了她的軀體，無法征服她的心！」

張夫人冷冷地說道：「如是俊兒和岳小釵之間，非得有一個要受委屈，爲什麼那人該是俊兒呢？」

忘情師太神情肅然地說道：「嫂嫂，我已和洪施主、蕭大俠訂下了賭約，這一次妄動無名之火，雖使我數十年清修盡付東流，但爲了俊兒，小妹也只好認了。但我既然插手了，就不願再有別人過問，請嫂嫂遣人，把今宵約來助拳人，擋回去吧！」

張夫人先是一怔，繼而冷然一笑，道：「這麼說，大妹子有把握勝得洪婆婆和蕭翎了？」

忘情師太道：「動手相搏，很難說有把握二字。」

張夫人道：「你既無把握勝得兩人，要嫂嫂我把約請之人，全部擋了回去，大妹子再敗了，這結局如何收拾？」

忘情師太道：「爲張家私人事，似是用不著勞動別人出手。」

張夫人道：「大妹子心地仁慈，這一戰不論勝敗，回頭就走，絕不會鬧出流血慘劇……」

忘情師太微現慍色，接道：「難道嫂嫂非要鬧出流血不可？」

張夫人道：「不殺洪婆婆和蕭翎，俊兒永遠無法得到岳小釵，得到了也無法能保她不藉機奔逃，釜底抽薪，永絕後患的辦法，只有殺死洪婆婆和蕭翎。」

忘情師太道：「嫂嫂這等固執，小妹只有放手不管了。」

張夫人心知自己重傷之軀，只要忘情師太一走，不論是洪婆婆或蕭翎，甚至岳小釵，只要一出手，就可把自己置於死地，不禁一慌，沉吟不語。

忘情師太莊嚴地說道：「嫂嫂去攔住他們吧！」

張夫人忽然長長歎息一聲，道：「晚了，只怕嫂嫂我也無法攔住他們了。」

忘情師太奇道：「爲什麼？」

張夫人道：「因為我已經答應和他們合作了。」

忘情師太道：「都是些什麼人？」

張夫人道：「沈木風、巫公子……」

忘情師太道：「巫公子？」

張夫人道：「巫山五毒門的傳人，岳雲姑和他父母本有過指腹之約，岳小釵該是他的妻子，但卻被蕭翎搶去，還有一位紅衣大和尚，聽說他身分很高，和蕭翎師父莊山貝結過樑子。」

忽然間，三絕師太全身微微抖動，接道：「莊山貝還活著？」

蕭翎道：「還活著，是我的授業恩師。」

三絕師太突然一整臉色，道：「我知道。」

這三字說得斬釘截鐵，冰冷異常。

三絕師太正是那莊山貝昔年的情人，是以，聽到那張夫人提到莊山貝，竟忍不住心情大為激動，但她削髮修行已久，禪功深厚，一陣激動之後，重又恢復了平靜。

忘情師太回顧了三絕師太一眼，又望望蕭翎，才歎息一聲，對張夫人道：「嫂嫂，這些人是萬惡不赦之徒，你怎麼會和他們認識？」

張夫人道：「為了俊兒。」

忘情師太正想再問，瞥見幾條人影，疾奔而來。

六十　劫後武林

當先一人高大駝背，正是沈木風。
依序是紅衣和尚、巫公子、金花夫人、毒手藥王。
蕭翎看到毒手藥王也在其中，心中大是詫異，呆了一呆，道：「南宮老前輩。」
毒手藥王哈哈一笑，道：「清者自清，濁者自濁，老夫和你們俠義之中人物合不來，還是和沈大莊主合作了。」
蕭翎冷哼一聲，想出言喝罵，話到口邊又忍下去沒說出來。
沈木風望望張夫人，道：「夫人受了傷？」
張夫人道：「傷在洪婆婆的手中。」
沈木風淡淡一笑，道：「等會兒就替夫人報仇。」
目光轉到忘情師太身上，道：「這一位想來是忘情神尼了。」
忘情師太道：「不敢當。」
只見那紅衣和尚哈哈一笑，道：「張姑娘還記得貧僧嗎？昔年簫王張放兄，曾帶著姑娘和貧僧見過一面，那時，貧僧還不足二十，姑娘還不到十歲吧！」

忘情師太道：「老尼記不得了。」

那紅衣和尚笑道：「都幾十年了，咱們都老啦，貧僧如是不知你來歷，也就無法認出你就是張姑娘了。」

忘情師太道：「老尼法號忘情，昔年舊識，都已忘得乾乾淨淨了。」

那紅衣和尚臉色一變，似要發作，但卻被沈木風以目示意攔住。

忘情師太冷冷地望了張夫人一眼，道：「你要如何處理此事？」

張夫人答非所問地接道：「你們可以走了。」

忘情師太道：「到哪裏去？」

張夫人道：「回你忘情庵，不用再管此地的事了。」

忘情師太道：「小妹如是早知你約了這些助手，絕不會管你閒事……」

張夫人道：「現在也不晚啊！你既未出手，也沒有毫髮之損。」

沈木風眼看著兩人爭論，也不出言阻攔。

蕭翎對那沈木風特別留心，想到那揮劍一舉，斬了他一條右臂，此刻，只餘有一臂才是，但沈木風，卻不見少去手臂。

想仔細看他的手，但那沈木風兩隻寬大的袍袖，一直垂掩掌指，無法看到，但他兩隻袖管中，都有物撐著，不似少去手臂的人。

最使蕭翎奇怪的，這紅衣和尙應該對自己充滿著怨恨才是，但他除了看自己一眼外，就未再多瞧一下。

金花夫人、巫公子，都冷冷地站在那裏，不發一言。

蕭翎這些時日之中，經歷了無數的凶險、怪異之事，雖然心中疑竇重重，但卻不問一言，鎮靜、沉著，坐以觀變。

但聞忘情師太冷肅地說道：「白雲山莊，可以星散江湖，但不能遺臭萬年，嫂嫂這等作法，那是誠心要毀去白雲山莊的清名了？」

張夫人淡淡一笑，道：「清名？清名對白雲山莊有何幫助，我要替張家保下一脈香煙，那就算對得起你們張家祖宗了。」

禪功深厚的忘情師太，此刻似是也無法再控制自己的激動心情，臉上的神色，變幻不定。

張夫人似是也瞧出了忘情師太難看的神色，口氣一變，道：「大妹子，你是世外高手，我這做嫂嫂的非不得已，實也不願拖你下水，現在，嫂嫂的幫手已到，大妹子實也用不著再多管此間的閒事了。」

忘情師太不理張夫人，目光卻轉到沈木風的臉上，緩緩說道：「我們張家的事，不敢勞動費心。」

沈木風淡淡一笑，道：「神尼說得什麼？區區聽不明白。」

忘情師太道：「我們張家的事，不敢勞閣下和貴友費心，我們自會處理。」

沈木風淡淡一笑，道：「在下不記得和神尼有約？」
忘情師太怔了一怔，道：「這個，這個……」
沈木風接道：「在下記得是和張夫人有約，只要張夫人講一句話，我們回頭就走。」
忘情師太道：「這話當真嗎？」
沈木風道：「沈某向不打誑語。」
忘情師太目光轉到張夫人的臉上，道：「嫂嫂，這是你最後的機會，只要你說一句話，他們就可以走了。」
張夫人沉吟了一陣，道：「大妹子，聽我勸，你們回去吧！」
忘情師太長歎一聲，不再多言。
張夫人目光轉到沈木風的臉上，緩緩說道：「沈大莊主，一切都準備好了？」
沈木風道：「都好了，夫人準備如何？」
張夫人道：「可以動手了。」
沈木風望了蕭翎一眼，緩緩說道：「張夫人，在下有一句話，想問問夫人。」
張夫人道：「什麼事？」
沈木風道：「夫人約在下時，似乎是沒有提到過，蕭大俠也在此地？」
蕭翎本想接言，說明在下趕巧碰到，但轉念又想到如此接口，豈不是替那張夫人解了圍，當下不再多言。

張夫人望了蕭翎一眼，緩緩說道：「這個，老身也不知道。」

沈木風又道：「想是岳姑娘早已知夫人來此尋仇，而約了蕭翎到此。」

蕭翎聽到他們扯到岳小釵的身上，忍不住接道：「這和岳姑娘無關。」

沈木風道：「那是說，閣下碰巧趕來了。」

蕭翎道：「有一句俗話說，冤家路窄。」

沈木風淡淡一笑，道：「看來，蕭大俠是很有把握了。」

蕭翎冷冷說道：「在下希望今宵是我們最後的一戰！」

沈木風道：「此話怎麼說？」

蕭翎道：「不是你死，就是我亡！」

沈木風緩緩說道：「好！今宵咱們既然碰上了，在下也希望能夠分個生死出來。」

蕭翎道：「好！在下希望沈大莊主言出必踐，今日分個生死出來！」

沈木風點點頭，道：「可以。不過，在下不會和你蕭大俠單打獨鬥。」

蕭翎道：「那是說，沈大莊主準備群攻蕭某了。」

沈木風冷然一笑，道：「在下不會先行告訴你，如何對付你。」

張夫人突然接口說道：「咱們談好的，你們先行對付洪婆婆，搶到岳小釵，然後，你們再去對付蕭翎。」

沈木風道：「張夫人，不殺蕭翎，就想搶到岳小釵嗎？」

張夫人呆了一呆，道：「沈大莊主說得是。」

洪婆婆忍不住接口說道：「你們說來說去，只說蕭翎，難道就不把老身放在眼中嗎？」

沈木風道：「你放心，咱們怎會把你洪婆婆這等高手，不算在內。」

洪婆婆道：「那很好，你們大舉侵犯洗心茅舍，那是衝著老身來了，你們先把老身打敗了，再對付蕭翎不遲。」

沈木風冷然一笑，道：「洪婆婆既然很想動手，在下不得不把話先說明白了。」

洪婆婆道：「老身洗耳恭聽。」

沈木風道：「咱們今日之戰，不是一般的武林爭名，而是一場生死之搏，用不著講什麼江湖上的道義、規矩，八仙過海，各顯神通，誰有什麼本領，就施展什麼手段。」

洪婆婆道：「你們要群攻了？」

沈木風道：「不錯，除了施展群攻之外，這位苗疆金花夫人，和五毒門巫公子，還帶有很多毒物，及金光大師的九環飛鈸。」

蕭翎心中暗道：原來這紅衣和尙，法名金光。

但聞忘情師太冷冷說道：「你們全然不遵守江湖規戒？」

沈木風淡淡一笑，道：「令嫂約我們助她之時，曾經先行說明，不用按江湖規戒行事，不擇手段，只要能夠搶到岳小釵。」

忘情師太臉色一變，回顧了張夫人一眼，道：「嫂嫂，你說過這句話嗎？」

張夫人點點頭，道：「我說過。」
忘情師太長歎一聲，道：「先兄在江湖中建立的一點清譽，看來要葬送在你的手上了。」目光轉到洪婆婆的臉上，道：「洪施主，咱們的比武之約，就此作罷了！」
洪婆婆道：「好！看在你的份上，老身和白雲山莊之恨，就此一筆勾銷……」
張夫人冷冷接道：「太晚了！除非你肯獻出岳小釵。」
沈木風搖搖頭，道：「不成，咱們和張夫人有過約言，就算洪婆婆答允獻上岳小釵，夫人也不能中途撤退。」
張夫人呆了一呆，半晌答不上話。
沈木風道：「令妹忘情師太，武功高強，足可以對付洪婆婆，夫人下令她出手吧！」
張夫人苦笑一下，道：「只怕她不肯聽我之言。」
洪婆婆也未再出手搶攻，似是存心要先看看那忘情師太的態度。
只聽沈木風說道：「這本是你們張家的事，我們是應邀助拳，難道要我們拚命，你們袖手旁觀。」
張夫人道：「老身已和洪婆婆打過一陣，我雖然被她震傷內腑，但我也用淬毒之劍，刺了她一劍，此刻毒性已快發作，沈大莊主不難勝她。」
沈木風道：「那是說令妹忘情師太不會助我們了？」
忘情師太冷冷接道：「不會。我不但不助，反將爲你們之敵。」

沈木風一怔，道：「什麼？你連玉簫郎君的生死，也不管了。」
忘情師太道：「張家的人可以死絕，但清名不能壞去。」
沈木風氣極而笑道：「好啊！張夫人請來的好幫手啊！」
張夫人高聲說道：「大妹子，你不幫我們，也不能和我們為敵，你請走吧！」
忘情師太道：「咱們張家的事，自有小妹解決，嫂嫂為什麼不勸他們撤走？」
沈木風道：「在下既然來了，怎能輕易撤走。」
忘情師太道：「那就證明了一件事。」
沈木風道：「什麼事？」
忘情師太道：「證明了你並非全為我們張家而來。」
洪婆婆已看出忘情師太不會再為沈木風等助拳，去一強敵，心中稍安，欺身而上，道：「沈木風，老身久聞你的惡行，但因老身立有誓言，不便去找你為武林除惡，難得你今宵送上門來，老身要為武林同道做件好事了。」
竹杖疾起，兜頭劈下。
沈木風這次不再避讓，揮動磁尺還擊。
立時，展開了一場惡鬥。
岳小釵突然舉手互擊兩掌，素文、小虹，由茅舍中疾奔而出，探手把一柄軟劍，交到岳小釵手中，同時，也拔出背上的長劍。

蕭翎也緩緩從懷中摸出一尺八寸的伏魔金劍，蓄勢待敵。

心中卻暗自忖量敵我形勢：只要洪婆婆能夠對付沈木風，自己對金光和尚，岳小釵和二婢全力對金花夫人、毒手藥王，再招下百里冰對付巫公子，勉可打成一個平手，只要忘情師太不出手助敵，勝敗關鍵就在自己和洪婆婆對敵的勝負上了……

忖思之間，突聽忘情師太說道：「沈木風，你如下令群攻，老尼師徒也要出手。」

沈木風一面和洪婆婆動手，一面高聲叫道：「張夫人，要攔住忘情師太，咱們就有八成勝機。」

張夫人長長歎息一聲，道：「大妹子，你要出手助那洪婆婆，那需要把嫂嫂殺了。」

喝聲中，撲向忘情師太。

忘情師太一閃身避了開去。

張夫人大傷未癒，強提真氣支撐，說了許多話，早感不支，一撞未中，再也立足不穩，直向地上栽去。

忘情師太頭不回，目不視，左手一抄，抓住了張夫人，隨手點了張夫人一處穴道，說道：「張成，好好保護夫人。」

張成應了一聲，行了過來，接過張夫人。

只聽唉呦一聲慘叫，那金面鐵手人突然倒摔在地上。

緊接著一股腥氣，撲鼻而來。

忘情師太手中拂塵一揮，唰的一聲，打死近身的毒物，忙道：「快往前走，他們業已暗中施放毒物了。」

岳小釵道：「師父，請入茅舍中躲躲吧！」

其實，這一陣工夫，四面八方，都已有毒物攻來，有奇毒的怪蛇、蜈蚣、蠍子等，奔擁而來。

三絕師太手中長劍揮動，護住張夫人，道：「師父，咱們可要進洗心茅舍？」

忘情師太道：「那是唯一可退之路。」

張成抱著張夫人，大步向前行去。

三絕師太執劍隨後相護。

岳小釵低聲說道：「素文、小虹，保護張夫人。」

張成隨手把張夫人交給了素文，翻身擋在正面方位。

這時，各種毒物，齊向茅舍迫進。

忘情師太、岳小釵、三絕師太，加上張成，各揮兵刃，擊打毒物。

這幾人個個身手非凡，那毒物雖眾，卻也無法逼近幾人。

蕭翎右手執著伏魔金劍，橫移兩步，道：「洪老前輩，毒物環圍，不可戀戰，咱們快先退入茅舍中再說。」

說話間，金劍一揮，斬斷了數條毒蛇。

洪婆婆道：「你退開去，不用管我。」

竹杖一緊，攻勢更是猛銳。

蕭翎心中暗道：這位老太太，脾氣倒是老而彌暴。

揮動金劍，幫她擊殺近身毒物。

突聞金光大師冷笑一聲，道：「蕭翎，你刺老衲一劍，老衲要還你一陣九環飛鈸。」

突然雙手揚動，兩串金芒，滾滾而來。

蕭翎揮劍撥打，響起了一片金鐵交觸的脆鳴之聲。

但那飛鈸有如生翼之物，被蕭翎劍勢擋開之後，立時又旋轉而上。

原來，金光大師這九環飛鈸，由九鈸組成的鈸陣，用手發出之後，又運內力催動，掌推指點，連環擊敵，的確是武林一絕。

蕭翎困於連環飛鈸之中，一時間，竟是無法脫身而出。

這時，突聞毒手藥王說道：「大師，在下助你一臂之力。」

金光大師道：「好！你自左面攻取蕭翎……」

話還未完，突覺一陣目眩，身子陡然向前衝進了數步，吐出一口鮮血。

原來，毒手藥王口中說話之時，暗中卻運集功力，一掌擊在金光大師的背心之上。

這一掌，乃毒手藥王生平功力所聚，金光大師雖有絕世功力，也是承受不起，只覺五腑翻動，鮮血衝口而出。

但此人功力確有過人之處，強忍重創，陡然翻身，撲向毒手藥王，推出一掌。
毒手藥王料不到他中掌之後，還能如此反擊，閃避不及，揮手接下一掌。
雙掌接實，響起了一聲大震，毒手藥王悶哼一聲，倒退五步，仰面摔倒。
這時，飛鈸失去駕馭，被蕭翎金劍擊落，騰躍而起，連人舉劍，撲向金光和尚。
寒芒過處，鮮血飛濺，金光和尚一顆人頭，直飛一丈多遠。
蕭翎一劍斬去金光和尚人頭，急急奔向毒手藥王，道：「老前輩……」
只見數條毒蛇，分咬著毒手藥王的雙耳、鼻子。
蕭翎金劍一揮，斬去毒蛇，抱起了毒手藥王。
這時，一條人影，由大樹疾射而下，落在蕭翎身側。
原來，百里冰藏在大樹上，監視敵情，聞得毒手藥王悶哼之聲，躍下相救，已是晚了一步。
毒手藥王發掌暗襲金光和尚，到對掌受傷，不過一瞬工夫，場中已奇變橫生。
只聽巫公子尖叫一聲，摔倒地上。
回目望去，只見金花夫人理一下鬢邊散髮，說道：「只餘下沈木風一個人了。」
原來，毒手藥王暗對金光和尚下手之時，金花夫人也同時對巫公子施毒，暗放白線兒，咬中了巫公子的左腕，然後，揮掌搶攻，兩人對拚五招，白線兒奇毒，巫公子又被金花夫人一掌擊中前胸，倒地而逝。

巫公子一死，毒物失去控制，逐漸向後退去。
蕭翎黯然對毒手藥王說道：「老前輩請安心養息，看我殺沈木風為你解恨。」
仗劍回身，高聲說道：「洪老前輩請讓我一次，在下要搏殺沈木風。」
這幾句話，豪氣干雲，擲地有聲。
洪婆婆疾攻兩杖，抽身退開。
蕭翎金劍已指向沈木風，道：「我要在百招之內，取你之命。」
也不待沈木風答話，揮劍而攻。
兩人一接上手，形勢又自不同，但見金芒閃閃，沈木風被圈在一片劍影之中。
洪婆婆不停地喘氣，回顧了忘情師太一眼，道：「蕭翎武功不在老身之下。」
忘情師太道：「能人代出，咱們都已老朽了。」
洪婆婆苦笑一下，突然從小虹手中搶過長劍，唰的一聲，斬下一條左臂。
岳小釵道：「師父，您……」
洪婆婆淡淡一笑，道：「師父還想多活幾日，只好斷下這條左臂，這番苦戰，我已無能運氣閉穴、止毒攻心了，快用藥物替師父包起來。」
忘情師太取出一粒丹丸，放入洪婆婆的口中，道：「吃下去。」
岳小釵奔入室中，取來藥物，包起洪婆婆的傷臂。
剛剛包好洪婆婆的傷臂，突聞大喝一聲，寒芒陡斂，搏鬥終止，沈木風高大的身軀，緩緩分成兩半，倒在地上。

蕭翎倒退三步，棄去金劍，奔向毒手藥王，道：「南宮老前輩，你好些嗎？」

這時，金花夫人已餵毒手藥王兩粒祛除蛇毒之藥。

岳小釵、忘情師太、洪婆婆等全都圍了上來。

只見毒手藥王臉上擠出一個痛苦的微笑，道：「我被震斷心脈，天下無藥可救，我一輩子惡行甚多，死有餘辜……」

忘情師太道：「放下屠刀，立地成佛，施主……」

毒手藥王接道：「我有幾句話必須早些說完，我這最後一口護命元氣，隨時都會散去。」

果然大家都不敢再多接口，傾神靜聽。

但聞毒手藥王說道：「岳小釵姑娘！」

岳小釵微微一怔，伏下身，道：「老前輩有何吩咐？」

毒手藥王道：「我袋中有一封信，你拿去看看，希望能答覆我。」

岳小釵道：「只要晚輩能夠辦到，一定答允。」

伸手摸去，袋中果有一封書信，寫道：「岳小釵姑娘密閱。」

毒手藥王道：「我要求並不苛，我相信姑娘會答應……」

語聲微微一頓，接道：「蕭大俠，沈木風帶了三十餘位屬下，都已被我暗下奇毒，他們活不過天亮，你們不用再擔心了。」

忘情師太聽說他一下毒死三十餘人，不禁暗自宣了一聲佛號。
這時，毒手藥王鼻孔、嘴角中，都已流出血來，但仍然強行說道：「我已遣人通知宇文寒濤，他們大約中午時分，可以趕到，還有北天尊者，也到了中原……」
百里冰接道：「我爸爸知道我在此嗎？」
毒手藥王道：「知道，也許他日落前可以趕到。」
目光轉到蕭翎的臉上，接道：「還有一件事，我也替你辦了！」
蕭翎道：「什麼事？」
毒手藥王道：「包一天，我在他身上下了毒，至多還可再活半個月，他一計坑死九大高手，我毒死他不足為過。」
蕭翎點點頭，道：「他的為人，的確太陰森了。」
毒手藥王道：「我這次成功重獲沈木風的信任，全是金花夫人之功，她為你捨身於沈木風……」突然身子一顫，閉目逝去。
蕭翎轉頭看時，早已不見金花夫人行蹤何處。
原來，那金花夫人趁群豪靜聽毒手藥王講話時，悄然而去。
蕭翎抱起毒手藥王的屍體，道：「老前輩一生功過，留待他人評論，但對我蕭翎，卻是恩義極厚，你嘉惠這一代武林同道，定然有一番身後哀榮，晚輩絕不敢草殮你的屍體。」
轉臉對洪婆婆抱拳一揖，說道：「打擾老前輩，晚輩就此告別了。」

洪婆婆道：「天下英雄，中午即將到此，你不和他們見面嗎？」

蕭翎道：「巨凶已除，天下至少會有一段太平日子，晚輩不用和他們相見了，一切有勞老前輩轉達，把毒手藥王屍體交給宇文寒濤，他自會把南宮老前輩的事蹟，昭告天下。」

言罷，轉身而去。

百里冰道：「大哥，你金劍也不要了嗎？」

蕭翎道：「巨魔伏誅，金劍，交給洪婆婆保管吧！」

百里冰道：「難道連我也不要了？」

蕭翎回頭說道：「你留此地，見你爹爹，禀明內情，你父母如若同意咱們往來，明年中秋之夜，我在華山絕峰等你，五更爲限，過時，小兄就不候了。」

百里冰點點頭，道：「我相信爹娘會同意，也相信大哥的話，咱們明年中秋見。」

岳小釵突然想到毒手藥王留下之函，不知寫些什麼？

急急閃到一側，晃燃一枚火摺子看去。

只見信箋上寥寥數語，寫的是：「小女已然身懷蕭翎的骨肉，小女不願說，蕭翎不自知，還望姑娘從中成全，則小老兒感激不盡矣！」

岳小釵閱畢，急急轉過身子看去，但見夜色淒迷，蕭翎早已走得不知去向。

火光下，只見百里冰微笑如花，仍然望著蕭翎行去的方向出神。

岳小釵暗暗歎息一聲，燃起了手中的信箋，忖道：再完美的人，也難免有錯，蕭兄弟是好人，但他年紀太輕，卻有了超人的成就，只怕他日後會變得好大喜功。

善惡一念，英雄可變梟雄，冰妹和南宮姑娘都對他百依百順，只是太過軟弱，看來，真得要我去管他了……

全書完

臥龍生武俠經典珍藏版 28

岳小釵（四）大結局

作者：臥龍生
發行人：陳曉林
出版所：風雲時代出版股份有限公司
地址：10576台北市民生東路五段178號7樓之3
電話：(02) 2756-0949　　傳真：(02) 2765-3799
執行主編：劉宇青
美術設計：許惠芳
行銷企劃：林安莉
業務總監：張瑋鳳
出版日期：臥龍生60週年珍藏版 2023年2月
版權授權：春秋出版社呂秦書
ISBN ：978-986-5589-93-6
風雲書網：http://www.eastbooks.com.tw
官方部落格：http://eastbooks.pixnet.net/blog
Facebook：http://www.facebook.com/h7560949
E-mail：h7560949@ms15.hinet.net
劃撥帳號：12043291
戶名：風雲時代出版股份有限公司

風雲發行所：33373桃園市龜山區公西村2鄰復興街304巷96號
電話：(03) 318-1378　　傳真：(03) 318-1378
法律顧問：永然法律事務所 李永然律師
　　　　　北辰著作權事務所 蕭雄淋律師

行政院新聞局局版台業字第3595號 營利事業統一編號22759935

定價：320元　

國家圖書館出版品預行編目資料

岳小釵／臥龍生 著. -- 臺北市：風雲時代出版股份有限公司，2021.06- 冊；公分（臥龍生武俠經典珍藏版）
ISBN：978-986-5589-90-5（第1冊：平裝）
ISBN：978-986-5589-91-2（第2冊：平裝）
ISBN：978-986-5589-92-9（第3冊：平裝）
ISBN：978-986-5589-93-6（第4冊：平裝）

863.57　　110007335